남북한 유엔 가입

홍보 및 언론 보도 3 및 기타

남북한 유엔 가입

홍보 및 언론 보도 3 및 기타

| 머리말

유엔 가입은 대한민국 정부 수립 이후 중요한 숙제 중 하나였다. 한국은 1949년을 시작으로 여러 차례 유엔 가입을 시도했으나, 상임이사국인 소련의 거부권 행사에 번번이 부결되고 말았다. 북한도 마찬가지로, 1949년부터 유엔 가입을 시도했으나 상임이사국들의 반대에 매번 가로막혔다. 서로가 한반도의 유일한 합법 정부라 주장하는 당시 남북한은 어디까지나 상대측을 배제하고 단독으로 유엔에 가입하려 했으며, 이는 국제적인 냉전 체제와 맞물려 어느 쪽도 원하는 바를 성취하지 못하게 만들었다. 하지만 1980년대를 지나며 냉전 체제가 이완되면서 변화가 생긴다. 한국은 북방 정책을 통해 국제적 여건을 조성하고, 남북한 고위급 회담 등에서 남북한 유엔 동시 가입 등을 강력히 설득한다. 이런 외교적 노력이 1991년 열매를 맺어, 제46차 유엔총회를 통해 한국과 북한은 유엔 회원국이 될 수 있었다.

본 총서는 외교부에서 작성하여 30여 년간 유지한 남북한 유엔 가입 관련 자료를 담고 있다. 한국의 유엔 가입 촉구를 위한 총회결의한 추진 검토, 세계 각국을 대상으로 한 지지 교섭 과정, 국내외 실무 절차 진행, 채택 과정 및 향후 대응, 관련 홍보 및 언론 보도까지 총 16권으로 구성되었다. 전체 분량은 약 8천 쪽에 이른다.

2024년 3월

한국학술정보(주)

| 일러두기

· 본 총서에 실린 자료는 2022년 4월과 2023년 4월에 각각 공개한 외교문서 4,827권, 76만 여 쪽 가운데 일부를 발췌한 것이다.

· 각 권의 제목과 순서는 공개된 원본을 최대한 반영하였으나, 주제에 따라 일부는 적절히 변경하였다.

· 원본 자료는 A4 판형에 맞게 축소하거나 원본 비율을 유지한 채 A4 페이지 안에 삽입하였다. 또한 현재 시점에선 공개되지 않아 '공란'이란 표기만 있는 페이지 역시 그대로 실었다.

· 외교부가 공개한 문서 각 권의 첫 페이지에는 '정리 보존 문서 목록'이란 이름으로 기록물 종류, 일자, 명칭, 간단한 내용 등의 정보가 수록되어 있으며, 이를 기준으로 0001번부터 번호가 매겨져 있다. 이는 삭제하지 않고 총서에 그대로 수록하였다.

· 보고서 내용에 관한 더 자세한 정보가 필요하다면, 외교부가 온라인상에 제공하는 『대한민국 외교사료요약집』 1991년과 1992년 자료를 참조할 수 있다.

차례

정 리 보 존 문 서 목 록

기록물종류	일반공문서철	등록번호	2020080020	등록일자	2020-08-19
분류번호	731.12	국가코드		보존기간	영구
명 칭	남북한 유엔가입관련 홍보 및 언론보도, 1990-91. 전5권				
생 산 과	국제연합1과	생산년도	1990~1991	담당그룹	
권 차 명	V.5 북한방송 발언요지				
내용목차					

0001

2차 평양 남북고위급회담 이후 유엔가입관련 북한방송 발언 요지

ㅇ 유엔 단독가입 책동은 통일지향에 대한 엄중한 도전

(평양 90.10.19. 14:40) 〈논설〉

- 남조선 당국자들의 유엔 단독가입 책동은 유엔의 이름으로 조선의 현 분열상태를 합법화하고 두개 조선을 조작하기 위한 술책임.
- 우리나라의 유엔가입 문제는 북과 남 사이의 대화와 협상을 통해서 전 민족적 합의, 북과 남의 합의에 기초해서 해결되어야 함.
- 우리 (북한)도 유엔가입의 조속한 실현을 바라며, 가입할 당당한 자격이 있지만, 분열된 조국을 통일해야 할 책임있는 당사자로서 유엔가입 문제를 조국통일의 견지에서 신중히 대하고 있음.

ㅇ 통일의 새로운 이정표를 밝혀준 조국통일 5개 방침

(중앙 90.10.19. 13:40) 〈논설〉

- 유엔은 자기의 사명에 맞게 조선문제를 평화적으로 공정하게 해결하는데 도움을 주어야 하며 유엔무대가 조선의 통일을 지연시키는데 이용되는 것을 허용하지 말아야 함.

ㅇ 노OO 집단의 유엔 단독가입 책동과 관련하여

(민민전 90.10.23. 20:10) 〈시사해설〉

- 오늘과 같이 남과 북이 서로 상대방의 전민족적 대표권을 인정하지 않고 있는 여건에서 어느 한쪽만 유엔에 단독으로 가입하는 것은 무의미함.
- 노OO 집단은 심지어 남북총리회담에서 유엔문제가 논의되고 있는 도중에 단독가입을 요망하는 서한까지 안전보장이사회에 제출하는 용납못할 범죄행위를 서슴없이 자행했음.

공람	국제연합과	90년 10월 27일	담당	과장	국장			
			[서명]	[서명]	[서명]	[서명]	[서명]	

0002

o 용납못할 반통일적 망동

(중앙 90.10.24. 20:50) <시사논평>

- 정치.경제.군사적으로 철저히 예속되어 있는 미국의 식민지인 괴뢰 정권이 자주적인 독립국가들만이 들어가는 유엔에 들어갈 아무런 자격조차 없음.
- 남조선 당국자들이 북남 고위급회담에서 유엔대표의 문제를 우선 해결하고자 한 우리의 제의에 동의한 것도 바로 유엔 단독가입이 통일문제와 민족의 이익에 저촉된다고 간주한데서 부터 출발한 것임.
- 남조선의 한 신문은 괴뢰들이 오는 27일까지 유엔 단독가입을 신청할 것이라고 전했는데, 이러한 심상치 않은 움직임은 겨레의 높아가는 통일열망에 찬물을 끼언고 진행중에 있는 북남 대화에 난국을 조성하는 범죄행위임.

o 최호중 외무부장관, 유엔의 날 기념사에서 유엔가입 문제관련 발언

(민민전 90.10.25. 14:00)

- 남북대화에 관계없이 유엔의 단독으로 가입하겠다는 외무부당국자의 이같은 발언(유엔가입 문제를 무한정 남북협의에 묶어둘 수 없음. 우리가 유엔에 가입하게 되면 북도 동시에 또는 잇따라 유엔에 가입하게 될 것임. 이것이 남북간의 화해와 대화를 촉진시킬 것으로 확신함.)은 도저히 용납할 수 없는 망언임.
- 남북고위급회담에서 쟁점으로 부각되고 있는 유엔가입 문제를 외면하고 저들만이 유엔에 단독으로 가입하겠다는 것은 노00 집단이 남북대화를 저들의 정권연장에 이용하면서 두개의 한국이라는 매국, 배적적인 분열책동에 집착하고 있다는 것을 보여주는 것임.

0003

유엔가입 관련 북한방송 발언요지

o 유엔무대를 두개 조선 조작에 악용하려는 책동 (중방 90.10.26. 13:40)

- 유엔무대에 찾아 다니면서까지 분열을 인정받고 그것을 언제까지나 지속시키려 하는 것은 침략자와 그에 아부하는 매국노들 만이 감행할 수 있는 반민족적 범죄행위 임.
- 북과 남의 대화는 통일을 위한 것이어야지 분열할 바엔 마주 앉을 필요가 없음.

o 통일된 하나의 조선을 위한 세계대회, 프랑스 파리에서 진행 (중방, 90.10.26. 09:00)

- 우리는 모든나라 정부들로 하여금 남조선의 유엔단독 가입안의 분열주의적 본질을 똑똑히 알고 그를 저지 파탄시키도록 하여야 함.
- 유엔무대가 조선의 통일을 지연시키는데 이용되지 말아야 한다고 주장
- 통일이 실현되기 전에 북과 남이 유엔에 들어가는 경우 하나의 의석으로 가입

o 북과 남은 하나의 의석을 가지고 공동으로 유엔에 들어가야 한다. (평방, 90.10.29. 09:25) <노동신문 논설>

- 북과 남이 단일의석 가입안을 협의 해결하지 않는다면, 이것은 북남 고위급회담의 운명과도 관련되는 매우 중대한 문제가 됨.
- 단일의석 가입안이 나라의 통일에 전적으로 복무하는 가장 합리적인 제안이며, 유엔헌장의 요구와 총회 결의에 전적으로 부합되고, 세계 많은 유엔 성원국들로부터 지지를 받고 있음.

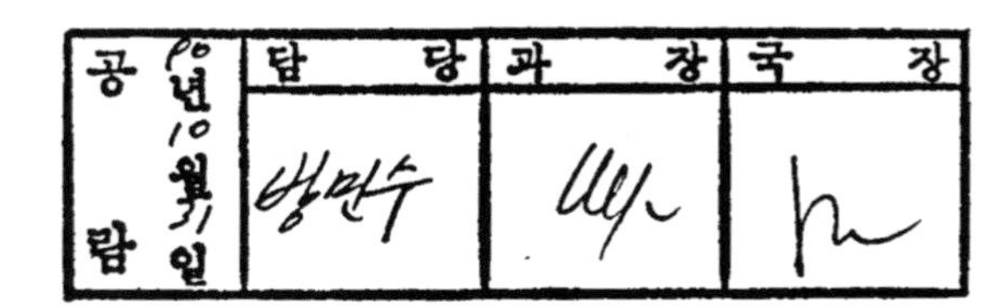

공람	90년 10월 31일	담당	과장	국장
		방민수		

0004

o 한국민족민주전선 중앙위, 유엔사무총장에게 편지

(민민전, 90.10.30. 21:10)

- 미국과 남한이 유엔 분리 가입을 획책하는 것은 한반도의 분단구조를 고정화 하고 남한 땅을 미국의 영원한 식민지로 유지하려는데 목적이 있고, 한반도의 긴장지속은 남과 북이 유엔에 가입하지 않아서가 아니라, 미국이 한국을 강점하고 분할통치 하기 때문임.
- 우리는 유엔이 남한의 단독가입 문제를 토의할 것이 아니라, 한국 강점 미국의 철수와 한반도의 통일문제를 전향적 자세에서 토의하기 희망함.

o 한민전 중앙위, 유엔회원국에 보내는 편지 (민민전, 90.10.30. 20:18)

- 유엔회원국으로서 귀국정부가 한국 위정자들의 유엔 단독 가입기도를 자기 민족의 지향에 칼질하는 일대 범죄로 수억만 인류의 안정을 위협하는 공공연한 도전으로 낙인찍고 단호히 규탄 배격해 주기를 기대함.

0005

報告畢

長官報告事項

1990. 11. 1.

國際機構條約局
國際聯合課 (65)

題目 : 유엔加入關聯 北韓言論 報道內容 分析

北韓側은 90.10.19. 第 2次 南北高位級會談以後 我側의 유엔加入 可能性을 염두에 두고 放送等 言論 매체를 통하여 유엔加入問題에 대한 報道를 增大하였는 바, 同 內容 및 이에 대한 分析評價를 아래 報告드립니다.

1. 放送事例 :

90.10.19-10.30.일간 10회
(중앙방송 4회, 민민전방송 4회, 평양방송 2회등)

2. 北側 主張의 主要內容

가. 單一議席 加入案이 最善의 길임을 強調

- 單一議席 加入案이 統一에 寄與하는 服務하는 가장 合理的인 提案이며, 單一議席 加入案의 協議 與否는 北南高位級會談의 運命과 關聯되는 중대한 問題

나. 유엔加入 推進이 統一을 沮害함을 繼續 強調

- 유엔舞臺까지 가서 분열을 인정받고자 함은 反民族的 犯罪行爲임.
- 유엔舞臺가 統一을 遲延시키는데 利用되지 말아야 함.

공람	담당	과장	국장	차관보	차관	장관
	[서명]	[서명]	[서명]	[서명]		

0006

다. 最近 我國의 單獨加入 推進 可能性에 대한 非難

- 總理會談 도중 安保理에 單獨加入 希望 書翰 提出은 容納못할 犯罪行爲
- 27日까지 單獨加入 申請 (남한보도 인용)은 北南 對話에 難局을 造成
- 南北對話와 關係없이 유엔에 單獨으로 加入하겠다는 外務部 當局者의 發言 (유엔협회 연설을 지칭)은 容納못할 妄言

라. 其 他

- 韓國 民族民主戰線 中央委, 유엔事務總長 앞 書翰 (유엔이 美軍撤收 및 統一問題를 討議 希望) 및 유엔會員國 앞 書翰 (韓國의 유엔加入 기도 糾彈 排擊 要請) 發送

- 끝 -

0007

유엔가입관련 북한방송 발언요지

o 전민련 고문 "백기완"등 유엔단독가입 반대 및 방북인사 석방 촉구

(중방 90.10.31. 07:00)

- 백기완등 재야인사들은 10월15일 기자회견에서 남북대화의 선결과제로 유엔 단독가입 기도를 버릴 것을 촉구
- 문익환 목사는 옥중에서 쓴 편지에서 작년에 내가 이북에 가서 얻어온 합의는 유엔에 한나라로 등록하자는 것이라고 주장
- 교포신문 민족시보 10월 5일부는 우리는 온민족의 이름으로 유엔 단독가입에 대한 미국의 지지표명을 준열히 규탄한다고 지적

o 조국을 통일하는데 필요하다면 쉬운것과 어려운 것을 가려서는 안된다.

(중방 90.11.01. 09:22) <노동신문 논평>

- 남측이 북남 고위급회담이 열리고 있는때에 유엔 동시가입을 주장하고, 남조선만의 유엔 단독가입을 실현하겠다고 돌아치는 것은 분열주의적 속심의 발현

o 유엔단독가입을 운운하는 자들의 목적

(평양 90.11.02. 08:55)

- 남조선 정권은 미국에 의하여 조작되고 유지되는 식민지 예속정권임.
- 동시가입이나 단독가입은 두개 조선의 존재를 합법화하고 나라의 분열을 영구화 하는것임.
- 조선반도에서 긴장상태가 지속되는 것은 미제가 침략과 전쟁을 추구하기 때문
- 남조선 괴뢰들은 진실로 남북관계, 통일문제 해결에 관심이 있다면 유엔무대를 통해 분열을 국제적으로 합법화하는데 소비할 것이 아니라 북과 남의 불신의 근원인 정치군사적 대결상태 해소에 힘을 써야함.

공람	년 월 일	담당	과장	국장
		방민수	(서명)	(서명)

0008

o 조선의 평화와 통일에 가로놓인 최대의 장애물

(중방 90.11.03. 09:21) <노동신문 논설>

- 남조선의 유엔단독가입 책동은 미제의 각본에 따라 조선의 분열을 유엔의 이름으로 영구히 고정화 하려는 반통일 범죄행위임.

o 평양시 청년학생들, 광주학생 사건 61돌 기념 보고회 진행

(평방 90.11.03. 21.00)

- 유엔에 단독가입하겠다는 것은 대화부정 통일부정 행위임.
- 북남관계를 개선하고 대화를 전진시키는데 관심이 있다면 일방적인 유엔가입 소동과 팀스피리트 합동 군사연습을 중지해야 함.

o 하나의 의석을 가지고 공동으로 유엔에 들어가야 한다.

(중방 90.11.05. 13:40) <대담>

- 남조선 당국자들이 벼칠전 유엔단독 가입 신청을 한것은 유엔무대를 통해서 나라의 분열을 국제적으로 합법화 하려는 남측의 구태의연한 입장을 드러낸 것임.
- 공화국 정부는 유엔가입 자격을 가졌지만 나라의 분열을 방지하고 통일을 실현하려는 염원에서 통일된 하나의 조선으로 유엔에 들어갈 것을 주장해 왔음.
- 단일의석 가입안은 민족통일 위업에 부합되며, 유엔헌장의 요구와 유엔총회 결의에도 타당함.

o 유엔 단독가입 책동은 용납못할 범죄행위

(평방. 90.11.05. 00:44) <문답>

- 유엔 단독가입은 조선의 현 분열상태를 국제적으로 합법화하고 영구화 되는 반민족적 범죄행위임.

0009

o 평민당, 단일회원국으로 가입 주장

(민민전 90.11.05. 12:00)

- 평민당은 3일 당사에서 확내 간부회의를 열고 단일회원국으로 가입하는 방안이 바람직하나고 주장했음.

o 통일 위업에 이롭고 유엔현장에도 부합되는 합리적인 제안

(평방 90.11.07. 21:00) <내담>

- 단일의석 가입안은 나라의 통일에 전적으로 복무하는 가장 합리적인 재안이며, 유엔현장의 요구와 유엔총회의 결의에도 전적으로 부합되고, 세계 많은 성원국들로부터 지지를 받고 있음.

0010

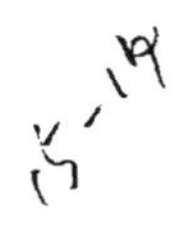

10:13 - 11:17

유엔가입관련 북한방송 발언요지

(90. 11. 9 - 11. 14)

o 유엔대책 문제는 조국통일에 이롭게 해결되어야 한다.

(중방 90.11.09. 13:40) <대담>

- 남조선의 유엔 단독가입으로 나라의 분열을 고정화 하려는 것은 괴뢰들의 변함없는 분열주의적 입장을 다시금 드러내 보인 용납못할 범죄적 망령임.

o 남북 고위급회담 제 3차 대표접촉, 판문점에서 진행

(중방 90.11.09. 16:00) <최우진 순회대사 기자회견>

- 일부 나라들이 분열된 상태에서 유엔에 들어간 것은 우리나라의 구체적 실정에 맞지 않음.
- 유엔헌장에 분열된 나라들이 어떻게 가입하나 하는 구체적인 규정이 없으므로 우리나라의 유엔가입 문제는 우리 인민의 통일염원에 부합되게 또 북과 남의 화해와 단합을 도모할 수 있게 가입하여야 함.
- 유엔가입은 통일과 직결된 문제이고, 통일은 북과 남이 해결해야 할 민족 내부문제이므로 유엔가입문제는 민족내부 문제임.
- 유엔가입 문제는 우리 민족내부 문제를 토의하는 것인 만큼 남측이 철저히 대화에 대한 신의를 가지고 협의해야지 절대 유엔가입을 토론하다가 혼자 제멋대로 행동할 생각을 해서는 안됨.
- 단일의석 가입안이 비현실적이라면, 북과 남이 합의해가지고 단일의석 가입안을 유엔에 제출하여 유엔의 표결에 부쳐보면 현실성 여부를 알수 있음.
- 유엔무대에 가서 긴밀히 협력하자면 단일의석으로 가입해야 협력이 잘됨.

공람	90년 11월 16일	담당	과장	국장
		방성수	(서명)	(서명)

0011

o 북남 고위급회담 제 3차 대표 접촉, 판문점에서 진행
(중방 90.11.09. 20:00)

- 쌍방이 유엔가입 문제를 분열된 우리나라의 구체적 실정에 맞게 해결해 나가려는 주체적 입장을 가지는 것이 중요함.
- 쌍방의 유엔가입 문제가 우리민족 내부 문제이라는 것을 명심하고 북과 남이 대화를 통해 끝까지 토의 해결하기 위한 자세와 입장을 가지는 것이 중요함.
- 쌍방이 유엔가입 문제를 신의를 가지고 해결하기 위한 성실한 자세와 입장을 가지는 것이 중요함.
- 최우진 대표가 제기한 유엔무대에서의 북남 협력방안 내용 (* 별첨 1)
- 북측이 내놓은 공동신청서 초안 (* 별첨 2)

o 조통평 국제연락위원회, 제 2차 남북 고위급회담 관련 성명발표
(중방 90.11.10. 13:00)

- 남조선 당국의 유엔단독가입 책동에 우려를 표시하지 않을 수 없음. (11.5. 성명)

o 남북 고위급회담 제 3차 대표접촉, 판문점에서 진행
(민민전 90.11.10. 22:00)

- 유엔가입 문제는 주체적 입장을 가지는 것이 중요함.
- 유엔가입 문제는 민족 내부문제임.
- 유엔가입 문제는 신의를 가지고 해결

o 세계사회계가 남조선 당국자들의 유엔단독가입 시도를 규탄
(중통 90.11.10. 07:30)

- 유엔 단독가입은 두개의 조선을 국제적으로 합법화하는 것이며, 이는 유엔헌장의 기본목적과 원칙에도 맞지 않음. (레바논에 있는 수리아 민족사회당 교육 및 청년부장 알리 하싼)

0012

- 조선의 북과 남이 따로따로 유엔에 들어간다면 서로의 적대감만 고취하게 됨. (전 미국무성 남조선관계담당 상담자 존비코쉬)
- 남조선 당국자들이 유엔 단독가입을 끝끝내 시도한다면 세계인민들의 규탄을 면치 못할 것임. (주체사상 가나 전국연구소 집행위원회)
- 남조선 당국자들의 유엔가입 책동은 유엔 동시가입과 마찬가지로 통일에 제동을 거는 부당한 행위임. (부르키나파소 대외관계성 총서기)
- 조선의 통일이 실현되기 전에 유엔에 가입하려는 남조선 당국자들의 시도는 반민족적이며 분열주의적인 책동으로 철저히 분쇄되어야 함. (방글라데시 신문 나툰 카타)

o 한반도 평화와 통일을 위한 연락위, 고위급회담 관련 설명
(민민전 90.11.10. 08:00)
- 한국 당국의 유엔 단독가입 책동에 우려를 표시

o 남북 고위급회담 3차 접촉에서의 북측의 공동신청서 기본초안
(민민전 90.11.11. 19:00) <* 별첨 2>

o 유엔 단독가입 책동은 반통일적인 범죄행위
(평방 90.11.12. 16:25)
- 유엔 단독가입 책동은 민족의 통일 열망에 역행하는 용납못할 반통일적 범죄행위이며, 조선의 분열을 영구화하기 위한 두개조선 정책의 일환임.

o 분열주의자들의 유엔 단독가입 책동을 규탄한다.
(중방 90.11.13. 13:40)
- 유엔 단독가입 책동에 대한 겨레의 분노의 함성에 귀를 기울이지 않고 국제무대에 가서까지 대결과 분열을 고취하려는 남조선 괴뢰들의 죄행을 역사는 절대로 용납하지 않을 것임.

0013

ㅇ 유연은 조선의 통일에 도움을 주여야 한다.

(중통 90.11.13. 11:49) <평양 11.13일발 조선중앙통신>

- 만일 합의에 도달하기전에 어느 일방의 주장만을 받아들여 남조선의 유연가입 문제를 유연에 상정토의 한다면 그것은 민족자결과 내정불간섭 원칙의 존중에 기초할 것을 요구하는 유연의 원칙에 위반됨.
- 유연헌장 2조 7항에는 임의의 국가의 국내관할권에 속하는 문제에 대하여 간섭할 권한을 유연에 주지 않는다고 지적함.

ㅇ 구태의연한 분열대결 자세를 버려야 한다.

(중방 90.11.14. 09:20) <노동신문 논평>

- 남조선 당국자들은 유연의 두개조선을 합법화하기 위한 무대로 만들려는 반민족적 책동을 걷어 치워야 함.

0014

<*별첨1> 유엔무대에서의 북남협력방안 내용

1) 유엔무대에서의 협력원칙. (1) 유엔에서 북과남은 조국통일을 지향하는 특수관계를 가지고 모든 활동을 조국통일에 복종시킨다. (2)유엔에서 북과남은 대결을 하지 않고 민족적 화해와 단합을 도모하며 민족공동의 이익을 수호한다. (3) 유엔에서 북과남은 민족의 존엄을 지키며 상대방을 비방중상하거나 상대방의 이익을 침해하지 않는다. 2) 유엔무대에서의 활동 (1)북과남은 유엔에서 제기되는 모든 안건에 대비하여 사전에 협의 조정한다. (2) 조국통일문제와 민족공동의 이익과 관련되는 사항은 반드시 서로 협의하여 공동보조를 취한다. (3)북과남은 대표권을 엇바꿔가면서 행사하거나 공동으로 행사한다. (4) 유엔공식회의에서의 발언은 쌍방이 사전에 합의한 내용에 기초하여 대표로 선출된측이 기본발언을 하며 필요에 따라 대표로 되지 않은측도 보충발언을 한다. (5) 북과남은 표결시 합의된 문제들에 대해서는 공동으로 찬표를 표시하며 합의되지 못한 문제에 대해서는 기권한다. (6) 유엔에서 결의된 문제들에 대한 의무이행은 북과남의 공동보조를 취하는 것을 원칙으로 하며 불가피한 경우에 상대방의 이익에 저촉되지 않는한 각기 한다. 3) 유엔무대에서의 협력기구. (1) 북과남은 유엔에서 제기되는 문제들을 협의 해결하기 위하여 유엔 북남공동협의회를 내온다. (2) 유엔북남공동협의회는 유엔에 상정하는 북남대표들을 책임자로 하고 2-3명의 참사 서기관들로 구성한다. (3) 유엔 북남공동협의회는 정상적으로 운영한다.

<*별첨2> 북과남이 유엔에 단일의석으로 가입하기 위한 공동신청서 기본내용. 초안.

총리를 단장으로 하는 북남고위급회담에서는 조선의 북과남이 코리아의 명칭으로 유엔에 단일의석으로 가입하여 유엔성원들과 협력하기로 합의하였다. 조선의 북과남은 유엔의 원칙과 목적들을 전적으로 지지하며 유엔헌장에 규정된 의무를 수락하고 이행할 것이라는 것을 공동으로 선언하면서 코리아의 명칭으로 하나의 의석을 가지는 유엔성원국으로 받아줄 것을 요청하는 바이다. 북남고위급회담에서 유엔가입과 관련한 공동문건을 채택하여 첨부한다.

0015

유엔가입관련 북한방송 발언요지

(90.11.15-11.17)

o 우간다 대통령등, 김일성의 조국통일 5개 방침 지지

(평방 90.11.15. 10:05)

- 통일이전에 북과 남이 유엔에 들어가는 경우 두개의 의석으로 제각기 들어갈 것이 아니라 통일위업에 이롭게 하나의 의석으로 공동으로 들어가야 함.

o 6공 정권의 반통일 자세

(민민전 90.11.5. 07:10)

- 노 00 집단은 유엔 단독가입을 그 어느때보다 외치면서 나라의 분열을 꾀하고 있음.
- 유엔에의 가입은 국제적으로 하나의 나라로 인정받는 것이 되므로 남과 북의 유엔 동시가입은 우리나라에 두개의 국가가 존재하는 것이 됨.
- 북방정책이 특히 유엔 상임이사국들과의 국교 정상화에 초점을 두고 있으므로 본 정책의 궁극적 목적은 유엔에의 단독가입임.

o 범민족적 통일운동을 가속화 하자

(민민전 90.11.15. 07:20)

- 노 00 집단은 유엔가입을 통해 우리나라를 영원히 둘로 갈라 놓으려 하고 있음.
- 유엔 단독가입에 의한 영구분열 책동을 저지 파탄시키고 통일운동을 활성화 해야 함.

공람	년 월 일	담 당	과 장	국 장
		[signature]	[signature]	[signature]

0016

유엔가입관련 북한방송 발언요지

(90.11.18-11.24)

o 매국반역적 정체를 드러낸 망발

(중방 90.11.17. 09:20) <노동신문 논평>

- 강영훈이 일본에 가서 남측이 유엔가입 제안에 대한 지지와 협력을 애걸함.
- 유엔가입문재는 중대한 민족내부 문제로서 북과 남이 토의.합의하여 해결할 문제임.

o 북한-부룬디, 만수대 의사당에서 회담진행

(중방 90.11.18. 00:00)

- 부룬디측은 남한의 유엔단독가입 시도를 조선의 영구분열 책동으로 낙인하고, 유엔가입문제와 관련한 북한 입장 지지

o 통일지향적인 자세를 가지는 것은 대화의 성과를 담보하는 기본열쇠

(평방 90.11.18. 16:20)

- 남측은 유엔대책문제를 북남 고위급대표 접촉을 통해 해결하자고 합의해 놓고는 막후에서 유엔단독가입을 위한 교섭을 벌였음.

o 덴마크 조친협, 한국에 남북 불가침선언 채택요구 편지

(중방 90.11.19. 06:18)

- 통일을 위해 진심으로 노력하려 한다면 두개 조선으로가 아니라 하나의 나라, 하나의 민족으로서 유엔에 하나의 의석으로 가입해야 함.

o 청와대 대변인 "노 " 대통령 소련방문 예정 발표

(민민전 90.11.19. 19:00)

- 노00의 소련방문은 경재협력을 미끼로 한국의 유엔 단독가입에 대한 소련의 지지 획득에 근본 목적이 있음.

공람	년 월 일	담 당	과 장	국 장
		아	[illegible]	[illegible]

0017

o "노 "대통령의 12월 소련방문 관련

(민민전 90.11.19. 22:15) 〈시사해설〉

- 유엔단독가입이 한반도의 긴장완화와 통일을 촉진한다는 주장은 어불성설임.
- 오히려 나라의 분열을 영구화하고, 남북사이의 반목과 불신, 대결과 긴장상태를 격화시키고 통일의 새로운 장애와 난관을 조성할 것임.

o 유엔에 하나의 의석을 가지고 공동으로 들어가야 한다.

(중방 90.11.20. 17:20)

- 단일의석으로 가입하면 유엔에서 제기되는 모든 문제를 공동으로 합의, 처리하게 되며, 이 과정에서 쌍방의 대결구조는 화해와 단합의 구조로 바뀌게 됨.
- 유엔가입문재는 통일문제와 직결된 민족내부 문재로 북남 토의없이 유엔에 들고 간다면 민족자결 원칙에 어긋남.

o 분열주의 입장을 명백히 드러낸 망발

(중방 90.11.21. 20:45) 〈시사논평〉

- 노00가 지난 19일 국회 본회에서 시정연설을 통해 유엔동시가입이 통일까지의 잠정조치라고 말함.
- 유엔동시가입을 또 얘기하는 것은 북남 고위급회담의 전도를 매우 위태롭게 함.

o 수리아 민족사회당 청년부장등, 남한당국의 유엔가입 책동 규탄

(평방 90.11.21. 17:05)

- 수리아측은 남조선의 단독가입 노력은 하나의 민족을 영원히 둘로 갈라 놓으려는 책동이라고 주장

0018

- 전 미국무성 남조선관계담당 담당자 존비코치는 북과 남의 개별적 유엔가입은 서로의 적대감만 고취, 호상 비난을 위한 국제적 무대를 마련해 줄 것이라고 지적

o 민족의 통일염원에 대한 우롱
(평방 90.11.22. 09:20) <노동신문 논평>
- 19일 국회 본회의에서 노00의 유엔동시가입 주장은 대화도 통일도 하지 않겠다는 분열주의적 입장을 표시한 것임.
- 조선반도에서의 정치 군사적 대결상태와 전쟁위협은 북과 남이 유엔에 가입 않아서가 아니라 나라가 분열되어 있기 때문임.

o "노" 대통령, 국회 시정연설에서 남북한 유엔동시가입 연설
(민민전 90.11.22. 20:10) <시사해설>
- 유엔가입문제로 남북 고위급회담 대표 접촉이 진행되는 현시점에서 유엔 동시가입의 제창은 회담의 전도를 어둡게 함.

0019

유엔가입관련 북한방송 발언요지

(90.11.25-12.3)

○ 정치군사적 대결상태 해소문제

(평방, 90.11.24. 16:26)

- 조국통일의 의사가 있다면 대결관념하에 감행하고 있는 유엔 단독가입 책동을 거둬치워야 함.

○ 분열과 대결에 매어달리는 남조선 당국자들

(중방, 90.11.25. 18:51)

- 남측은 우리의 유엔단독가입안을 비현실적이라 하며, 동시가입 혹은 남측만의 단독가입을 계속 고집함.

○ 남북대화와 교류, 당국은 무엇을 보여주었나 - 3회

(민민전, 90.11.24. 22:40) <연속대담>

- 남측안은 국제사회에 분단의 모습을 그대로 드러내는 것임.
- 유엔가입과 통일의 문제는 깊은 연관속에서 고찰해 봐야할 문제임.
- 유엔가입문제에 있어서 동서독과 우리는 경우가 다름.

○ 유엔 단독가입 책동은 반통일적 입장의 발로

(중방, 90.11.27. 14:35) <논설>

- 유엔가입국은 일반적으로 독립국가로서의 지위와 존재를 보장받게 됨.
- 따라서 남측의 유엔단독가입은 현 분열상태를 합법화, 영구화시킴.

○ 민족의 통일염원에 대한 엄중한 유린행위

(평방, 90.11.28. 14:30) <논설>

- 1차 고위급회담에 따라 단독가입안에 대한 대표접촉이 시작되었음에도 불구, 남측은 성의를 보이지 않고 단독가입 실현을 서두르고 있음.

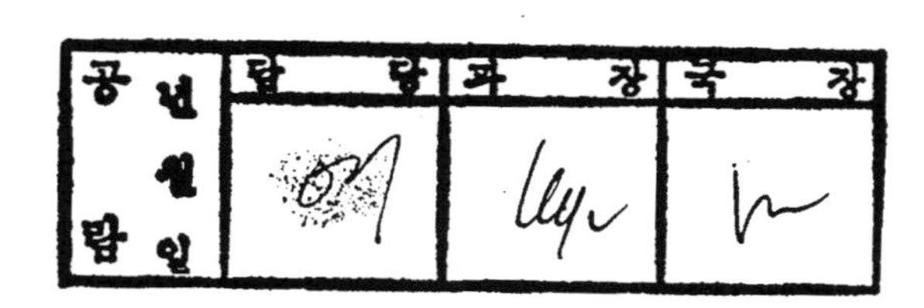

0020

o 노00집단이 유엔에 단독으로 가입하려고 하는 것과 관련하여

(민민전, 90.11.28. 20:10) <시사해설>

- 최호중 외무부장관이 한일 정기 각료회의에서 단독가입에 대한 일본의 지지를 요청했음.
- 이는 대화상대방에 대한 불손한 태도이며, 통일열기에 찬물을 끼얹는 분열주의적 기도임.

o 분열주의적인 유엔가입 책동을 당장 걷어 치워야 한다.

(평방, 90.11.29. 04:38)

- 북남대화에 관계없이 남조선만이라도 단독가입하겠다는 것은 겨레의 통일열망에 역행하는 범죄 행위임.

0021

유엔가입관련 북한방송 발언요지

(90.12.4-12.11)

o 괴뢰들의 실체인정론은 대결과 영구분열론

(중방, 90.12.4. 17:20)

- 고위급회담과 대표접촉에서 남측이 유엔동시가입, 혹은 유엔단독가입을 계속 고집하는 것은 실체인정론의 분열주의적 본질을 드러내는 것임.

o 반통일 분자의 정체를 노골적으로 드러낸 노00 역도

(중방, 90.12.4. 18:42)

- 지난 11월 19일 국회 본회의에서 시정연설을 통해 또다시 유엔동시가입을 고창함.
- 그러나 유엔동시가입은 두개조선을 국제적으로 합법화 하고 나라의 분열을 영구화시키며 대결을 국제무대에까지 연장 확대시킬 것임.

o 유엔단독가입 책동은 분열을 합법화 하기 위한 반통일적인 범죄행위

(평방, 90.12.4. 16:30)

- 유엔에 가입하는 모든 국가는 일반적으로 독립국가로서의 존재와 지위를 보장 받음.
- 남측은 유엔의 이 관례를 일시적으로 분열된 우리나라에 적용해 유엔가입을 통해 독립국가의 감투와 조선반도내 두개 국가의 존재를 꾸미려고 함.

o 민족의 통일염원에 역행하는 괴뢰역도의 망발

(중방, 90.12.5. 17:20)

- 유엔동시가입이 전쟁 가능성을 줄일 것이라는 것은 현실왜곡
- 유엔동시가입의 공공연한 주장은 고위급회담의 전도를 어둡게 하고 통일의 대화를 위태롭게 함.

공람	년 월 일	담당	과장	국장
		(서명)	(서명)	(서명)

0022

o 분열주의자의 행각

(중방, 90.12.7. 06:55) <노동신문 논평>

- 소련방문의 주목적은 소련의 지지를 얻어 남조선의 유엔단독가입을 실현해 보려는 것임.

o 노00의 소련행각과 관련해서

(민민전, 90.12.7. 19:37) <화제의 초점>

- 소련방문으로 유엔단독가입을 시도하는 것은 통일의 의사가 조금도 없고 고위급회담을 파탄시키려는 것임.

o 조선의 통일은 아시아와 세계평화를 위한 절실한 문제

(평방, 90.12.9. 16:20)

- 조선의 평화와 통일을 실현하는 길은 유엔가입으로 분열을 고정화 하는게 아니라 미제의 남조선 강점을 종식시키는 것임.

o 통일에 이롭게 단일의석으로 유엔에 들어가야 한다.

(평방, 90.12.10. 09:20) <노동신문 사설>

- 통일 이전의 유엔가입은 두개 의석이 아닌 하나의 의석으로 공동으로 들어가야 함.
- 단일의석가입은 국제무대에서 북과 남이 별개가 아니라 하나로 된다는 것을 의미함.
- 3차 고위급회담이 박두한 지금 남측이 유엔단독가입을 더 극성스럽게 벌이고 있음을 엄중시 함.

0023

유엔가입관련 북한방송 발언요지

(90.12.12-12.18)

o 분열 지향적인 자세를 버려야 한다.

(중방, 90.12.11. 20:48) <시사논단 논평>

- 유엔가입문제는 민족 내부문제로서 북과 남의 합의에 따라 처리해야 함.

o 주중 북한대사, 노 대통령 소련방문 관련 기자회견

(중방, 90.12.12. 07:15)

- 이번 소련방문의 목적은 소련의 지지를 얻어 남조선의 유엔단독가입을 실현해 보려는 것임.

o 제3차 남북고위급회담에서 한 연형묵 기본발언

(중/평, 90.12.12. 12:00)

- 유엔 공동가입 또는 단독가입 강행은 통일의 이념과 회담윤리에 배치됨.
- 단일의석가입안이 비현실적이란 주장은 하나의 책임회피에 불과

o 앉을 자리, 설 자리도 가리지 못하는 괴뢰들의 주제넘은 행동

(중방, 90.12.13. 17:30)

- 지난 11월 26일과 27일 한일 정기 각료회의에서 남측은 단일의석가입을 비현실적이라 하면서 유엔 단독가입의 지지를 구걸함.

o 영구분열을 노린 반통일적인 범죄행위

(중방, 90.12.13. 18:41) <대답>

- 제14차 유엔총회 분열된 나라의 통일 촉진이 유엔의 의무라고 간주하여 북과 남이 화해와 평화를 담보하고 통일을 전제로 하여 유엔에 가입할 것을 요구함.

공람	년 월 일	담 당	과 장	국 장
		04	64.	✓

0024

- 제45차 유엔총회 일반 연설에서도 조선문제를 언급한 70개나라 대부분이 북남대화를 환영하고 조선인민이 유엔에서 진정한 대표권을 갖기를 희망함.

o 두개조선 조작을 집요하게 추구하고 있는 미제

(평방, 90.12.13. 07:55)

- 미제는 남조선을 동시 또는 단독으로 유엔에 가입시켜 조선반도에서 두개 국가의 존재를 국제적으로 합법화 하려함.

o 대화를 진전시키려면 분열주의적 입장을 버려야 한다.

(평방, 90.12.13. 10:43)

- 남측은 유엔단독가입에 대한 대표접촉을 갖기로 합의하고는 이에 성의를 보이지 않고 오히려 유엔단독가입을 성사시키러 책동함.

0025

유엔가입관련 북한방송 발언요지

(90.12.19-12.26)

ㅇ 서울 숭실대교수, 유엔단독가입안 반대
(중방 90.12.18. 17:00)
- 유엔 단독가입은 평화에도 통일에도 도움이 되지 않는다고 주장

ㅇ 숭실대 교수, 한겨레신문에 한국의 유엔 단독가입 반대 글 기고
(민민전 90.12.19. 17:03)
- 유엔 단독가입은 남북관계를 악화, 유엔정신인 세계평화에도 기여 못한다고 주장

ㅇ 더욱 노골화되는 괴뢰들의 반 통일행위
(평방 90.12.20. 07:53)
- 노00는 방소에 앞서 국내외적 여건만 조성되면 유엔단독가입을 단행하겠다고 밝힘.

ㅇ 외무부장관, 한국 유엔가입 정당성 각서 유엔 안보리에 제출 언급
(중방 90.12.22. 22:00)
- 고위급회담에서 단일의석 가입문제를 토의하면서 유엔단독가입에 관한 문건을 내돌리는 배신행위임.

ㅇ 현홍주 유엔대사, 내년 9월이전 유엔가입 의사 표명
(민민전 90.12.23. 19:00)
- 유엔 동시가입은 남북통일을 위한 것이며 북이 원치 않으면 독자적 가입신청을 할 것이라고 밝힘.
- 이는 두개 한국조작을 합법화하는 반통일적 행위임.

공람	년 월 일	담 당	과 장	국 장
		(서명)	(서명)	(서명)

0026

o 통일의 전도를 흐리게 하는 행위

(중방 90.12.25. 09:17) <노동신문 논평>

- 외무부장관이 21일 기자간담회에서 유엔가입의 정당성을 밝힌 각서를 유엔안보리에 제출했다고 밝힘.
- 유엔가입으로 독립국가로 인정받고 두개조선의 분열을 합법화하려는 반통일적 행위임.

o 분열주의자의 파렴치한 넋두리

(중방 90.12.25. 20:50) <시사논단 논평>

- 대표접촉에서 단일의석가입 문제를 논의하면서 대화 막뒤에서 유엔단독 가입 책동을 벌임.

o 한국민족민주전선 중앙위원회, 노대통령의 방소 결과 규탄 성명발표

(민민전 90.12.25. 09:00)

- 남북관계 개선에 소련의 협력을 간청한 것은 소련을 등에 업고 유엔 동시가입안을 비롯한 두개한국 정책을 실현하려는 것임.

0027

유엔가입관련 북한방송 발언요지

(90.12.27-91.1.8)

o 유엔 단독가입책동은 분열 고정화를 노린 반역행위

(평방, 90.12.27 10:46) <문답>

- 유엔가입론은 국제적으로 독립국가임을 인정받아 두개 조선을 합법화 하려는 책동

o 김일성, 신년사

(중방, 91.1.1 09:00)

- 유엔가입은 연방제 통일 후 단일국호로 가입하는 것이 최선
- 단, 단일의석 가입이라면 통일이전이라도 반대 않음.

o 새해 한국은 어디로 - 신미년 정치방향

(민민전, 91.1.1 00:40)

- 남측은 새해에 유엔단독가입을 드러 내놓고 서두를 것임.

o 새해 남조선 정세 전망

(평방, 91.1.2 22:37) <해설>

- 남측은 올해에도 두개조선 조작을 위한 유엔단독가입을 계속 추구하려 함.

o 범죄적인 민족분열 영구화 책동

(평방, 91.1.5 07:55)

- 남측은 지난해말 남조선의 유엔가입의 정당성을 밝힌 각서를 유엔안보리에 제출했다고 밝힘.
- 남측의 유엔가입 추구는 분열을 합법화, 국제화 하려는 책동

공람	91년 1월 일	담당	과장	국장
		여	(서명)	(서명)

0028

유엔가입관련 북한방송 발언요지

(91.1.9-1.15)

o 남조선 통치배들은 반통일적 반역집단

(평방, 91.1.8. 16:25) <논설>

- 남측은 나라의 분열을 국제적으로 합법화하기 위해서 내외로 유엔단독 가입책동에 열을 올리고 있음.
- 통일이전에 유엔에 들어가는 경우 하나의 의석으로 가입해야 함.

o 민민전방송, "노" 대통령의 연두기자회견 비난

(민민전, 91.1.9. 22:00)

- 8일 연두기자 회견에서 남북 유엔동시가입 또는 단독가입을 다시 주장함.

o 남조선 당국자들의 유엔단독가입 시도는 철저히 분쇄되어야 한다.

(중방, 91.1.10. 13:40) <세인반향>

- 세계 사회계, 남측의 분열주의적 유엔단독가입책동을 규탄하면서 통일에 이로운 단일의석가입을 강력히 주장
- 전 미 국무성 남조선관계 담당 상담자, 남과 북의 개별적 유엔가입은 서로간의 적대감만 고취할 것이라고 지적

o 민족의 통일염원에 대한 도전

(중방, 91.1.12. 20:50) <시사논평>

- 노 00는 8월 청와대 연두기자 회견에서 1991년에 유엔가입을 신청할 것이라고 밝힘.
- 남측 외무부 장관은 10일 일본 외상과의 회담에서 남북 유엔 동시가입을 바라지만 북이 거부하면 단독으로 가입할 것이라고 천명
- 남북 동시가입 또는 남측의 단독가입은 국제무대에서 분열을 합법화하고 통일에 난관을 조성케 함.

공람 91년 1월 16일	담 당	과 장	국 장
	여	(서명)	(서명)

0029

o 이상옥 외무부 장관, 한국의 단독유엔가입 예고

(민민전, 91.1.12. 19:00)

- 이상옥 외무장관은 10일 일본외상과의 회담에서 남북 유엔동시가입을 바라지만 북이 거부하는 경우 단독으로 가입할 것이라고 밝힘.

o 외무부 장관의 언동으로 표출된 노 00 집단의 분열주의적 작태 관련

(민민전, 91.1.12. 22:15) <시사해설>

- 유엔동시가입 또는 어느 한쪽의 단독가입은 두개 국가 존재의 인정이며 국제적 합법화

- 남과 북은 서로 다른 국가가 아닌 일시적으로 갈라진 한나라의 두지역에 불과

0030

유엔가입 관련 북한방송 발언요지

(91.1.16-1.22)

o 배격받는 분열주의적 유엔단독가입 책동

(평방, 91.1.15. 16:50) <노동신문 글>

- 김일성, 신년사에서 유엔 단일의석가입 다시 주장
- 전대협, 재미 한국청년연합등, 남측의 유엔동시가입 또는 단독가입 책동을 규탄

o 반미 자주통일의 새 지평을 열자

(민민전, 91.1.18. 21:40) <편집국 논설>

- 남측은 미국의 사주하에 유엔단독가입 추진에 광분하여 대국을 찾아다니며 애걸하고 있음.

o 분열을 위한 괴뢰들의 유엔가입책동

(중방, 91.1.21. 18:55)

- 노 00는 지난 8일 기자회견에서 또다시 유엔가입책동의 계속 추진을 공언함.
- 남북의 개별적 유엔가입은 국제무대에서 분열을 합법화하고 통일에 새로운 장애와 난관을 조성하게 됨.

o "노" 대통령, 야당 총재의 유엔 단독가입 방침 제고요청 반대

(중방, 91.1.21. 20:55) <라디오 단평>

- 19일 여야 총재회담에서 야당총재의 유엔단독가입 방침의 재고 요청에 노 00는 남측이 먼저 가입하고 북이 유엔에 들어오게 하는 것이 남북관계 개선에 도움이 된다고 함.
- 이러한 분열지향적 유엔가입책동은 남측이 통일도 남북관계 개선도 바라지 않음을 보여주는 것임.

공람	년 월 일	담당	과장	국장

0031

유엔가입 관련 북한방송 발언요지

(91.1.23-1.29)

ㅇ 외무장관, 노대통령에 올해 업무계획 보고

(민민전, 91.1.25. 19:00)

- 노 00, 24일 외무장관의 올해 업무계획 보고에서 연내 유엔가입 실현을 지시
- 유엔단독가입을 비난하며 단일의석가입안을 거듭 주장

ㅇ 분단 고착을 노린 위정집단의 유엔가입책동

(민민전, 91.1.25. 20:10) ＜시사해설＞

- 노재봉 국무총리는 22일 국정보고에서 올해에는 유엔동시가입을 추진하되 안되면 한국만의 선가입 노력을 펴나갈 방침이라고 밝힘.
- 어떤 기만선전에도 불구하고 유엔동시가입 또는 단독가입 책동은 분단 고착을 국제적으로 합법화 하려는 음모

ㅇ 노르웨이 조친협등 연합회의 참가자들, 김일성에 편지

(중방, 91.1.26. 14:00)

- 한국이 하나의 의석으로 유엔에 가입하여 유엔가입문제를 해결할 때가 되었다고 인정함.
- 남측의 유엔동시가입 노력과 현재의 단독가입 시도를 잘 알고 있음.

ㅇ 노 대통령, 연내 유엔가입 언급

(평방, 91.1.26. 17:00)

- 노 00는 24일 외무부장관에게 올해 남측이 유엔성원국이 되어야 함을 역설
- 외무부장관은 남북의 동시가입 또는 남측의 유엔가입문재의 단독처리에 관해 언급함.

ㅇ 북한, 노 대통령의 유엔가입 지시 규탄

(국제 91.1.26. 21:00)

- 노 00는 24일 외무부장관에게 남측의 연내 유엔가입 실현을 지시함.

공람	91년 1월 29일	담당	과장	국장
		여	[signature]	[signature]

0032

유엔가입관련 북한방송 발언요지

(91.2.5-2.12)

o 영구분열을 추구하는 괴뢰들의 범죄행위

(평방, 91.2.5. 21:27)

- 얼마전 노00는 남측이 올해 꼭 유엔성원국이 되어야한다고 역설했으며, 외무부장관도 남측이 유엔가입문제를 단독처리할 것이라고 언급
- 이렇게 유엔단독가입을 고집하는 것은 두개 조선을 조작하려는 것으로 민족의 통일염원에 대한 범죄행위

o 나라의 분열을 영구화하려는 괴뢰도당의 책동

(중동, 91.2.5. 22:40)

- 외무부장관은 4일 외무통일위원회에서 올해 남북 유엔동시가입을 적극 추진하되 그것이 되지 않을 때는 남측만의 단독가입을 추진할 것이라고 역설
- 남과 북이 분열된 상태에서 유엔에 동시가입하거나 어느 일방이 단독 가입하면 이는 국제적으로 두개 조선을 합법화하고 나라의 분열을 영구화하는 결과만 가져오게 됨.

o 외무부장관, 국회 외무통일위에서 유엔단독가입 언급

(중방, 91.2.6. 08:00)

- 상기 중동 91.2.5자 내용과 동일

o 김일성주의 연구 폴투갈위, 남한의 유엔단독가입 규탄성명

(민민전, 91.2.6. 19:00)

- 전인도조친협, 노00가 유엔단독가입을 주장하는 것은 분열주의자의 정체를 드러낸 것이라고 주장

양 고 재	91년 2월 13일	담 당	과 장	국 장
		여	[signature]	[signature]

0033

o 김일성주의 연구 포르투갈 위원회등, 남한의 분열주의적 정책 비난
(중방, 91.2.7. 20:00)

- 전인도조친협, 노00는 소련방문으로 남측의 유엔단독가입에 대한 모스크바의 지지를 얻어보려고 한다고 주장
- 수리아민족사회당, 남과 북이 따로따로 혹은 단독으로 유엔에 가입하면 두개 조선을 국제적으로 합법화하는 것임을 주장

o 우간다 전국항쟁운동 지도성원들, 북한의 통일방안 지지
(중통, 91.2.7. 10:30)

- 우간다 전국항쟁운동, 남북이 유엔에 두개의석으로 가입하는 것에 반대, 하나의 의석으로 가입하는 것이 가장 적합하다고 강조

0034

2월중 유엔가입관련 북한방송 보도내용 분석

"북한은 2월들어 유엔가입관련 보도를 크게 감소시키고 있으나, 외무부장관이 2월 4일 국회 외무통일위원회에서 유엔단독가입 추진에 관해 보고한 것과 관련 비난 보도를 한바 있음."

가. 방송사례 : 91.2.1-2.15일간 총 6회

나. 북한주장의 주요내용

- o 외무부장관의 외무통일위에서의 유엔단독가입 언급 비난
  - 남측이 올해 남북 유엔동시가입 또는 남측만의 단독가입을 추진하는 것은 결국 국제적으로 두개나라의 존재를 합법화하고 나라의 분열을 영구화시키려는 분열주의적 책동임.
- o 해외 친북단체의 남측 유엔단독가입 규탄 성명
  - 남측이 유엔단독가입을 주장하는 것은 분열주의자의 정체를 드러내는 것.
  - 남북이 유엔에 두개의석으로 가입하는 것에 반대, 하나의 의석으로 가입할 것을 촉구

0035

1

아국의 유엔가입 관련 북한의 비난내용 분석

91. 2. 25.
국제연합과

ㅇ 남측의 반통일적인 유엔가입책동을 놓고 (중방, 90.10.2)

- 분열된 상태로 유엔에 들어가는 것은 우리 민족의 통일위업에 대한 공공연한 도전
- 북과 남이 유엔에 따로따로 들어간다면 오히려 대결을 국제무대에까지 연장하고 확대하게 될 것이고 이는 기필코 북남관계를 더욱 악화시키게 될 것임.
- 조선반도의 평화와 안전보장에도 지장을 주고 유엔에도 부담을 주게됨.

ㅇ 고연방 창립방안 제시 10돌 평양시 보고회 진행 (평방, 90.10.8)

* 보고자 : 박성철

- 유엔동시가입이나 유엔단독가입은 우리나라의 분열을 국제적으로 합법화 하고 영구화 하기 위한 미제와 그 주구들의 두개조선 책동의 표현

노00 집단의 유엔단독가입 책동과 관련하여 (민민전, 90.10.23)

- 남북이 유엔에 따로따로 들어가는 것은 한반도 평화보장 측면에서 봐도 불합리

ㅇ 한국민족 민주전선 중앙위, 유엔사무총장에게 편지 (민민전, 90.10.30)

- 남북이 따로따로 혹은 동시에 유엔에 가입한다면 유엔은 화해의 장이 아닌 대결의 무대로 될 것이며 그것은 남북간의 불신의 골을 더욱 깊게하고 나아가 유엔회원국들 사이에도 불화를 조성하고 지구촌의 평화와 안전을 위협하는 결과만 초래

ㅇ 유엔단독가입을 운운하는 자들의 목적 (평방, 90.11.2)

- 북과 남 사이에 반목과 불신, 대결과 긴장상태를 격화시키고 조국통일에 새로운 장애와 난관을 조성

		91 2 25	여					

0036

o 분열주의 입장을 명백히 드러낸 망발 (중방, 90.11.21)

- 대화를 촉진시키는 것이 아니라 진행중에 있는 대화들 마저 파탄으로 몰아넣어 북남사이의 대결과 불신만을 더 크게 할 뿐임.

o 민족의 통일염원에 대한 우롱 (평방, 90.11.22)

- 유엔에 따로따로 가입하는 것을 전쟁가능성 제거를 위한 것으로 묘사하는 것은 현실왜곡이며 여론에 대한 우롱

o 통일의 전도를 흐리게 하는 행위 (중방, 90.12.25) <노동신문 논평>

- 역사적인 단일민족을 두개국가로 갈라놓는다면 그것은 통일을 갈망하는 우리 인민에게 있어서 더없이 큰 민족적 재난으로 되며 이 지역에 평온과 평화가 아니라 항시적인 긴장과 전쟁의 화근만을 빚어내게 될 것임.

o 반역자들은 역사와 민족앞에 분열의 책임을 지게될 것이다. (평방, 91.2.19) <노동신문 논평원의 글>

- 끝내 유엔에 단독가입하려 함으로써 유엔가입문제와 관련한 북한 당국의 협상을 완전히 파탄시켰으며 더는 되돌아설 수 없는 반목의 길에 들어섬.
- 외세에 의하여 강요된 분열을 우리 스스로가 긍정하고 우리 스스로가 분열의 책임을 지는 어리석은 행동
- 유엔에 기어이 단독가입하려는 것은 우리와 일종의 결별선언이며 우리에 대한 노골적인 도전이다
- 유엔단독가입으로 하여 북과 남의 정치적 대결이 더욱 격화된다면 그것은 기필코 불안전한 조선반도 정세에 더 큰 위협을 가져올 것임.

o 더욱 노골적으로 벌리고 있는 괴뢰들의 유엔단독 가입책동 (중방, 91.2.22)

- 역사와 민족앞에 분열의 책임을 져야할 것이며 분열로 말미암아 우리 겨레가 겪게될 모든 불행과 후과에 대해서도 책임져야 할 것임.
- 민족을 소모적인 대결에 몰아넣는데 대해서 비싼 댓가를 치루어야 할 것이며 민족이 재난적인 위협에 직면하게 되고 아세아와 세계 평화가 위태롭게 되는데 대해서 겨레와 세계인민들 앞에 책임을 져야 함.

0037

5. 쿠바 "카스트로", 비행장 확장공사장 등 시찰

(중방 91.02.22 0003)

쿠바공산당 중앙위원회 제1 비서이며 쿠바공화국 국가이사회 위원장이며 내각수상인 "피델 카스트로" 동지가 18 일 싼띠아고데꾸바주의 여러곳을 방문했습니다. 그는 비행장 확장공사장과 주택, 대극장, 혁명광장 종합경기관, 호텔, 병원건설장들을 돌아보고 이곳 노동자 기술자들의 노력적 성과를 높이 평가했습니다. 그는 또한 완공된 특수학교를 돌아보면서 현대적 설비들을 갖춘 훌륭한 학교로 건설된데 대해서 만족을 표시하고 교직원 학생들과 담화했습니다. 그는 특수학교 계획의 실현은 혁명이 해놓은 가장 훌륭한 것들 중의 하나라고 강조하고 앞으로도 전국적으로 건설중에 있는 이런 형태의 학교들을 중단없이 계속건설해야 한다고 강조했습니다.

6. 더욱 노골적으로 벌리고 있는 괴뢰들의 유엔단독 가입책동

(중방 91.02.22 0052)

최근 남조선 괴뢰들의 유엔가입책동이 더욱 노골적으로 벌어지고 있습니다. 이미 지난해 부터 유엔에 단독으로 가입하겠다고 떠들며 이러저러한 나라들과 막후 교섭을 벌려온 남조선 괴뢰들은 우리의 통일지향적인 유엔가입 책동안을 거부하고 끝내 유엔에 단독가입하려 함으로써 유엔가입 문제와 관련한 북남당국의 협상을 완전히 파탄시켰으며 더는 되돌아 설 수 없는 반역의 길에 들어 섰습니다. 나라가 분열되어 있는 현상태에서 북과 남이 따로따로 유엔에 들어가는 것은 외세에 의해서 강요된 분열을 스스로가 긍정하고 스스로가 분열의 책임을 지는

I-5

0038

어리석은 행동입니다. 이것은 지난 수십년 동안 나라의 분열을 반대하고 조국통일을 성취하기 위해서 목숨도 서슴없이 바쳐온 우리 민족의 숭고한 애국투쟁을 모독하는 것이며 우리 민족의 존엄을 훼손하는 것입니다 나라가 분열되어 있는 상태하에서 북과 남이 따로따로 유엔에 들어가는 것은 세계앞에서 두개조선을 합법화하는 또하나의 민족분열 책동입니다. 우리나라는 지금 분열되어 있으며 그 분열은 겨레에게 헤아릴 수 없는 불행과 고통을 주고 있습니다. 그런데 무엇때문에 북과 남이 유엔에 따로따로 들어가 굳이 그러한 분열을 합법화 하겠습니까. 더욱이 온겨레가 하루빨리 분열을 끝장내고 통일하자고 하는 오늘에 와서 무엇때문에 두개조선으로에 분열을 국제적으로 합법화하고 고착시키겠습니까. 이것은 통일에로 나아가는 우리민족을 다시 분열의 원점으로 되돌려 세우자는 것이며 우리민족 내부문제인 북과 남의 통일문제를 국제화하고 우리나라에 대한 외세의 간섭의 길을 열어주는 엄중한 민족배신 행위입니다. 사태가 이러한데도 유엔에 북과 남이 따로따로 들어가는 것이 어떻게 통일에 이롭다고 할 수 있단 말입니까. 유엔에 단독가입함으로써 통일의 길을 가로막으며 두개조선으로 분열을 합법화하고 고착시키려는 남조선 괴뢰들의 분열주의적 기도는 불을 보듯 명백합니다. 남조선 괴뢰들은 그 무슨 실체인정이니 현실인정이니 하는 명분을 들고 나와 두개조선을 우리에게 먹여보려던 것이 실패하자 이제 그것을 국제적인 세력균형의 변화를 틈타 유엔무대를 통해서 우리 민족에게 강요하자는 것입니다. 유엔에 동시가입하건 단독가입하건 우리는 남조선 당국자들의 흉악한 민족분열 책동에 절대로 보조를 같이 할 수 없습니다. 우리에게는 외세가 강요한 분열을 우리 스스로가 긍정하고 감소할 용의도 없거니와 외세를 대신해서

I-6

0039

분열의 책임을 걸머질 생각은 더욱 없습니다. 두개조선으로 분열을 고정화하는 것을 반대하고 우리민족 내부문제에 대한 외세의 간섭을 반대하는 우리의 입장은 일관합니다. 유엔가입 문제를 조국통일에 이롭게 풀어나가기 위해 가능한 노력과 성의를 다해온 우리는 남조선 괴뢰들이 기어코 유엔에 일방적으로 들어가려는데 대해서 분노를 금치 못하고 있습니다. 남조선 괴뢰들은 자신이 범한 죄가에 대해서 자신이 책임져야 합니다. 민족의 의사를 배반하고 분열을 긍정하며 두개조선을 국제적으로 합법화시키려는 반역자들은 응당 역사와 민족앞에 분열의 책임을 져야 할 것이며 분열로 말미암아 우리 겨레가 겪게될 모든 불행과 후과에 대해서도 책임져야 할 것입니다. 남조선 괴뢰들의 유엔단독가입은 나라의 분열을 지속시키고 통일을 지체시킬 뿐만아니라 북과남의 대결을 더욱 격화시키는 새로운 촉진제로 될것입니다. 남조선 괴뢰들이 우리의 성의있는 권고와 제안을 모두 뿌리치고 유엔에 기어이 단독 가입하려 하는것은 우리와의 일종의 결별선언이며 우리에 대한 노골적인 도전입니다. 북과 남 사이에는 이것으로써 또하나의 불신의 응어리가 생기게 되었습니다. 이런 형편에서 앞으로 무슨 화해와 완화를 기대할 수 있겠습니까. 우리는 원래 집안일을 집안에서 풀자는 것이며 같은 혈육끼리 밖에 나가서까지 서로 승벽내기를 하거나 싸우지 말자는 것입니다. 이로부터 우리는 유엔에 북과 남이 하나의 의석으로 들어갈 것을 거듭 주장해 왔던 것입니다. 그러나 이제 남조선 괴뢰들이 유엔에 단독으로 들어가게 된다면 어차피 집안싸움은 국제정치 무대에서 까지 벌어지게 될 것입니다. 남조선 괴뢰들의 유엔단독 가입으로 인하여 북과 남에 정치적 대결이 더욱 격화된다면 그것은 불필코 불안정한 조선반도 정세에 더 큰

I-7

0040

위험을 가져 올것입니다. 기어이 남조선 괴뢰들이 유엔에 단독가입한다면 그들은 민족을 소모적인 대결에 몰아 넣은데 대해서 비싼 댓가를 치루어야 할 것이며 민족이 재난적인 위협에 직면하게 되고 아세아와 세계평화가 위태롭게 되는데 대해서 겨레와 세계인민들 앞에 책임을 져야 할 것입니다. 남조선 괴뢰들이 유엔단독 가입을 그처럼 서두르면서 나라의 분열을 합법화하려는 까닭은 뻔합니다. 민족의 번영과 이익은 안중에도 없고 오직 분열된 절반 땅에서 미제가 지켜주는 분열주의적인 예속정권을 지탱하며 승공통일만을 몽상하고 있는 남조선 괴뢰들의 추악한 속심을 우리는 보고 있습니다. 분열과 매국으로 명줄을 이어가려는 남조선 괴뢰들은 자기가 가는 반역의 길이 그들 자신에게 무엇을 가져다 주겠는가에 대해서 심사숙고 해야 합니다. 민족분열주의자 들에게는 미래가 없으며 놈들은 천추에 씻을 수 없는 오명만을 남기게 될 것입니다 역사는 반드시 반역자들을 심판할 것입니다. 90 년대의 통일을 향한 우리 민족의 거족적인 대행진은 분열주의자들의 모든 방해책동을 짓부시고 조국통일의 날을 앞당길 것입니다.

7. 소련 치타주 R/TV 방송, 2월의 명절 소개

(중방 91.02.22 0600)

보도에 의하면 15일 소련의 치타주라디오 방송과 텔레비젼 방송이 2월의 명절에 즈음하여 글을 발표했습니다. 라디오방송은 2월16일은 김정일동지께서 탄생하신 기쁜 명절이라는 것을 강조하면서 그이의 현명한 영도밑에 최근 년간 어려운 국제정세하에서도 조선노동당과 조선인민의 사회주의 건설에서 훌륭한 성과들을 이룩하고 있다고 지적했습니다.

I-8

0041

이라고 강조했습니다. 논평은 그들이 흥미를 가지는 것은 식민지 관계를 맺고 값눅은 공장과 원료, 노동력을 빼앗아가고 그다음에는 자기의 완제품을 팔아먹기 위한 중요 시장을 획득하는 것일 뿐이라고 지적했습니다

16. 통일의 전도를 흐리게 하는 행위

(중방 90.12.25 0917)

< 노동신문 논평 > 서울에서의 방송보도에 의하면, 남조선의 괴뢰 외무부장관 최호중이 21 일 기자간담회를 벌여놓고 남조선의 내년도 유엔가입의 정당성을 밝힌 각서를 유엔 안보이사회에 제출했다고 하면서 그것이 공식문서로 회원국들에 배포될 것이라고 말하였다. 남조선 괴뢰들이 북남 고위급 회담에서 유엔대책문제를 통일위업에 이롭게 협의 해결하는 것을 기를쓰고 반대하면서 유엔 단독가입을 집요하게 시도해 나서는 것은 민족의 통일염원에 도전하고 조국통일의 전도를 흐리게 하는 용납못할 범죄행위로 된다. 그것은 자주, 평화통일, 민족대단결의 3대원칙을 기본내용으로 하는 7.4남북공동성명에 정면으로 배치되고 90 년대 통일로 향한 민족사의 흐름에 역행하는 것으로서 조선의 영구분열을 유엔의 이름으로 합법화해 보려는 간악한 술책이다. 원래 유엔은 모든나라의 영토와 매개민족의 독립과 자주권을 존중하며 세계의 평화와 안전을 수호하기 위하여 창설된 세계적인 정부적 국제기구이다. 이러한 유엔에 남조선 괴뢰들이 들어가겠다는 것은 사실상 말도되지 않는다. 유엔에 들어갈 자격조차 없는 식민지 괴뢰들이 유엔가입을 추구하는 것은 유엔가입으로 독립국가로 인정되는 관례를 악용하여 두개조선으로의 분열을 합법화 하

I-17

0042

고 합법적인 독립국가로 행세해 보려는 발악적 책동외에 다른 아무것도 아니다. 괴뢰들은 저들의 유엔 단독가입안이 통일될때 까지의 잠정적인 조치로서 마치도 통일과정을 촉진하는 방도로나 되는듯이 묘사하고 있지만 그것은 분열주의적 속심을 감싸기 위한 궤변에 지나지 않는다. 나라의 분열을 합법화 하고 국제화 하려는데 목적을 둔 남조선 괴뢰들의 유엔가입 시도가 통일을 위한것으로 될수 없다는 것은 누구에게도 명백한 것이다. 역사적인 단일민족을 두개국가로 갈라놓는다면 그것은 통일을 갈망하는 우리인민에게 있어서 더없이 큰 민족적 재난으로 되며 이 지역에 평온과 평화가 아니라 항시적인 긴장과 전쟁의 화근만을 빚어내게 될 것이다. 분열을 고착시키고 두개조선을 만들어 내는것이 통일을 촉진하게 된다는 것은 남조선을 영구강점 하려는 침략자와 그에 아부하는 매국역적들이 고안해낸 일고의 가치도 없는 허튼소리이다. 더욱이 나라가 분열되어 근 반세기에 이르는동안 북과 남 어느쪽에서도 유엔에 들어가지 않고 지내왔는데 온 민족이 떨쳐나 90 년대에 통일하자고 하는때에 더구나 나라의 평화와 통일문제를 해결하기 위한 북남 고위급 회담을 하고 있는 오늘에 와서 통일을 제버리고 서로 갈라진채 유엔에 들어가겠다고 하는것은 실로 언어도단이 아닐 수 없다. 조선의 유엔가입 문제는 조선민족의 자결권에 속하는 민족내부 문제이며 북남 관계의 금후 방향과 조국통일의 전도와 관련된 중대사로서 어디까지나 전민족적 합의 북과 남의 합의에 기초하여 민족공동의 이익에 부합되게 해결되어야 한다. 공화국 정부는 나라의 분열을 반대하고 통일을 실현하려는 염원으로부터 일관하게 통일된 하나의 조선으로 유엔에 들어갈 것을 주장하고 있다. 만일 통일이 실현되기 전에 북과 남이 유엔에 들어가는 경우에는

I-18

0043

통일위업에 이롭게 하나의 의석을 가지고 공동으로 들어가야 한다. 이것은 민족적 통일과 영토안정, 평화와 안전을 보장하기 위한 유엔의 이념과 사명에 부합될뿐 아니라 북과 남이 하나의 민족으로서 반드시 통일되어야 할 목적에 비추어볼때 지극히 당연한 조치로, 분열된 우리나라의 현실에서 우리민족이 택하여야 할 가장 합리적인 최선의 선택으로 된다 외세에 의하여 인위적으로 갈라진 민족이 하나로 통일되는 것은 역사적 필연성이다. 범죄적인 민족분열 영구화 책동을 유엔의 이름으로 합리화해 보려는 남조선 괴뢰들의 시도는 절대로 허용되지 말아야 하며 단호히 저지되어야 한다. 조국의 자주적 평화통일을 열망하는 조선인민은 미제와 남조선 괴뢰들의 두개조선 조작책동을 절대로 용납하지 않을것이다.

17. 황남 도내, 흙갈이 작업 성과
(중방 90.12.25 1000)

위대한 수령님의 교시와 당의 의도를 높이 받들고 흙갈이 전투를 힘있게 벌이고 있는 황해남도 안에 당원들과 근로자들이 요즘 도적인 하루 흙갈이 실적을 800정보로 올리고 있습니다. 다음해 봄까지 수만정보의 강냉이 밭에 흙갈이를 끝낼 통이큰 목표를 내세운 도에서는 모든 역량을 흙갈이에 집중시키고 일군들이 북을치며 앞장서서 흙갈이 전투에 더욱 힘있게 불러 일어켜 날을 따라 흙갈이 성과를 올리고 있습니다. 연안군, 대천군, 재령군, 안악군안의 협동농장들에서는 필지별 토양 분석에 기초해서 정보당 천톤씩의 흙을 펴면서 매일계획을 넘쳐하고 있습니다. 연안군 화룡, 라진포, 천태, 해남 협동농장을 비롯한 벌방지대 16개 협동농장들에서는 이미 강냉이 밭 흙갈이 화제를 끝냈습니다.

I-19

0044

유엔가입관련 북한방송 발언요지

(91.2.20-2.26)

o 반역자들은 역사와 민족앞에 분열의 책임을 지게 될 것이다.

(평방, 91.2.19. 09:15) <노동신문 논평원의 글>

- 끝내 유엔에 단독가입하려 하므로써 유엔가입문제와 관련한 북남당국의 협상을 완전히 파탄시킴.
- 북과 남이 따로따로 유엔에 들어가는 것은 외세에 의하여 강요된 분열을 스스로 긍정하고 분열의 책임을 지는 어리석은 행동임.
- 유엔에 동시가입하건 단독가입하건 우리는 민족분열책동에 절대로 보조를 같이할 수 없음.
- 유엔단독가입으로 북과 남의 정치적 대결이 더욱 격화된다면 그것은 불안전한 조선반도 정세에 더 큰 위협을 가져올 것임.
- 기어이 유엔에 단독가입한다면 그들은 민족이 재난적인 전쟁의 위협에 직면하게 되고 아세아와 세계평화가 위태롭게 되는데 겨레와 세계인민 앞에 책임을 져야 함.

o 국제연락위 지도기관 성원들, 비상회의에서 세계 각국에 보내는 호소문 채택

(민민전, 91.2.21. 07:00)

- 지난 10일 프랑스 파리에서 진행된 한반도의 통일과 평화를 위한 상기 비상회의에서 채택된 호소문, 미국과 남한당국자들이 유엔단독가입을 시도하는 것과 같은 민족분열 영구화 책동의 즉각 중지를 촉구

o 중국인민일보, 유엔가입문제에 대한 노동신문의 글 게재

(평방, 91.2.21. 13:00)

- 중국의 인민일보 20일부, 남측의 유엔단독가입을 규탄한 노동신문 19일부 논평원의 글 보도

양고재 91년 2월 27일	담당	과장	국장
	여	(서명)	(서명)

0045

- 동 인민일보, 북측의 입장은 유엔단일의석 가입으로 만일 남측이 북측의 권고와 주장에도 유엔에 단독가입 한다면 북남은 앞으로 화해와 완화를 기대하기 어려울 것이라고 언급

o 더욱 노골적으로 벌리고 있는 괴뢰들의 유엔단독가입책동 (중방, 91.2.22. 00:52)

- 지난해부터 유엔단독가입을 떠들며 다른 나라들과 막후교섭을 벌려온 남측은 우리의 제안을 거부하고 끝내 유엔에 단독가입하려 함으로써 유엔 문제와 관련한 협상을 파탄시켰고 돌아설 수 없는 반역의 길에 들어섬.
- 분열을 국제적으로 합법화시키려는 남측은 역사와 민족앞에 책임을 져야 하며 분열로 인한 겨레의 불행과 후과에도 책임져야 함.

o 중국인민일보, 노동신문의 남한 유엔단독가입안 규탄 논평 인용 보도 (중방, 91.2.22. 22:08)

- 중국의 인민일보 20일부, 노동신문 19일부 논평원의 글 보도
- 동 인민일보, 논평원의 글은 남측이 유엔가입문제에서 심사숙고하여 행동할 것을 요구했다고 언급

o 한반도 통일지지 국제토론회, 한반도에 관한 결의 채택 (민민전, 91.2.22. 20:02)

- 5일 네팔의 카트만두에서 진행된 상기 국제토론회에서 채택된 결의, 통일된 나라가 하나의 의석으로 유엔에 가입할 것을 희망한다고 지적

o 한민전 중앙위원회 당면과제 (민민전, 91.2.23. 20:30)

- 유엔단독가입 반대의 구호를 들어야 한다고 언급

0046

報 告 畢

1990. 3. 5.
國際機構條約局
國際聯合課 (9)

長官報告事項

題 目 : 北韓 勞動新聞, 유엔加入問題에 관한 外務部 聲明을 非難

> 北韓은 勞動新聞 論評(3.2)을 통하여 北韓 外交部 備忘錄(2.20)에 대한 當部의 反駁聲明을 「유엔加入問題에 대한 協商 決裂 宣言」, 「吸收統合 方式에 의한 勝共統一의 妄想」등으로 極烈 非難

<非難要旨>

- 지난 2月 27日 南朝鮮 當局은 유엔加入問題와 관련한 外務部 聲明文을 發表하여 올해의 第46次 유엔總會를 앞두고 저들의 유엔加入을 獨自的으로 推進하겠다는 立場을 밝힘.
- 이것은 유엔加入問題와 관련한 協商의 決裂 宣言으로 對話一方에 대한 背信行爲이며 겨레의 統一念願에 挑戰하는 反民族的 犯罪行爲임.
- 南朝鮮 當局者들은 유엔單獨加入으로 두개조선으로의 分裂을 固着시키고 나아가서 美國의 힘의 뒷받침밑에 吸收 統一方式에 의한 勝共統一의 妄想을 劃策하고 있음.
- 南朝鮮 통치배들은 어떤 후과가 招來될 것인가에 대하여 深思熟考 하고 分別있게 處身하는 것이 좋을 것임.

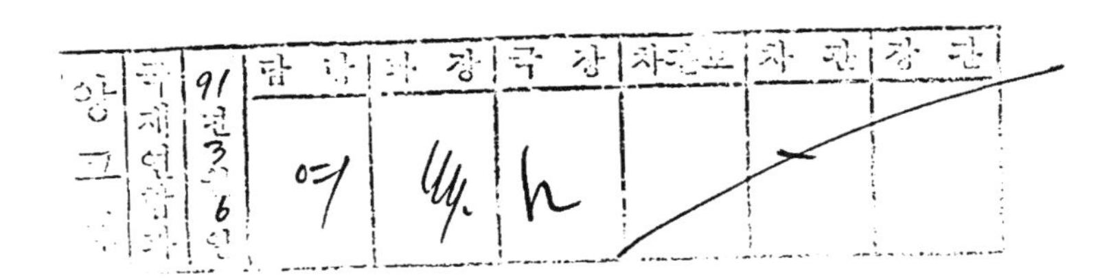

0047

유엔가입 관련 북한방송 발언요지

(91.2.27-3.5)

○ "노" 대통령, 2.25. 독일 대통령과 회담

(민민전, 91.2.26. 22:05)

- 노 대통령, 남북한의 유엔동시가입은 통일분위기 조성에 기여하며 북이 이를 반대할 경우 한국은 유엔단독가입을 해야 한다고 언급
- 이것은 민족의 영구분열을 꾀하려는 용납못할 배족적 범죄행위

○ 노00 집단이 유엔에 단독으로 가입하려고 책동하고 있는것과 관련

(민민전, 91.2.28. 22:15) <시사해설>

- 남측 외무부, 성명을 통해 북한이 유엔동시가입을 끝내 거부할 경우 올가을 유엔총회를 앞두고 독자가입을 추진하겠다고 발표
- 북한의 제의를 반대하면서 유엔단독가입을 집요하게 시도하는 것은 유엔가입으로 독립국가로 인정받고 한반도의 분열을 영구화하려는 책동임.

○ 용납될 수 없는 괴뢰들의 유엔단독가입책동

(평방, 91.3.1. 14:45)

- 지난해부터 유엔단독가입 의사를 표명하면서 여러나라와 막후접촉을 벌여온 남측은 끝내 유엔에 단독가입하려 함으로써 이와 관련한 양측 협상을 완전 파탄시킴.
- 유엔에 따로 들어가는 것은 외세에 의해 강요된 분열을 스스로 인정하는 행동이며 세계앞에 두개나라를 합법화하는 분열영구화 책동임.

양 고 재	91년 3월 6일	담 당	과 장	국 장
		여	[signature]	[signature]

0048

o 전인도 조친협등, 남한의 유엔단독가입책동 반대성명

(국제, 91.3.1. 14:00)

- 전인도 조친협등, 22일 성명을 통해 남측이 유엔단독가입으로 조선의 분열을 영구화하려한다고 규탄
- 남과 북이 하나의 의석으로 유엔에 들어갈 것을 강력히 요구

o 반역자들의 분열선언

(중방, 91.3.2. 09:25) <노동신문 논평>

- 남측 당국. 2.27. 유엔가입문제 관련 외무부 성명문을 발표하여 올해 46차 유엔총회를 앞두고 저들의 유엔가입을 독자적으로 추진하겠다는 입장을 밝힘.
- 이는 유엔가입문제의 해결을 위한 협상의 결렬 선언이며, 미국의 힘의 밑받침 밑에 흡수통합방식에 의한 승공통일의 망상을 이루려는 획책임.

o 인도신문, 한국의 유엔단독가입 계획 목표

(중방, 91.3.2. 13:05)

- 인도신문 "스테이츠먼" 2월 21일부, 남측은 북측의 강력한 반대에도 불구하고 유엔단독가입을 추구하고 있다고 지적

o 한통련, 91년도 운동방침 발표

(중방, 91.3.3. 11:00)

- 재일한국민주통일연합(한통련), 1991년 운동방침에서 올해 통일운동의 핵심적 과제로 유엔단독가입 저지 주장

o 전인도 조친협등, 유엔단독가입반대 규탄성명

(평방, 91.3.3. 09:10)

- 전인도 조친협등, 남측이 유엔단독가입으로 분열을 영구화 하려한다고 규탄

0049

- 또한 북측의 제안이 통일을 바라는 겨레의 염원을 반영하는 가장 정당한 방안이라고 지지
- 남측이 유엔에 단독가입하면 한반도의 대결상태는 더욱 격화되고 아시아와 세계평화는 위태로운 상태에 빠질것이라고 경고

o 유엔안보리, 북한외교부 비망기 공식문건으로 배포

(평방, 91.3.4. 22:00)

- 남측의 유엔단도가입시도와 관련한 북한외교부 비망기가 2.27. 안보리 공식문건으로 배포됨.
- 남측의 유엔가입이 허용되면 남북관계가 극도로 악화되고 새로운 긴장이 조성될 것임.
- 남측 당국이 대화와 통일에 관심이 있다면 유엔단독가입시도를 하지 말아야 한다고 주장

0050

유엔가입 관련 북한방송 내용 송부

(91.3.6-3.12)

o 민족의 통일의지에 대한 도전

(평방, 91.3.5. 00:42) <시사논평>

- 외무장관주재 유엔가입대책회의, 앞으로 유엔가입 외교를 강화해서 올해 상반기중에 유엔안보리에 가입신청을 내기로 확정함.
- 유엔단독가입 속심을 노골적으로 드러 낸 것은 유엔가입문제 관련 협상을 파괴하고 기어이 두개 국가의 길로 가겠다는 공공연한 선포로 대화일방에 대한 용납할 수 없는 배신이고 반민족적 범죄행위임.

o 김일성주의 연구 포르투갈위, 신년사 연구토론회

(중방, 91.3.7. 06:00)

- 남측은 유엔단독가입과 같은 두개 국가조작 책동을 걷어치우고, 전체 민족의 염원에 맞게 통일을 실현하기 위하여 대화와 협상에서 성실한 자세를 보여야 함.

o 외무부장관, 외교협회 강연회에서 유엔동시가입 지지

(민민전, 91.3.7. 19:02)

- 이상옥 외무부장관, 6일 한국외교협회주최 강연회에서 남북의 유엔가입은 통일을 향한 중간단계로서 한반도의 평화와 안정을 유지하기 위한 제도적 장치가 될 수 있다고 하면서 정부는 조속한 유엔가입을 적극 추진하겠다고 언급함.
- 유엔동시가입이나 한국의 단독가입은 우리를 국제사회에서 두개 국가로 인정시켜 영구분열을 초래할 것이며 남북대결을 심화시켜 평화와 안정을 이룰수 없게할 것임.

앙 고 재	91년 3월 13일	담 당	과 장	국 장
		여	Uy	

0051

o 괴뢰들의 유엔단독가입 책동은 평화와 통일에 대한 도전

(평방, 91.3.8. 07:52)

- 우리의 통일지향적 유엔가입대책안을 거부하고 끝내 유엔에 단독가입하려 함으로써 유엔가입 관련 남북당국의 협상을 완전히 파탄시킴.
- 남측의 유엔 단독가입책동으로 나라의 분열이 고정화되며 평화가 더욱 엄중히 위협당할 위험성이 커가고 있음.
- 미국이 남측의 유엔가입책동을 부추기는 것은 두개 국가를 조작, 남측을 식민지 군사기지로 계속 유지하여 이것을 발판으로 우리 공화국을 공격하고 다른나라들을 침략하기 위해서임.

o 북한외교부 비망기, 유엔안보리 공식문건 배포

(민민전, 91.3.8. 14:00)

- 남측의 유엔단독가입 시도와 관련 북측의 입장을 밝힌 2.20자 북한외교부 비망기가 2.27. 유엔안보리 공식문서 S-22253호로 배포됨.

o 외무부장관, 3.8. 기자회견에서 유엔가입문제 언급

(중방, 91.3.9. 00:00)

- 남측이 먼저 유엔에 가입하는 것이 북측의 유엔가입을 촉진하게 될 것이라고 언급
- 이는 남측이 유엔에 가입하여 나라의 분열을 영구화, 합법화하려는 용납못할 범죄적 책동

o 외무부장관, 외교협회주최 강연회에서 유엔가입문제 언급

(중방, 91.3.9. 20:57) <라디오 단평>

- 외무부장관, 남북이 제각기 유엔성원으로 되는 것이 갈라진 민족을 통일하는데 장애로 되지 않는다고 언급
- 이는 유엔을 통해서 나라의 분열을 고정화하려는 파렴치한 수작임.

0052

o 노00 집단이 유엔에 단독으로 가입하려고 책동하고 있는것과 관련

(민민전, 91.3.9. 22:15) <시사해설>

- 외무부장관, 8일 기자간담회에서 남북 유엔동시가입이 안될 경우 10월 유엔총회에서 한국만이라도 단독가입을 추진하겠다고 언급
- 이처럼 단독가입 입장을 명백히 밝힌 것은 그들의 분열주의적 책동이 매우 위험한 단계에 이르렀음을 말해 주는 것임.
- 한국의 유엔가입으로 분열이 지속되면 대결은 더욱 날카로워 질것이고 그것은 평화를 위협하고 긴장을 더욱 격화시켜 통일에 장애가 될 것임.

o 민족앞에 책임지게 될 것이다.

(중방, 91.3.11. 09:25) <노동신문 논평>

- 2일의 유엔가입대책회의와 8일의 외무부장관 기자간담회에서 유엔가입 책동 본격화를 명백히 시사한 것으로 볼 때 남측의 두개국가 조작책동은 극히 엄중한 단계에 이르름.
- 유엔단독가입은 남북간 대화의 길을 막고 관계를 더욱 악화시켜 겨레에게 새로운 대결과 전쟁의 위협을 가져오게 될 것이며 결국 조국통일에 무거운 먹구름을 드리우게 할 것임.

o 민족반역자들의 분열선언

(평방, 91.3.11. 14:55)

- 2.27. 유엔가입문제 관련 외무부성명, 올해 46차 유엔총회를 앞두고 유엔가입을 독자적으로 추진하겠다고 함.
- 남측은 유엔단독가입으로 두개 국가의 분열을 고착시킴으로써 미국의 힘을 뒷받침 받아 흡수통합방식에 의한 승공통일의 망상을 획책하려 함.

0053

30. 소련군 총참모장, 소- 도 조약 비준에 만족 표시

(모스크 91.03.05 2200)

소련군 총참모장 모이세이브 장군이 소련 최고소비에트가 어제 3개 소- 독 조약을 비준했다는데 만족을 표시했습니다. 프리브 신문관의 회견에서 그는 이 문건들에 의해 독일의 최종적 국경이 규정되었다고 지적했습니다.

31. 원칙성을 발휘해야 한다 - 남북한 UN 가입에 대하여

(모스크 91.03.05 2200)

마지막 시기에 한국정부는 나라를 유엔에 가입시킬 필요성을 재차 완강하게 제의하고 있습니다. 더욱이 서울은 올해 9월에 소집될 유엔총회 제46차 회의에서 한국 가입신청을 공식화 할 예정입니다. 한국은 조선민주주의 인민공화국과 함께 남북의 유엔 동시 가입을 반대하지 않습니다. 이런 동시 가입만은 서울의 동맹국들이 유엔의 많은 구성국가들의 지지를 받고 있습니다. 이와 관련하여 본방송 해설원 유리 질리는 다음과 같이 쓰고 있습니다. 우선 한국이 내걸고 있는 논고를 취급해 봅시다. 한국은 유엔의 헌장과 목표를 승인하며 한반도에 안정과 평화, 아시아 태평양 및 전세계의 안전과 평화를 위한 위업에서 이 국제기구와 밀접히 협조할 용의가 있다고 한두번 성명한것이 아닙니다. 한국은 오늘 거의 150여개 나라들과 수교하고 있으며 많은 국제기구들에 가담되어 있으며 또 유엔에서 상설 옵서버 지위를 갖고 있습니다. 그리고 또 한국의 경제력도 국제위신을 제고시키는 중요한 요소로 되고 있다는 것을 고려하지 않을 수 없습니다. 반면에 조선민주주의 인민공화국은 유엔

I-19

0054

가입문제와 관련된 전혀 상반되는 입장을 보이고 있습니다. 알려진바 평양은 남북의 유엔단일의석 가입을 주장하고 있습니다. 그리고 단독가입을 아주 날카롭게 비난하고 있습니다. 국제법이나 유엔의 헌장에 따를때면 북조선측의 입장이 구현 여부가 부족합니다. 이렇게 유리 질리는 쓰고 있습니다. 그리고 국제공동체의 그 어떤 현저한 지지를 받고 있다고 말할 정도도 아닙니다. 평양이 한국의 단독 가입으로 하여 남북간의 대결을 금후 악화시킬것이라 주장하고 있지만 그것은 역시 논고 있는것이 아닙니다. 독일의 결우 오히려 반대결과를 초래했습니다. 오늘 현재로 한반도 정세는 아주 긴장한대로 나와 있습니다. 때문에 추가적 난관을 쌓을 필요가 없을것입니다. 오늘의 정세하에서는 타협을 모색하며 긴장완화를 약소해줄 그런 구체적 보조를 취해야 할것입니다. 유감이지만 평양은 한-미 합동군사연습 팀스피리트-91 을 구실하여 남북간 대화를 일방적으로 중단시켰습니다. 지난번도 그런 행동이 자자했습니다. 그때마다 서울이 그러한 대화의 파탄을 책임져야 했습니다. 하긴 3차례에 걸친 남북간 총리급 회의는 그 어떤 결과도 보여주지 못했습니다. 그러나 그 대화는 상호 접수될 수 있는 합의가 가능하다는 기대를 알려 주었습니다 남북이 유엔 가입문제에서도 상호 협의되는 제안이 있을것이라는 기대가 있었습니다. 평양과 서울이 서로 접촉할 수 있는 그런 공통된 점을 찾아내는것이 오늘 제일 중요합니다. 유엔총회 46 차 회의 개막날 까지 아직 원만한 시간이 남아 있습니다. 조선측들은 상호 접수될 수 있는 해결책을 그때까지 모색해 내야 할것입니다. 소련이 바로 이런것을 지지하고 있다고 끝으로 유리 질리는 쓰고 있습니다.

0055

유엔가입관련 북한방송 내용 송부

(91.3.13-19)

o 악랄하게 감행되는 괴뢰들의 유엔단독가입 책동
(중방, 91.3.13. 13:40)
- 남측은 지난 2.27, 올해 46차 유엔총회를 앞두고 유엔가입을 추진하겠다고 밝힘.
- 남측이 유엔에 단독으로 들어가게 된다면 집안싸움은 국제정치무대에서까지 벌어지게 될 것이며, 단독가입으로 남북의 정치적 대결이 더욱 격화된다면 그것은 불필코 불안전한 조선반도 정세에 더 큰 위협을 가져올 것임.

o 이집트등 각국 신문, 남한의 유엔단독가입 규탄
(중방, 91.3.15. 07:09)
- 애급신문 5일부, 남측의 유엔단독가입을 규탄한 2.19일부 노동신문 논평원의 글 보도

o 민족시보, "노00 정권 퇴진운동을 더욱 강화하자"제하 사설 게재
(평방, 91.3.15. 08:00)
- 일본에서 발행되는 민족시보 3.1일부, 남측의 유엔단독가입 책동을 비난하면서 노00정권을 반통일정권이라고 낙인

o 유엔단독가입책동은 통일지향에 대한 엄중한 도전
(평방, 91.3.15. 14:30) <해설>
- 남측은 외무부 성명문을 통해 제46차 유엔총회를 앞두고 유엔가입을 독자적으로 추진시키겠다고 하면서 올해 상반기중에 유엔안보리에 유엔 가입신청을 하겠다고 공언함.

앙 고 재	91년 3월 19일	담 당	과 장	국 장
		여	[서명]	[서명]

0056

- 유엔단독가입책동은 통일지향에 대한 도전으로 세계앞에 두개 국가를 합법화하고 나라의 긴장상태를 격화시키는 반역 행위이며, 남북간에 불신과 대결상태를 더욱 격화시키고 전쟁의 위험을 보다 크게 조성하게됨.

o 노골적인 분열영구화 책동

(중방, 91.3.15. 20:50) <시사논단 논평>

- 신임 유엔주재 대사 12일 기자회견, 남측은 올해안에 어떤 형태로든 유엔에 가입해야 한다면서 적당한 시기에 유엔단독가입안을 제시할 것이라고 언급함.
- 이보다 앞서 남측 외무부장관, 남북회담에서 유엔가입문제를 더이상 논의하는 것은 비생산적이며, 제각기 유엔에 들어가는 것이 민족통일에 장애가 되지 않는다며 유엔단독가입책동을 본격화할 속심을 노골적으로 드러냄.
- 남측의 유엔단독가입책동은 분열을 국제적으로 합법화해서 남북관계를 악화시키고 남북대결을 심화시켜서 새전쟁의 위험을 몰아오게 될 것이고 조국통일의 앞길에 새로운 장애와 난관만을 가로 지르게 될 것임.

o 애급신문등, 남한의 유엔단독가입 반대글 게재

(중방, 91.3.16. 00:05)

- 애급신문 알타운 5일부, 남측의 유엔단독가입 놀음을 규탄한 2.19일부 노동신문 논평원의 글 보도

0057

53. 악랄하게 감행되는 괴뢰들의 유엔 단독가입 책동

(중방 91.03.13 1340)

남조선 괴뢰들의 유엔단독 가입책동이 더욱 노골화 되고 있습니다. 이미 지난해부터 유엔에 단독으로 가입하겠다고 떠들면서 이러 저러한 나라들과 막후 교섭을 벌여온 남조선 괴뢰들은 우리의 통일지향적인 유엔단독 가입대책안을 거부하고 끝내 유엔에 단독가입하려 하고 있습니다. 괴뢰들은 지난 2월 27 일에도 올해 유엔총회 46 차 회의를 앞두고 유엔가입을 추진하겠다고 떠들었습니다. 나라가 분열되어 있는 현상태에서 북과 남이 따로따로 유엔에 들어가는것은 외세에 의하여 강요된 분열을 스스로가 긍정하고 분별없이 날뛰는 어리석은 행동입니다. 이것은 지난기간 나라의 분열을 반대하고 조국통일을 성취하기 위해서 목숨도 서슴없이 바쳐온 우리 민족의 숭고한 애국 투쟁을 모독하는것이며 우리 민족의 존엄을 훼손하는 것입니다. 나라가 분열되어 있는 상태에서 북과 남이 따로따로 유엔에 들어가는 것은 세계앞에서 두개 조선을 합법화 하는 또하나의 민족분열 책동입니다. 나라가 분열된 것으로하여 겨레가 헤아릴수 없는 불행과 고통을 당하고 있고 온 민족이 이 분열을 하루빨리 끝장내고 통일하자고 하는 오늘에 와서 무엇때문에 두개조선에로의 분열을 국제적으로 합법화하고 고착시키겠습니까 ? 이것은 통일에로 나가는 우리 민족을 다시 분열의 원점으로 되돌려 세우자는 것이며 우리 민족 내부문제인 북과 남의 통일문제를 국제화하고 우리나라에 대한 외세의 간섭을 길을 열어주는 엄중한 민족배신 행위입니다. 유엔에 단독가입하므로서 통일의 길을 가로막으며 두개조선으로 분열을 합법화하고 고

I-44

0058

착시키려는 남조선 괴뢰들의 분열주의적 기도는 불을보듯 명백합니다. 남조선 괴뢰들은 그무슨 실체인정이니 하면서 두개조선을 우리에게 먹여보려는것이 실패하자 이제 그것을 국제적인 세력균형의 변화를 틈타 유엔무대를 통하여 우리 민족에게 강요하자는 것입니다. 우리는 남조선 괴뢰들의 추악한 민족분열 책동에 절대로 보조를 같이 할수 없습니다. 우리에게는 외세가 강요한 분열을 우리 스스로가 긍정하고 감수할 용의도 없거니와 외세를 대신하여 분열의 책임을 금을질 생각은 더욱 없습니다 유엔가입 문제를 조국통일에 이롭게 풀어나가기 위해 가능한 노력과 통일을 다해온 우리는 남조선 괴뢰들이 기여코 유엔에 일방적으로 들어가려는데 대해서 분노를 금지 못하고 있습니다. 민족의 의사를 배반하고 분열을 긍정화하며 두개조선을 국제적으로 합법화 시키려는 반역자들은 응당 역사와 민족앞에 분열의 책임을 져야 할 것이며 분열로 말미암아 우리 겨레가 겪게될 모든 불행과 고통의 후과에 대해서도 책임져야 합니다. 남조선 괴뢰들의 유엔단독 가입은 나라의 분열을 지속시키고 통일을 지체시킬뿐 아니라 북과 남의 대결을 더욱 격화시키는 새로운 촉진제로 될 것입니다. 남조선 괴뢰들이 우리의 성의있는 권고와 제안을 모두 뿌리치고 유엔에 기어히 단독가입하려는 것은 우리와의 일종의 결별선언이며 우리에 대한 노골적인 도전입니다. 집안일은 집안에서 풀어야 하며 같은 혈육들이 밖에 나가서까지 서로 진격내기를하며 싸울 필요가 없는 것입니다. 이로부터 우리는 유엔에 북과 남이 하나의 의석으로 들어갈것을 거듭 주장하여 왔던것입니다. 그러나 이제 남조선 괴뢰들이 유엔에 단독으로 들어가게 된다면 어차피 집안싸움은 국제정치 무대에서까지 벌어지게 될 것입니다. 남조선 괴뢰들의 유엔단독 가입으로 해서

I-45

0059

북과 남의 정치적 대결이 더욱 격화된다면 그것을 불피코 불안전한 조선반도 정세에 더큰 위험을 가져올 것입니다. 남조선 괴뢰들이 그토록 유엔단독 가입을 서두려는것은 딴데 있지 않습니다. 그것은 분열된 절반 땅에서 미제가 지켜주는 분열주의적인 예속정권을 지탱하며 승공통일 야망을 몽상하고 있는 괴뢰들의 추악한 속심에 있습니다. 분열과 매국으로 명줄을 이어 가려는 남조선 괴뢰들은 자기가 가는 반역의 길이 그들 자신에게 무엇을 가져다 주겠는가에 대해서 심사숙고 해야 합니다. 민족분열주의 자들에게는 미래가 없으며 놈들은 천추에 씻을수 없는 오명만을 남길것입니다. 역사는 반드시 반역자들을 심판할 것입니다. 우리민족의 거족적인 통일 대행진은 분열주의 자들의 반역 책동을 짓부시고 조국통일의 날을 앞당길 것입니다.

54. 노대통령, 지방의회 선거 불법사범 엄단지시
(중방 91.03.13 1400)

서울에서의 방송보도에 의하면 노00역도는 12 일 기초지방의회 즉 시, 군, 구선거와 관련해서 선거법을 어기는데 대해서는 범죄와애 전쟁을 선포한 그대로 다스리라고 떠들어 댔습니다. 역도는 이날 괴뢰 충정북도 청을 순시한다고 하면서 청주에 나타나 졸개들에게 이와같이 놀아댔습니다. 이것은 재야 세력과 야당의 반대에도 불구하고 총칼을 휘둘러 지방의회 의원선거를 기초지방 의회와 광역지방 의회, 즉 특별시, 직할시, 도의회 선거로 분리하여 조기에 강행하겠다는 수작이외에 아무것도 아닙니다. 이미 보도된바와 같이 노00일파의 민자당과 야당 사이에는 지방의회 의원선거를 동시에 실시할때 대해 합의했습니다. 그런데 노00역도

I-46

0060

유엔가입관련 북한방송 내용 송부

(91.3.20-26)

o "이상옥" 외무장관, 헌정회주최 정책세미나에서 연내 유엔가입방침 천명
(민민전, 91.3.19. 19:00)

- 이상옥 외무부장관, 18일 상기 정책세미나에서 북이 남북 유엔동시가입 요구에 응하지 않을 경우 한국의 유엔가입을 더 이상 미룰 수 없다면서 연내 유엔가입방침을 다시 한번 분명히 함.
- 끝내 유엔단독가입을 성사시킨다면 그들은 나라와 민족을 영원히 분열시킨 책임을 면할 수 없을 것임.

o 유엔단독가입책동은 대결과 분열책동의 산물
(평방, 91.3.20. 14:30) <해설>

- 남측은 남북관계를 국가별 사이의 관계처럼 묘사하면서 유엔가입문제가 남북관계 문제, 통일문제와 관련이 없는듯이 주장하면서 남북의 현실태를 인정하고 유엔에 동시가입할 것을 고집하다 못해 유엔단독가입책동에 열을 올리고 있음.
- 유엔가입책동은 한반도에 두개 국가가 존재하고 있다는 것을 국제적으로 합법화하고 나라의 분열을 고정화 하며, 또한 대결을 격화시키고 남북관계를 악화시켜 분열의 장벽을 더 높이 쌓으려는데 그 반동적 본질이 있음.

o 마다카스칼 통신, 한국의 유엔단독가입정책 비난
(중방, 91.3.21. 18:00)

- 마다카스칼의 "아엔데" 통신, 남측이 유엔단독가입안을 들고 다니면서 분열영구화 책동에 계속 매달리고 있는 것은 통일을 지향하는 대세의 흐름에 대한 노골적인 도전이며 남북대화에 불순한 행위라고 지적함.

공람 91년 3월 27일	담당	과장	국장
	여	(서명)	(서명)

0061

- 전인도 조친협 성명, 만일 남측이 유엔에 단독으로 가입하게 된다면 그것은 한반도의 정세를 더욱 긴장시키고 대결상태를 격화시키게 될 것이며 아세아와 세계의 평화를 위태롭게 만들 것이라고 언급함.

o 외무부 정무차관보, 유엔가입의 합리성과 타당성 지적 (중방, 91.3.23. 20:57) <라디오 단평>

- 외무부 정무차관보, 유엔가입의 합리성과 타당성을 운운하면서 남북한의 유엔가입을 한반도의 평화와 안정에 도움이 될 것으로 확신한다고 언급함.
- 나라가 분열되어 있는 상태에서 남북이 따로따로 유엔에 가입한다면 세계 앞에서 두개 한국을 합법화하게 되며 국제정치무대에서까지 동족끼리 대결하게 될 것이며, 이는 불필코 불안전한 한반도 정세에 더 큰 위협을 가져올 것임.

o 당국, 연내 유엔가입추진 관련 우방국 대상 홍보에 주력 (민민전, 91.3.23. 20:00)

- 남측은 연내 유엔가입추진과 관련해 우방국들을 대상으로 유엔가입 입장의 당위성과 타당성를 적극 홍보하고 공개외교를 전개하며 유엔가입 필요성을 알리는 대국민 홍보활동에 주력하겠다고 언급함.
- 남측은 유엔단독가입으로 두개 한국 조작을 국제적으로 합법화하고 우리 민중의 통일열기를 억제해 보려는 발상에서 연내 유엔가입에 총력을 기울이고 있음.

0062

최근 유엔가입관련 북한방송동향 분석

"북한은 전쟁을 운운하며 아국의 유엔가입을 극렬 비난한 2.19자 노동신문 논평 보도이후 유엔가입관련 비난보도를 증가시켰으나 3월하순에 들어 서면서 급격히 비난보도를 감소시키고 있는 바, 최근 북한이 그들의 고려민주연방제 통일방안 및 유엔가입 입장에 변화를 보이고 있다는 첩보와 관련 주의가 요망됨."

가. 방송사례 : 91.2.19-2.28일간 9회
91.3.1-3.15일간 22회
91.3.16-3.28일간 8회

나. 북한주장의 주요내용

a. 아국의 유엔단독가입을 극렬 비난

- 기어이 유엔에 단독가입한다면 민족은 재나적인 전쟁의 위협에 직면하게 될 것임.
- 유엔단독가입으로 흡수통일방식에 의한 승공통일의 망상을 획책하고 있음.

b. 최근 아국의 단독가입추진 현황에 대한 비난

- 노대통령의 독일대통령 회담(2.25), 북한 외교부 비망록(2.20)에 대한 외무부 장관의 외교협회 강연(3.6), 외무부 장관의 기자 간담회(3.8), 신임 유엔주재대사 기자회견(3.12), 외무장관의 헌정회주최 정책세미나에서 강연(3.18), 외무부 정무차관보 발언등에 대한 비난

* 북한은 지난 3.24일 이후 2회의 보도(해외 친북단체의 때지난 규탄기사 및 집회) 이외에는 일절 비난 보도를 행하고 있지 않음.

공람	년 3월 29일	담당	과장	국장
		여	(서명)	(서명)

0063

유엔가입관련 북한방송 내용송부

(91.3.27-4.7)

o 네팔신문, 남한의 유엔단독가입 규탄 글 게재

(평방 91.3.27. 22:00)

- 네팔신문 어벨레이즈 5일부, 유엔단독가입 책동을 규탄한다라는 제목의 글에서 이것은 외세에 의하여 분열된 조선의 현실을 합법화하며 나라의 통일실현에 도전하는 반역행위라고 규탄함.

o 남한의 유엔단독가입 규탄집회, 3.21. 인도 유엔연구센타에서 진행

(중방 91.3.28. 07:00)

- 인도 유엔연구센터국장, 남측의 유엔단독가입 책동을 단호히 규탄하며 남과 북이 하나의 의석으로 유엔에 가입할데 대한 북측의 발기를 적극 지지함.

o 북과 남은 하나의 의석을 가지고 공동으로 유엔에 들어가야 한다.

(평양 91.3.31. 07:35)

- 남과 북이 하나의 의석을 가지고 공동으로 들어가는 것이 유엔대책문제를 민족의 통일지향적 민족자결의 원칙에 맞게 해결하는 유일한 길이며, 이 제안은 평화와 안전을 위한 유엔헌장과 이념에 부합될 뿐 아니라 통일전에 유엔에 가입하자는 남측의 제안까지 고려하고 수용한 공명정대한 제안임.

- 그럼에도 남측은 우리의 단일의석 유엔가입 제안이 비현실적이고 실현 불가능한 것이라며 이를 받아들이기를 거부하고 있으나, 일시적으로 분열된 나라의 현실을 외면하고 민족의 통일염원에 전적으로 배치되는 남측의 유엔단독가입이야말로 비현실적인 것임.

앙고재	91년 4월 8일	담당	과장	국장
		여	lly.	

0064

o 왜 유엔단독 가입책동에 극성을 부리는가

(중앙 91.4.1. 20;50) (시사논단 논평)

- 외무부장관, 3.30. 국회 외통위 간담회에서 남북의 유엔동시가입을 추진하되 북측의 호응이 없을 경우 올해안에 단독가입을 위한 구체적 조치를 취할 것이라고 언급
- 남측은 진실로 한반도의 안전과 통일을 생각한다면 애당초 유엔가입문제를 들고 나오지 말았어야 했음.
- 통일을 바라는 우리는 유엔동시가입이든 단독가입이든 남측의 범죄적 책동에 절대로 동조해 나서지 않을 것임.

o 괴뢰들의 더욱 노골화된 영구분열 책동

(평방 91.4.1. 00:50) (대 담)

- 최근 남측은 두개 한국 조작을 위한 심상치 않은 움직임들을 나타내면서, 유엔단독가입 책동을 본격화할 속심을 노골적으로 드러냄
- 유엔단독가입 책동은 분열을 국제적으로 합법화해서 남북관계를 악화시키고 남북대결을 심화시켜 새 전쟁의 위험을 몰아오게 될 것이고 조국통일의 앞길에 새로운 장애와 난관만을 가로 드리우게 될 것임.

o 인도 유엔연구센터, 남한의 유엔단독가입 책동 규탄 집회

(민민전 91.4.1. 00:00)

- 미국과 노00 집단이 한반도를 영원히 둘로 갈라놓으려고 책동하고 있는데 대해서 폭로 규탄하고, 한반도의 남과 북이 하나의 의석으로 유엔에 가입할데 관한 북측의 발기를 적극 지지한다고 강조함.

o 국회 외무통일위, 유엔단독가입 논의

(민민전 91.4.1. 14:00)

- 외무부장관, 3.30 국회 외통위에서 올해안에 유엔단독가입을 위한 구체적 조치를 취할 방침이라고 언급
- 이는 유엔가입문제와 관련한 북측과의 협상을 파기하고 기어이 두개 한국으로 나간다는 것을 또다시 공포한 것으로서 온 겨레의 통일지향적 염원에 도전하는 반민족적 범죄행위임.

0065

o 노00 집단의 유엔단독가입 책동과 관련

(민민전 91.4.1. 20:10) (시사해설)

- 노00, 1일 47차 아시아태평양 경제사회이사회 총회 개막연설을 통해 남북한 모두가 유엔에 들어가는 것은 아시아, 태평양지역의 안정과 평화를 위해서도 도움이 될 것이라고 언급
- 그러나 남측의 유엔단독가입은 분단을 국제적으로 합법화, 고착화 시킬 것이고 남북간의 대결과 불신, 전쟁위협만을 증대시켜 통일의 앞길에 먹구름을 드리우게 할 것임.

o 용납못할 매국 배족행위

(중방 91.4.2. 09:22) (노동신문 논평)

- 외무부장관, 3.30. 국회 한 간담회에서 유엔가입문제와 관련하여 동시가입을 추진하되 북의 호응이 없을 경우 올해안에 남측의 유엔단독가입을 위한 구체적 조치를 취하겠다고 언급
- 시대와 민족이 조국통일을 절박하게 요구하고 있는 때에 남측은 한사코 유엔가입으로 분열을 국제적으로 합법화, 고정화 함으로써 남북대결을 극도로 악화시켜 대결이 격화되며 조국통일의 길에 새로운 엄중한 장애를 가로지르게 될 것임.

o 북한방송, "노" 대통령의 에스캅총회 개회사 비난

(중방 91.4.2. 20:55) (라디오 단평)

- 노00, 1일 서울에서 열린 한 국제회의 개회사에서 남북이 유엔에 들어가는 것은 한반도는 물론 아.태지역의 안정과 평화를 이룩하는데 도움이 될 것이라고 언급
- 나라가 분열된 상태에서 남과 북이 따로따로 유엔에 들어간다면 세계앞에서 두개 한국의 분열을 합법화하고 남북사이의 대결을 국제정치 무대로 더욱 확대하는 결과만 가져올 것임.

0066

o 네팔 신문들, 한국의 유엔단독가입을 비난

(중방 91.4.3. 21:15)

- 인드레니 3.20부, 남측 당국은 유엔에 단독으로 들어가려고 책동함으로써 한국의 영구분열을 추구하고 있으며, 북측은 남과 북이 통일전이라도 유엔에 들어가려면 하나의 의석으로 들어갈 것을 주장함.

o 주한 미대사 "그레그", 한국의 유엔가입을 지지

(민민전 91.4.3. 20:05)

- 그레그 대사, 3일 47차 아.태경제사회이사회 총회 기조연설을 통해 미대통령 "부시"가 지난해 유엔총회 연설에서 한국의 유엔가입을 전폭적으로 지지했다는 점을 강조하면서 한국의 유엔가입을 지지한다고 언급
- 남측이 유엔단독가입을 성사시키려고 책동하고 있는 것과 때를 같이해 "그레그"가 한국의 유엔가입을 노골적으로 지지해 나선 것은 노00의 유엔 가입 책동이 바로 미국의 사주에 의해 벌어지고 있음을 보여주는 것임.

o 주한 미대사, 한국의 유엔가입정책 지지발언

(중방 91.4.4. 00:00)

- 미국대사 그레그, 2일 서울에서 진행중인 유엔 아.태 경제사회위원회 총회 연설에서 남측의 유엔단독가입 책동을 부추킴.
- 남과 북 사이에 단일의석으로 유엔에 가입하는 문제가 중요하게 제기되고 있는때에 그레그가 미국을 대표하여 이러한 폭언을 하는 것은 남북대화를 파탄시키고 대결을 더욱 격화시키려는 위협한 도발행위임.

o 분열주의 대결노선의 교활한 변종

(중방 91.4.4. 09:21) (노동신문 논평)

- 남북의 유엔동시가입안과 남측의 단독가입안은 1970년대에 들어와 남측을 더욱 분열주의로 나아가도록 미국이 꾸며내고 남측이 내놓은 철두철미한 분열주의 패덕임.

0067

- 미국이 남측의 유엔가입을 고무하고 있는 것은 한국과 아시아에 대한 그들의 끝없는 침략야망과 관련된 것임.
- 남측의 유엔가입으로 한국의 분열이 심화되면 남북간의 대결을 격화시키고 평화를 위협하는 것은 물론 조국통일에 커다란 장애를 조성케 됨.

o 주한 미대사, 한국의 유엔가입 지지표명
(민민전 91.4.4. 12:00)
- 그레그, 3일 47차 아.태경제사회이사회 총회에 참석하여 부시 대통령이 지난해 유엔총회 연설에서 한국의 유엔가입을 전폭적으로 지지했다는 점을 강조하면서 한국의 유엔가입을 지지함.
- 이는 미국이 기어코 한반도를 영원히 분열시켜 두개 한국을 조작하려고 꾀하고 있다는 것을 노골적으로 드러낸 망언임.

o 워싱턴 지배층이 주한미군의 영구강점과 분단고착을 꾀하고 있는 것과 관련해
(민민전 91.4.4. 20:10) (시사해설)
- 그레그 주한 미대사, 47차 유엔 아.태경제사회위원회 본회의에 참석해서 미국은 한국이 유엔가족의 일원이 되기를 기대한다면서 노00의 유엔가입 책동에 대한 지지의사를 표시함.
- 그레그가 한국의 유엔단독가입 책동을 적극 지지해 나선 것은 바로 미국 지배층이 한반도의 통일이 아니라 분단을 고착시키려는 저의를 다시금 드러낸 것이라 할 것임.

o 소련 외무성 부상, 한국의 유엔 단독가입 문제는 남북대화로 해결 촉구
(중방 91.4.5. 21:15)
- 소련부상 로가쵸프, 4일 기자회견에서 남측의 조급한 유엔단독가입 시도에 우려표시
- 동 외상은 유엔가입문제에 관한 최종적인 결정은 남북사이에 대화를 통하여 내려져야 한다고 함.

0068

o 네팔신문들, 한국의 유엔 단독가입 시도 비난

(민민전 91.4.6. 12:00)

- "인베르니" 3.20.자 북한은 남과 북이 통일되기 전이라도 유엔에 들어가려면 하나의 의석으로 들어갈 것을 주장
- 그러나 남측은 유엔에 단독으로 들어가려고 책동함으로써 한반도에 영구분열을 추구하고 있다면서 이것은 나라의 분열을 지향하는 이북민중에 대한 노골적인 도전행위라고 규탄

o 로가쵸프, 한국의 유엔단독가입 우려 시사

(민민전 91.4.7. 19:00)

- 로가쵸프 소련 외무성 부상, 4일 인터뷰에서 한국의 유엔가입 문제에 언급하면서 유엔가입문제에 관한 최종적인 결정은 남과 북사이에 대화를 통하여 내려져야 한다고 주장

0069

26. 겨레의 불행과 재난을 가중시키고 민족의 장래를 위태롭게 하는 반민족적 범죄행위 (중방 91.04.08 0915)

< 노동신문 논평 > 우리는 이미 본보 2월 19 일부 논평원의 글에서 남조선 당국의 유엔 단독가입 놀음에 대하여 경고한바있다. 여기에는 북과 남 사이에 첨예하게 제기되고 있는 유엔 가입 문제가 나라의 통일에 이롭게 풀려야 한다는 민족적인 요구와 나라의 앞날을 그르치게 하는 남조선 당국의 경고망동에 대한 겨레의 깊은 우려가 담겨져 있다. 그러나 이러한 경고에도 불구하고 최근에 와서 남조선에서는 고위당국자와 외무부 관계자들, 이름도 밝히지않은 어중이 떠중이들의 입을 통하여 유엔에 단독 가입하겠다는 목소리가 더욱 요란스럽게 울려나오고 있다. 본격적으로 유엔 가입 노력을 기울이겠다, 가까운 몇달 안에 유엔 가입을 위한 문건을 제출하겠다고도 하고 유엔가입을 남북대화와 분리하여 단독 추진하겠다고도 하며 어떤때는 유엔 사무총장의 이름까지 거들며 단독가입 분위기를 조성하는데 열을 올리고있다. 집권자의 머리가 병들면 그 정치적 후과는 참으로 비극적인것이다. 그들은 지금 민족 내부에서 하나의 조선을 지향하는 기운이 힘차게 태동하고있는 엄연한 현실조차 가려보지 못하고있다. 분열주의자들의 눈에는 지난해 있었던 역사적인 8.15 범민족 대회도 한갖 이단자들의 군중집회로 밖에는 안보였을 것이고 공동응원이나 통일축구, 통일 음악회와 같은 공동축제도 단순한 교류로만 비쳤을것이지만 사태를 바로보면 그것은 명백히 겨레의 마음속에 있는 하나의 조선을 확인하는 역사적 사변이었다고 말할 수 있다. 그때로 부터 반년 남짓한 시일이 지난 오늘 우리는 벌써 현실적으로 탄생한 하나의 조선을 보고있다. 북과 남의 체육인들은 국제 탁구경기와

I-27

0070

축구경기의 출전을 유일팀 구성을 내외에 선포하였으며 탁구 선수들은 이미 유일팀에 합류하였다. 분단 역사이래 처음으로 세계에 잘알려진 코리아의 이름을 가지고 하나의 조선이 체육분야에 출현한것이다. 지금 이 사실을 두고 북과 남의 겨레들과 총련과 민단의 재일동포들, 모든 해내외 동포들이 기쁨에 휩싸여 있으며 세계의 인민들과 체육계에서도 유일팀의 탄생에 찬사를 보내고있다. 안팎에서 이렇듯 기뻐하는것은 바로 이 유일팀이 수천년을 하나의 민족으로 살아온 조선의 본연의 모습이 비껴있고 분열과 대결이 없는 평화롭고 통일된 조선의 내일이 기약되여 있기때문이 아니겠는가. 하나의 조선의 상징하는 유일팀의 탄생은 남의 승리도 북의 승리도 아니며 어느 일방의 사상과 제도의 승리도 아니다. 그것은 북과 남의 테두리를 벗어난 우리민족의 승리이고 사상과 제도를 초월한 민족적 이념의 승리이며 분열과 대결 노선에 대한 통일과 단합 노선의 역사적 승리이다. 그럼에도 불구하고 이러한 때에 어울리지않게 남조선 당국자들은 아직도 유엔에 단독가입 하겠다고 하니 이 얼마나 현실에 암둔한 짓인가. 체육인들이 국제경기에 유일팀으로 출전하는것이나 북과 남이 유엔에 하나의 의석으로 들어가는 것이나 이치에서 다른것은 아무것도 없다. 하기에 통일을 갈망하는 견해는 오늘 남조선 당국자들에게 다음과같은 물음을 제기하고있다. 체육인들의 유일팀을 하는데 유엔에 유일팀으로 들어가지 못할 까닭은 무엇인가. 체육인들이 하나의 단명칭, 하나의 단기, 하나의 단가 까지 합의한 오늘, 당장 하나의 국호, 국기, 국가를 가진 통일정부는 세울 수 없다해도 무엇때문에 두개 조선을 합법화하는 길로 뒷걸음질 하겠는가.

-02- 남조선 당국이 진실로 정치에 책임이 있는 당사자라고 하고 통일

에 관심이 있다고 한다면 오히려 그들 자신이 국제무대에 하나로 나서는데 앞장서는데 순리가 아니겠는가? 이러한 물음은 지극히 논리적인 것이며 자연스러운 것이다. 그러나 민족의 이 물음에 대한 남조선 당국자들의 대답은 지금 이 시각에도 기어코 유엔에 단독가입하겠다는 것이며 북과는 더이상 이 문제를 가지고 협의할 필요도 없다는 것이다. 이것이야말로 체육인들보다도 못한 그들의 저열한 정치수준과 이글어진 민족적 감각을 보여주는 것이며 수치도 모르고 체면도 없이 날뛰는 파렴치한의 몰골을 그대로 드러내놓는 것이 아니겠는가? 우리는 오늘 단일팀의 탄생이 응당 단일의석에 의한 유엔가입으로 이어져야 한다고 간주하며 북과 남이 유엔에 들어가자고 하면 마땅히 하나의 의석으로 들어가야 한다는 것을 다시금 강력히 주장한다. 뜻이 있다면 이를 수 있다는 말도 있다. 북과 남이 뜻을 합쳐 유일팀으로 국제경기에 나가게된 것과 같이 하나의 의석으로 유엔에 들어가는 것은 그 어떤 국제적 규정이나 다른 나라들에 의하여 제약되는 것이 아니라 전적으로 그 담당자들의 결심 여하에 달려있는 것이다. 북과 남이 대결하지 않고 서로 합의하여 유엔에 하나의 의석으로 들어가자고 한다면 다른 나라들이나 유엔의 입장을 어렵게 만들것도 없고 오히려 그들이 마음 편할 것인데 누가 굳이 반대하겠는가? 남조선 당국자들이 유엔에 하나의 의석으로 들어가는 것이 비현실적이라고 하는 것은 사실은 그들이 여기에 애당초 뜻이 없다는 것을 가리우기 위한 궤변에 불과하다. 남조선 당국자들의 관심이 하나로 되는데 있는 것이 아니라 둘로 되는데 있고 통일이 아니라 분열에 있다는 것은 이제 더 논할 여지 없이 명백히 드러났다. 승공에 의한 제도의 단일화만을 통일이라고 하는 남조선 당국자들의 기도는 어떻게 하

I-29

0072

나 분열을 지속시키자는 것이며 갈라져 살면서 승공통일에 대비하자는 것이다. 그들의 북방정책이나 유엔단독가입 놀음도 바로 국제적인 세력균형의 변화를 이용하여 분열을 지속시키고 승공통일을 위한 대외적 환경을 마련하려는 목적에서 출발한 것이다. 그러나 남조선 당국자들은 민족내부문제인 조국통일 문제가 그 어떤 외부적인 작용에 의하여 해결되는 것이 아니라 우리 민족의 주체적인 힘에 의해서만 해결될 수 있다는 것을 똑똑히 알아야 한다. 민족의 힘을 믿지 않고 동족에 등을 돌려대면서 유엔 단독가입으로 두개조선을 국제적으로 공식화 하고 민족 내부문제를 국제화 하며 외세의 힘을 빌어 승공통일을 이루러보려는 남조선 당국자들의 사대주의적 발상을 실패를 면할 수 없다. 50년대의 조선전쟁과 그후의 역사는 전쟁의 방법이건 평화적 방법이건 승공통일은 망상이라는 것을 이미 확증하였으며 그 제창자들에게 쓰디쓴 교훈을 주었다. 남조선 당국자들이 오늘에 와서 40여년전에 거덜이 난 반공 승공의 낡은 봇따리를 다시 들고나온 것은 개탄할 정도의 시대적 착오이며 그러면서도 탈 냉전시대요 탈 이데올로기 시대요 하면서 그 무슨 시대의 변화를 운운하는 것은 참으로 자기 기만의 극치라고 아니할 수 없다. 나라의 통일문제를 옳게 해결하자면 사상과 제도의 차이를 초월하여 순수한 민족적 입장에 서야 한다. 남조선 당국자들은 통일문제를 사상과 제도상의 대결문제로 보거나 누가 누구를 먹는 문제로 보고 승공통일 흡수통일의 망상을 실현해보려는 불순하고 어리석은 짓을 그만두어야 하며 북과 남이 서로 상대방의 사상과 제도를 인정하는 기초위에서 동등한 권한과 의무를 지니고 하나의 통일국가를 형성하는 공명정대한 연방제 통일의 길에 나서야 한다. 남조선 당국자들은 언제까지나 제정신을

I-30

0073

잃고 남의 등에 엎혀살것이 아니라 이제는 고질적인 사대와 외세의존에서 벗어나 북과 남에서 힘차게 자라나고 있는 통일의 주체적 힘을 바로 보아야 한다. 우리는 남조선 당국자들이 민족적 입장에 서서 단일팀 탄생의 의의를 바로 인식하고 지체없이 유엔단독가입놀음을 거둬치우며 유엔에 하나의 의석으로 들어갈데 대한 우리의 통일지향적인 제의를 받아들여야 한다고 인정한다. 이룰 수 없는 승공통일을 꿈꾸면서 나라의 분열을 끝없이 지속시키며 외세의 간섭과 침략의 길을 열어주는 것은 겨레의 불행과 재난을 가중시키고 민족의 장래를 위태롭게 하는 엄중한 반민족적 범죄행위이다. 이러한 범죄행위는 자주를 국책의 근간으로 하는 북에도 통할 수 없으며 자주, 민주, 통일을 위해 싸우는 남조선 인민들에게도 용납될 수 없는 것이다. 우리의 거듭되는 제의와 경고에도 불구하고 남조선 당국자들이 끝내 유엔에 단독가입한다면 그들은 계속되는 나라의 분열과 그로 인하여 겨레가 겪게될 모든 고통과 재난에 대하여 후대들의 불행에 대하여 민족앞에 전적인 책임을 지게될 것이다. 오늘날에 와서 유엔가입문제가 어떻게 해결되어야 하는가 하는 것은 누구에게나 명백하다. 더이상 분열이 지속되는 것을 원치 않고 하루빨리 자주적 평화통일이 성취되기를 바라는 남조선 각당, 각파, 각계각층 인민들은 남조선 당국자들의 분열주의적인 유엔 단독가입을 놀음을 저지 파탄시키며 이미 이룩된 체육에서의 유일팀이 유엔무대에서도 이루어지도록 모든 노력을 다하여야 할 것이다. 북과 남이 하나의 의석으로 유엔에 가입하는 것은 쌍방사이에 화해와 통일을 촉진할 뿐 아니라 아세아의 평화위업에도 커다란 기여로 될 것이며 유엔과 그 성원국들에도 조선문제로 인한 불필요한 부담을 덜어주게될 것이다. 유엔과 세계 각국 정부들은 조선의

I-31

0074

유엔가입 문제가 조선인민의 조국통일염원과 세계의 평화에 이롭게 해결 되도록 응당한 관심을 돌려야 할 것이다.

27. 위대한 수령님을 모신 영예 끝없다

(중방 91.04.08 1138)

< 인상담 > 이시간에는 제9 차 4월의 봄 친선예술 축전에 참가하기 위해서 조국에 온 소련 하바롭스크 조선 민족문화 센터 예술단 단장 김형서 동포의 인상담을 보내드리겠습니다. 4 월의 봄 친선예술 축전에 우리도 참가하게 된것을 대단히 영광으로 생각합니다. 우리는 이 축전에 참가하기 위해서 작년 겨울부터 준비를 시작했습니다. 이번에 가지고 온 종목은 6개 종목인데 종목마다 다 수령님을 흠모하는 노래이며 또 조국의 통일을 위한 노래입니다. 평양에 와보니 이 경사를 성과적으로 맞이하기위한 준비사업이 대단합니다. 이번 축전에 참가하기 위해 60여개의 나라에서 수많은 예술단들이 모이게 되는데 이 사실만 보더라도 얼마나 우리 위대한 수령님의..를 전세계에 세워져 있다는것을 우리가 알만합니다. 우리는 비록 처음으로 이 경사에 참가했지만 앞으로 계속 참가하려고 노력하고 있습니다. 다시한번 조선 사람으로 해외에 살고 있는 조선사람으로서 얼만큼 우리 공화국이 전세계에 이름이 났고 김일성 동지의 위신이 얼만큼 크다는걸 다시한번 느끼게 됩니다. 조국에 방문하여 세계 수만동포들이 위대한 수령 김일성 동지와 지도자 김정일 동지의 흠모의 노래를 이렇게 부른것으로 보아서 조선 사람의 한사람으로서 커다란 긍지감으로 느끼게 됩니다.

GLGL
o0230 ASI/AFP-AR06------
u i U.N.-NKorea 04-08 0216
North Korea blasts South's U.N. bid

TOKYO, April 8 (AFP) - North Korea denounced Monday the South Korean plan to apply for membership to the United Nations this year as an "anti-national crime."

"It is now perfectly clear that they (South Korea) are not interested in reunification but in division," the government-controlled newspaper Rodong Sinmun said in a commentary.

The commentary, carried by the official Korean Central News Agency and monitored here, was referring to Seoul's announcement Friday that it would apply for U.N. membership before the opening of the General Assembly in September.

North Korea has called for a single U.N. seat to be shared by both governments, an idea rejected by the South as unrealistic and unworkable.

"Their insistence on 'unification' of systems by 'prevailing over communism' is intended to keep the division at any cost," the commentary said.

South Korea intends to "wait for a chance of 'unification by prevailing over communism' while living separated," it said.

The Korean peninsula was divided when Soviet and U.S. troops ousted Japanese forces at the end of World War II.

The two rival republics, formed in 1948, have been locked in a fragile truce since fighting a civil war from 1950 to 1953.

sps/mig/bw

AFP 081211 GMT APR 91

북한, 우리정부의 금년 유엔가입 계획에 대해
반민족적 범죄라고 비난

5

0076

외 무 부

암호수신

종 별 : 지 급

번 호 : CPW-0433 일 시 : 91 0410 1130

수 신 : 장관(아이,정이,국연,기정)

발 신 : 주 북경 대표

제 목 : 인민일보 기사(유엔가입 관계)

1. 금 4.9 자 주재국 인민일보는 남북한이 단일의석으로 유엔에 가입해야 한다는 요지의 4.8 자 북한 노동신문 사설을 국제란에 3 단 기사로 게재하였음.

2. 동 노동신문 내용은 체육분야에서 남북한이 탁구와 축구단이 팀구성을 이미 합의한바와 같이 똑같은 방식으로 유엔가입도 가능하다고 주장하고 있음.

(대사 노재원-국장)

아주국 장관 차관 1차보 2차보 국기국 정문국 청와대 안기부

PAGE 1

91.04.10 15:06

외신 2과 통제관 BN

0077

報 告 畢

1991. 4. 11.
國際機構條約局
國際聯合課(18)

長官報告事項

題 目 : 北韓放送, 我國 유엔加入關聯 메모랜덤 提出 非難

北韓의 민민전放送은 4.8자 <時事解說>을 통하여 我國의 유엔加入 關聯 메모랜덤의 유엔安保理 提出에 대해 아래와 같이 極烈 非難함.

<非難要旨>

- o 노창희 駐유엔大使는 最近 유엔安保理 議長에게 韓國의 유엔加入意思를 담은 覺書를 提出, 今年 제46次 유엔總會가 開幕되는 9.17. 以前에 유엔加入을 위한 모든 必要한 措置를 취할 것임을 分明히 함.
- o 이것은 유엔單獨加入 策動이 本格化 되어 實際的인 犯行段階에서 推進되고 있음을 그대로 보여주는 것임.
- o 北韓의 統一指向的인 유엔加入對策案을 拒否하면서 이 問題를 더이상 北韓側과 論議하지 않겠다고 宣布하고, 韓國의 유엔單獨加入을 推進하고 있는 것은 容納 못할 分裂主義的 作態임.
- o 유엔單獨加入으로 인한 分斷의 合法化, 固着化는 南北間의 不信과 對決, 戰爭 危險만을 增大시킬 것이고 統一의 길을 더욱 힘들게 할 것임.

앙고재	년 4월 11일	담 당	과 장	국 장
		여	(서명)	(서명)

장, 차관님
2차관보

0078

외교부 대변인, 한국의 유엔가입
비망록 제출관련 북한 입장 표명

'91. 4.12.06:15, 중 방

조선민주주의 인민공화국 외교부 대변인은 어제 최근 남조선측이 유엔가입문제에 대한 정부 비망록을 유엔안전보장이사회에 제출한것과 관련하여 조선중앙통신사 기자가 제기한 질문에 대답을 주었습니다.

외교부 대변인은 남조선당국이 정부비망록이라는 데서 남조선이 유엔성원국으로 될만한 자격을 갖추고있다는 구차스러운 설명과 주장을 열거한 다음 올해에 우리가 유엔가입을 선택하지 않는다면 저들만이라도 유엔단독가입을 위한 조치를 취할것이라고 한데 대해 언급하고 유엔가입문제와 관련한 우리의 입장에 대하여 다음과 같이 말했습니다.

「우리는 북과 남이 조국의 자주적 평화통일에 유리한 국제적 환경을 마련하는 원칙에서 대외관계를 발전시켜 나갈데 대한 입장을 확고히 견지하여 왔다.

이로부터 공화국 정부는 유엔에도 통일된 하나의 조선으로 들어갈것을 시종일관 주장하여 왔으며, 만일 통일이 실현되기 전에 북과 남이 유엔에 들어가는 경우에는 두 개의 의석으로 제각기 들어갈 것이 아니라 통일위업에 이롭게 하나의 의석을 가지고 들어갈 것을 제기하고 그 실현을 위해서 인내성 있게 성의있는 노력을 다하여 왔다.

우리의 이러한 입장과 노력은 어떻게하나 나라의 영구분열을 막고 통일을 이룩하려는 숭고한 염원과 책임감으로 부터 출발한 것이다.

그러나 남조선 당국자들은 이에는 아랑곳 하지않고 평화와 정의를 수호할 사명을 지니고있는 유엔의 무대를 이용하여 나라의 분열을 국제적으로 합법화하고 영구화 하려고 책동하고 있다.

남조선당국이 이번에 유엔안전보장이사회에 제출했다는 정부비망록을 보면 그것은 본질상 북남고위급회담의 중요의제의 하나로 상정되어있던 유엔가입문제의 토의로 일방적으로 포기하고 유엔단독가입을 강행하겠다는 것을 공공연히 선언한 것이나 다름없다.

우리의 거듭되는 경고와 반대에도 불구하고 연초부터 팀스피리트 합동군사연습을 벌려놓으므로써 북남대화를 중단상태에 빠뜨린 것도 남조선 당국이고 대화에 상정됐던 의제토의를 일방적으로 포기한것도 남조선 당국이다.

이것은 남조선당국이 북남대화를 고의적으로 결렬할 의사를 하고 있다는 것을 보여주는 반대화, 반통일적인 행위이다.

남조선당국자들은 북남대화 마당에서는 신뢰조성의 출발점으로 그 가장 중요한 담보로되는 불가침 선언 채택을 한사코 반대하고 오히려 북과남이 유엔에 따로따로 가입하는 것이 신뢰조성으로 된다고 하면서 통일지향적인 우리의 단일의석에 의한 유엔가입 안을 비현실적인 것이라고 까지 아무 거리낌없이 떠들고 있다.

이것은 남조선 당국이 우리의 통일지향적인 제안과 북남대화를 외면하고 저들의 분열주의 책동을 합리화하기위해서 들고나온 하나의 궤변에 지나지 않는다.

남조선 당국자들이 올해 유엔총회를 계기로 단독가입을 강행한다면 우리민족사에 영원히 씻을수 없는 분열주의 행적을 남기는 결과를 낳게될 것이다.

외교부 대변인은 계속해서 다음과 같이 지적했습니다.

지금 체육분야에서 북과 남이 유일팀을 구성한것을 계기로 통일에 대한 민족의 열망은 더욱 강렬해 지고 있으며, 통일의지만 가지게 된다면 유엔에도 능히 함께 진출할수 있다는것이 우리민족의 확고한 신념으로 굳어지고 있다.

만일 북남고위급회담이 중단되지 않았더라면 유엔가입과 관련한 보다 신축성있는 안이 제기되고 그에 기초하여 토의가 심화 될수도 있었을 것이다.

유엔가입 문제가 민족내부 문제인것 만큼 이를 북과 남사이에 토의 결정하는 것은 조선인민뿐 아니라 세계평화애호 인민들의 염원이다.

남조선 당국자들이 이를 무시하고 우리와 아무러한 합의도 없이 일방적으로 유엔가입 문제를 처리한다면 그로부터 초래되는 후과에 대하여 책임져야할 것이다.

- 4 -

0082

	분류번호	보존기간

발 신 전 보

번 호 : WUS-1498 910412 1543 FL 종별 : 지급

WUN -0906

수 신 : 주 미, 유엔 대사.총영사

발 신 : 장 관 (국연)

제 목 : 북한방송 송부

유엔가입에 관한 정부각서 발표관련 북한의 중앙방송(4.12) 보도내용을 별첨 FAX 송부하니 업무에 참고바람.

WUS(F)-208

첨 부 : 동 자료 1부(4매). 끝.

(국제기구조약국장 문동석)

보안 통제	

앙 고 재	년 4 월 12 일	유엔 과	기안자 성명		과 장		국 장		차 관	장 관
			07							

외신과통제

0083

원 본

외 무 부

암 호 수 신

종 별 :

번 호 : CPW-0483 일 시 : 91 0413 1220

수 신 : 장관(국연,아이,기정)

발 신 : 주 북경 대표

제 목 : 인민일보기사(유엔가입 관련)

4.13 자 인민일보는 남북한이 단일의석으로 유엔에 가입해야 한다는 요지의4.11 북한 외교부 대변인 발표내용을 비교적 상세히 국제란에 1 단 크기로 게재하였음. 끝.

(대사대리 허세린-국장)

국기국	장관	차관	1차보	2차보	아주국	청와대	안기부	공보처

PAGE 1

91.04.13 19:59

외신 2과 통제관 FE

0084

11

유엔가입관련 북한방송 보도요약

(91.4.8-4.21)

ㅇ 노창희 주유엔대표부 대사, 유엔안보리 의장에게 유엔가입문제 관련 한국의 입장 설명

(민민전, 91.4.8. 19:00)

- 노 유엔대사, 최근 안보리의장에게 유엔가입문제에 관한 한국의 입장을 설명하고 한국이 올해안에 유엔가입을 다시 재개하겠다는 의사를 담은 각서를 전달함.
- 한국의 유엔단독가입이 성사된다면 한반도에 두개국가가 존재한다는 것이 국제적으로 합법화, 고정화하게 되고 민족의 영구분열이 초래된다는 것은 명백함.

ㅇ 로가쵸프, 한국의 유엔단독가입 시도에 우려 표명

(민민전, 91.4.8. 19:00)

- 로가쵸프 소련 외무차관, 4일 인터뷰에서 유엔가입문제에 관한 최종적인 결정은 한반도의 남과 북사이에 대화를 통해 내려져야 한다고 주장함.

ㅇ 노00 집단이 한국의 유엔단독가입 의사를 담은 각서를 안보리에 제출

(민민전, 91.4.8. 22:15) <시사해설>

- 노창희 주유엔대사가 최근 유엔안보리 의장에게 한국의 유엔가입 의사를 담은 각서를 제출함.
- 이북의 통일지향적인 유엔가입대책안을 거부하면서 이문제를 더이상 이북측과 논의하지 않겠다고 선포하고 유엔단독가입을 추진시키는 것은 용납못할 분열주의적 작태이며, 이로 인한 분단의 합법화, 고착화는 남북간의 불신과 대결, 전쟁위협만을 증대시킬 것임.

공람	년 4월 23일	담당	과장	국장
		여		h

0085

o 분열영구화를 추구하는 매국노들의 망발

(평방, 91.4.9. 07:53)

- 최근 남측 외무장관은 국회의 한 간담회에서 동시가입을 추진하되 북의 호응이 없을 경우 올해안에 남측의 유엔단독가입을 위한 구체적 조치를 취할 것이라고 언급함.
- 남북 탁구유일팀이 성사되어 온 겨레가 이것을 민족적 화해와 단합, 통일을 여는 경사로 환영하고 있는 때에, 남측은 시대와 민족의 요구에 도전해서 남북대결과 두개조선 추구의 민족반역의 길로 줄달음치고 있음.

* 인민일보, 유엔단독가입 관련 노동신문 논평 인용보도

(북경, 91.4.9. 13:30)

- 인민일보의 보도, 어제 북한 노동신문은 논평을 발표, 남북쌍방이 1개의 자리를 가지고 유엔에 가입하려는 주장을 재천명함.
- 노동신문 논평은 체육인들이 통일팀을 구성하여 국제경기에 참가하는 것과 남북이 1개의 의석을 가지고 유엔에 참가하는 것은 도리상에 다른점이 없다고 주장함.

o 조평통 중앙위, 국내외 기자회견 진행

(중방/평방, 91.4.10. 21:00)

- 조국평화통일위원회 안병수 부위원장, 10일 평양에서 남북대화에 대한 북측의 입장과 관련하여 국내외 기자들과 회견함.
- 대화와 통일문제 해결에 부정적 작용을 하는 중요한 요인중의 하나는 올해 들어와서 남측당국자들이 유엔단독가입책동을 더욱 노골적으로 감행하고 있는 것임.
- 이는 그들이 몰라서가 아니라 남북대화의 파탄도 남북관계의 악화도 불사한다는 타산 밑에 의도적으로 분열주의적 책동을 감행하는 것이라 할 수 있음.

0086

- 남측이 고위급회담에 관심이 있다면 우선 대화에 대한 근본적인 자세부터 고쳐야 하며, 그러한 태도변화의 표시로서 유엔가입문제에 대해서 쌍방이 합의할 때까지 협의를 계속하는 문제등의 긍정적 조치가 취해져야 할 것임.

o 오는 19일 한·소 정상회담이 진행되는 것과 관련
(민민전, 91.4.10. 22:15) <시사해설>

- 동 회담에서는 유엔가입문제를 비롯한 동북아 긴장완화 방안등이 집중적으로 논의될 것으로 알려짐.
- 남측이 소련과 유엔가입 및 동북아문제를 놓고 횡설수설하려는 것은 민족의 내부문제인 통일문제에는 전혀 관심이 없고 큰 나라의 도움을 받아 두개 한국을 조작하려는 것임.
- 그래도 대국이라고 하는 소련이 체면마저 잃어버리고 남측에 빌붙어 그 무엇인가 해결해 보려고 비열하게 행동하는 것은 한국으로부터 경제원조를 받아 오늘의 난항을 타개해 보려는 것임.

o 유엔주재 남한대사, 기독교방송 기자와 인터뷰
(중방, 91.4.10. 20:55) <라디오 단평>

- 동 유엔대사, 남측이 유엔에 가입할 자격이 있고 또 그렇게 희망을 하는 주권국가인데도 유엔에 가입하지 못하고 있다고 언급함.
- 정치·경제적으로 미국에 종속된 남측이 무슨 자격이니 하고 떠드는 것은 내외여론을 오도하고 저들의 유엔가입을 합법화 해보려는 수작임.

o 마다가스칼 통신, 남한의 유엔단독가입 규탄 논평
(중방, 91.4.11. 21:00)

- 마다가스칼 통신, 5일 남측당국자들의 민족분열 영구화 책동이라는 제목의 논평을 발표함.
- 논평은 남측이 온 겨레의 통일염원에 배치되는 유엔단독가입을 추구하면서 이를 위해 갖은 책동을 다하고 있다고 언급함.

0087

o 북한 조평통 부위원장 안병수, 남북대화 관련 내외신 기자회견 진행
(민민전, 91.4.11. 19:00)

- 이북의 조국평화통일위원회 안병수 부위원장은 10일 평양에서 내외 기자회견을 갖고 남북대화에 대한 북측의 입장을 밝힘.
- 그는 올해 들어와서 이남 당국자들의 유엔단독가입책동이 더욱 노골화 되고 있다고 지적하고 이로부터 이남 당국자들이 대화를 통해서 문제를 실질적으로 해결할 용의가 없을 뿐 아니라 분열주의적 입장에도 아무런 변화를 보이고 있지 않다고 말함.

o 북한외교부 대변인, 남한의 유엔단독가입 관련 중통기자의 질문에 대답
(중방, 91.4.12. 07:00)

- 북한외교부 대변인은 11일 상기 회견에서 남측이 유엔가입문제에 대한 정부비망록을 유엔안보리에 제출한 것은 남북고위급회담의 중요의제의 하나로 상정되어 있던 유엔가입문제의 토의를 일방적으로 포기하고 단독 가입을 강행하겠다는 것을 공공연히 선언한 것임.
- 만일 남북고위급회담이 중단되지 않았더라면 유엔가입과 관련한 보다 신축성 있는 안에 제기되고 그에 기초하여 토의가 심화되었을 수도 있었을 것이라고 말함.

o 용납할 수 없는 괴뢰들의 두개조선 조작책동
(중방, 91.4.12. 10:49) <대담>

- 지난 3.30. 외무장관의 국회간담회 발언과 얼마전 주미대사 및 주유엔 대사등의 유엔가입대책회의, 그리고 4.16. 해외공관장회의시 유엔단독 가입 관련 교섭강화 지침 예정등은 남측의 유엔단독가입책동이 실제적인 법행단계에 들어서고 있음을 보여주는 것임.
- 유엔가입문제를 우리와 더 논의하지 않겠다는 것은 범죄적인 유엔단독 가입을 기정사실화 하고 우리와의 대화결렬을 선포한 것임.

0088

- 유엔단독가입은 남북대화의 길을 막고 남북관계를 더욱 악화시켜서 겨레에게 새로운 대결과 전쟁의 위협을 가져오게 될 것임.

o 노00 집단의 유엔단독가입 책동의 범죄적 내막
(민민전, 91.4.12. 19:40) <화제의 초점>
- 주유엔대사는 최근 안보리의장에게 올해안에 유엔가입을 다시 제안하겠다는 각서를 전달했으며, 오는 19일 제주도 한·소 정상회담에서 남측당국은 금년내 유엔가입방안을 주의제로 삼아 소련측에 적극적인 지원을 요청하려 책동하고 있음.
- 유엔단독가입을 강행하려는 것은 민족의 통일염원에 역행하는 노골적인 분열선언으로서, 남측이 끝끝내 단독가입을 강행한다면 그로부터 초래하는 결과에 대해서 전적으로 책임져야 함.

o 인도 유엔연구센타, 당국의 유엔단독가입 규탄집회 진행
(민민전, 91.4.12. 20:00)
- 남측의 유엔단독가입 책동을 규탄하는 집회가 20일 인도 유엔연구센터에서 진행됨.
- 집회는 미국과 남측의 분단책동을 규탄하고 남과 북이 하나의 의석으로 유엔에 가입하자는 북한정부의 발기를 지지함.

o 북한외교부 대변인, 중통기자의 회견시 한국의 유엔단독가입 비난
(북경, 91.4.12. 12:00)
- 북한외교부 대변인, 4.11. 조선중앙통신 기자와의 회견시 남측이 집요하게 유엔단독가입을 요구하고 있는 것은 나라의 분열을 국제적으로 합법화, 영구화하려는 행위라고 비난함.
- 그는 남측이 최근 유엔안보리에 정부비망록을 넘겨주면서 유엔단독가입에 대해 떠들었다며, 유엔가입문제는 민족내부의 문제이므로 남북쌍방이 토의해서 결정해야 한다고 강조함.

0089

* 한국의 유엔가입문제 - 이붕의 북한 방문예정 관련

(모스크, 91.4.12. 20:15)

- 베이징의 외교관들은 이번 이붕의 방북이 한국의 유엔가입에 관한 문제 토의에 이바지 하게 될 것이라고 말함.
- 금주에 서울은 안보리에 유엔총회 9월회의 개막전에 벌써 아홉번째로 되는 유엔가입에 대한 시도를 할 것이라고 통지함.

* 서울의 대학생들, 당국의 유엔가입 반대 항의 시위

(모스크, 91.4.12. 20:25)

- 서울의 대학생들은 한국의 유엔가입과 관련 성명을 채택하고, 이 국제 조직에 신청하려는 정부의 의향을 반대하는 항의표시로 시위를 조직하려 시도함.

o 마다가스칼 통신, 한국의 유엔단독가입을 규탄

(민민전, 91.4.13. 20:00)

- 동 통신은 5일 "한국당국자들의 민족분열 영구화 책동"이라는 논평에서 남측은 범죄적인 유엔단독가입 책동을 당장 중지하고 하나의 의석으로 유엔에 들어가자는 이북의 제안을 무조건 받아들여야 한다고 강조함.

* 북경방송, 한국의 유엔가입관련 북한외교부 대변인 성명 보도

(북경, 91.4.13. 09:30)

- 북한외교부 대변인은 11일 남측이 유엔단독가입을 요구하는 것은 국가 분열을 국제적으로 합법화, 영구화 하는 행위라고 비난함.

o 유엔단독가입책동은 분열정책의 산물

(평방, 91.4.14. 14:30) <논설>

- 지금 남측은 유엔동시가입이 안되면 남측만이라도 유엔에 가입하겠다고 단독가입을 서두르고 있음.

0090

- 유엔단독가입책동은 유엔의 이름으로 한반도의 현 분열상태를 합법화 하고 두개한국을 조작하려는 술책으로, 만약 단독가입책동이 허용된다면 이는 한반도에서 긴장상태와 전쟁위협을 더욱 격정시켜 민족의 생존을 지켜내기도 어렵게 할 것임.
- 자주적인 주권국가인 우리도 유엔에 들어갈 것을 희망하고 있지만 민족의 중대사인 유엔가입문제에 언제나 신중히 대하고 있으며 가장 합리적이고 현실적인 제안을 내놓고 그 실현을 위해 노력하고 있음.

o 민족사에 치욕의 오점을 남길 추악한 사대 굴욕적 외교
(민민전, 91.4.15. 14:10)
- 남측은 19일 제주도 한·소 정상회담에서 소련당국자로부터 한국의 유엔가입에 대한 지지를 확약받는 동시에 중단된 남북고위급회담이 재개되도록 이북에 대해 영향력 행사를 요청할 것이라고 공언함.
- 이것은 민족분단의 국제화를 위한 저들의 유엔단독가입을 외세의 힘을 빌어 실현함으로써 민족을 영원히 둘로 갈라 놓으려는 추악한 사대매국 행위임.

o 야당 및 각계인사들, 제주도 한·소 회담 비난
(민민전, 91.4.15. 22:00)
- 남측은 이번 한·소 회담에서 유엔단독가입에 대한 소련의 지지를 얻어내겠다고 떠들고 있는데, 통일에 대한 지지를 얻어내면 몰라도 분단고착화을 위한 유엔단독가입에 대한 지지를 얻어 내려야 한다고 비난함.

* 한국 "노" 대통령, 6월경 위싱턴 방문 계획
(모스크, 91.4.15. 22:00)
- 이 방문의 주요목적은 미국의 한국 유엔가입 지지를 다짐 받으려는 것임.

0091

- 보도된 바 한국은 올해 여름에 유엔가입신청서를 올릴 예정이라함.

* 소련 외무부상 "로가쵸프", 한국 외무장관과 회담
(모스크, 91.4.15. 22:30)

- 로가쵸프는 4.4. 제47차 ESCAP 회의에 참가하여, 한국 외무장관과 만난자리에서 유엔기구의 보편성을 견지하고 있는 소련지도부의 원칙적 입장을 밝히면서 남북간이 이 문제를 가지고 합의를 보았으면 한다는 의견을 진술함.

o 외국어대생 천여명, 고르바쵸프 방한 반대 시위진행
(중방, 91.4.16. 21:15)

- 고르바쵸프의 19일 방한과 관련 서울의 외국어대 학생 천여명은 12일 집회를 갖고, 남측당국이 유엔단독가입에 대한 소련의 지지를 얻기 위해 구걸외교를 하고 있다고 규탄하며 유엔단독가입을 도와주는 고르바쵸프의 방문을 반대함.

o 베이징 방송, 조선통일 지지 글 보도
(중방, 91.4.16. 22:00)

- 동 방송은 유엔가입문제와 관련 남측이 남북한이 하나의 의석으로 유엔에 들어가자는데 동의하고 있지 않다고 보도함.

o 국제연락위등 세계사회계, 남한의 유엔단독가입 계획을 비난
(중방, 91.4.17. 07:00)

- 국제연락위는 미국과 남측의 분열주의적 책동을 폭로하는 백서에서 미국이 두개조선 조작을 위한 국제적 환경을 조성하려 유엔동시 및 단독가입을 책동하고 있다고 규탄함.

0092

o 루마니아 신문, "유엔 하나의 조선인가 두개의 조선인가" 제하 글 논평

(중방, 91.4.16. 21:00)

- 동 신문은 남측의 유엔단독가입책동을 규탄하는 논평(4.10)에서 남과 북사이에 대화가 진척되고 불가침선언이 채택되면 유엔가입 문제에서도 새로운 전망이 펼쳐지게 될 것이라고 강조함.

* 북한, 남한의 유엔단독가입 신청에 경고

(모스크, 91.4.16. 20:24)

- 북한은 서울이 금년에 유엔가입신청서를 내려는 책동에 초래될 수 있는 결과에 대한 모든 책임을 한국이 져야 한다고 경고함.

o 분단고착을 노린 유엔단독가입책동

(평방, 91.4.17. 14:27) <해설>

- 남측당국은 여러나라들에 주재하는 공관장들에게 유엔단독가입을 위해서 해당나라 정부들과의 교섭을 강화하라는 지령을 하달함.
- 남측당국이 유엔단독가입은 남북관계와 통일에 지장을 주지않는다느니 평화와 완화에 도움을 준다느니 하고 발언하는 것은 저들의 분열주의적 책동을 합리화하여 단독가입을 용이하게 실현하려는 넉두리에 불과함.

o 총련 중앙상임위원회 "이" 장관의 핵시설 응징발언 관련 성명발표

(중방, 91.4.18. 07:05)

- 총련 중앙상임위는 동 성명에서 남측이 전쟁망언을 늘어놓은 것은 핵사찰 문제로 조일 국교정상화에 제동을 걸며 큰 나라에 빌붙어 구걸외교를 벌여 유엔단독가입을 성사시키려는 사대매국적 의도를 보여주는 것이라고 규탄함.

o 전대협 소속 대학생 26명, 고르바쵸프 방한 반대시위 투쟁 전개

(중방, 91.4.18. 09:00, 평방 91.4.18. 08:00)

0093

- 학생들은 16일 시위에서 고르바쵸프의 방문을 결사반대 한다는 프랑카드를 들고, 남측당국의 유엔단독가입책동을 규탄하는 구호를 외침

o 4.19. 봉기 31돌 기념 평양시 보고회, 18일 사로청 중앙회관에서 진행 (평방, 91.4.18. 23:10)

- 상기 보고회에서 유호준 국장은 보고를 통해 유엔가입문제는 조국 통일과 직결된 민족내부 문제로서 민족적 합의에 기초하여 해결 되어야 한다고 주장함.
- 또한 남측의 유엔단독가입 책동은 나라의 분열을 국제적으로 합법화, 고착화하려는 것으로 대화상대방에 대한 배신이며 매국 배족 행위라고 비난함.

o 서총련 소속 대학생 4천여명, 4.17. 한양대에서 서총련 출정식 진행 (민민전, 91.4.18. 00:00)

- 학생들은 집회에서 한·소 정상회담은 소련이 한국으로부터 경제 협력을 받는 조건으로 한국의 유엔단독가입을 승인해 한반도를 영원히 분열하려는 의도가 숨어있다고 주장함.

o 노00가 사태굴욕외교를 합리화해 보려고 책동 (민민전, 91.4.18. 22:15) <시사해설>

- 노00는 17일 청와대에서 헌정회 신임회장과 제헌동지회 회장등을 만난자리에서 이번 한·소 정상회담이 한반도 안정에 크게 기여할 것이라고 언급함.
- 노00가 소련 당국자의 지지를 얻어 내겠다는 한국의 유엔가입문제는 한반도의 분단을 국제적으로 합법화 하기 위한 범죄적인 민족분열 책동임.

0094

o 전대협, 4.18. 기자회견에서 한·소 정상회담 적극 저지 선언

(민민전, 91.4.18. 22:00)

- 전대협은 기자회견에서 정부가 이번 회담을 통해 경제원조의 댓가로 소련으로부터 유엔단독가입 승인을 얻어내 분단을 고착화시키며 장기 집권을 꾀하고 있다고 주장함.

* 중국외교부 대변인, 한국의 유엔가입관련 자국입장 언급

(북경, 91.4.19. 13:01)

- 중국외교부 대변인, 18일 기자회견에서 한국의 금년 유엔가입신청과 관련 국제사회가 쌍방을 설득해 협상을 통해 이 문제가 원만히 해결될 수 있게 하는 것이 중국의 입장이라고 밝힘.

o <u>단일의석에 의한 유엔공동가입안의 현실적 의미</u>

(민민전, 91.4.19. 00:42)

- 단일의석 가입안은 남측의 유엔동시 또는 단독가입에 의한 현 분단 구조의 국제적 합법화를 막고 유엔무대를 조국통일에 유리한 환경을 마련하는 공간으로 적극 활용할 수 있는 방도임.
- 또한 단일의석안은 남북간의 불신과 대결이 국제무대에까지 재현되는 것을 막고, 민족적 화해와 조국의 평화, 통일을 촉진하는 데 돌파구를 열수 있는 대책임.
- 또한 동 가입안은 유엔에 가입하려는 현 당국자들의 요구를 반영하고, 유엔헌장에도 전적으로 부합됨.

o 경향각지에서 한·소 정상회담을 반대하는 집회와 시위가 전개되는 것과 관련해서

(민민전, 91.4.20. 22:15) <시사해설>

- 19일 전국의 4.19. 기념 집회에서는 유엔단독가입을 획책하는 한·소 회담을 반대하는 시위가 전개됨.

0095

- 이번 제주도 회담은 유엔단독가입책동에 대한 소련의 적극적인 지지와 남북대화의 재개를 위해 소련의 이북 설득을 애원하는 구걸 청탁외교임.

o 김일성이 일본 마이니찌 신문 편집국장이 제기한 질문에 준 대답
(중방, 91.4.21. 06:00)

- 김일성은 4.19. 상기 마이니찌 신문 편집국장과의 회견에서 유엔이 한반도의 통일문제에 깊은 관심을 갖고 응당한 기여를 할 것으로 기대한다고 언급함.
- 통일이 실현되지 못한 조건에서 유엔에 단독가입 하는 것은 결국 통일을 반대하고 분열을 고정화하자는 것이며 유엔에 단독으로 들어간다면 역사 앞에 분열의 책임을 지게 될 것이라고 언급함.

o 루마니아 신문, "역사의 모순이 합법화될 수 있겠는가"제하 논평 발표
(중방, 91.4.21. 08:00)

- 동 신문 12일부는 남북이 각각 유엔에 가입하는 것은 민족분열을 공식적으로 인정하는 것이 되며, 세계앞에서 두개한국의 존재를 합법화 하는 것이라고 주장

o 내외 분열주의자들을 용납치 않으려는 확고한 의지의 표시
(중방, 91.4.21. 00:35)

- 최근 남측에서 내외분열주의자들의 분열책동을 반대하는 투쟁이 전개되고 있음.
- 집회에서 학생들은 19일 회담은 소련이 경제협력을 얻는 댓가로 남측의 유엔단독가입을 승인하여 한반도를 영원히 분단상태로 고착시키기 위한 것이라고 규탄함.

o 한민전 중앙위, 제주도 한·소 정상회담 관련 성명
(민민전, 91.4.21. 23:00)

0096

- 21일 한민전 중앙위, 동 성명에서 노00가 이번 회담의 핵심사안으로 유엔단독가입문제를 내걸고 소련의 협조를 애걸했다고 비난함.
- 또한 이번 회담은 남북을 접근시키고 민족을 단합시키는 것이 아니라 오히려 북을 자극, 반목과 대결을 조장하는 책동이라고 규탄함.

0097

유엔가입관련 북한방송 보도요약

(91.4.22-5.1)

o 한민전 중앙위, 제주도 한.소 정상회담 규탄성명 발표

(중방, 91.4.22. 06:20)

- 동 회담의 핵심사안으로 유엔단독가입문제를 내걸고 소련의 협조를 애걸한 것은 반역자의 파렴치한 작태임.
- 이런 구걸외교는 남북을 접근, 민족을 단합시키는 게 아니라 북을 자극, 대결을 조장하는 민족분열행위임.

o 조통평 국제연락위, 조선반도 정세관련 성명발표

(중방 91.4.22. 16:00, 국제 91.4.22. 13:00, 민민전 91.4.24. 20:00)

- 남측은 통일에 유리한 북한의 아량있고 신축성 있는 제안들을 무시하고 유엔단독가입을 신청키로 결정함.
- 현 분열상태를 국제적으로 공인하려는 남한의 유엔단독가입책동으로 말미암아 통일의 앞길에는 새로운 장애물이 놓이게 됨.

o 용납할 수 없는 괴뢰들의 반민족적 범죄행위

(중방, 91.4.22. 16:40)

- 오늘 단일팀의 탄생은 응당 유엔단일의석 가입으로 이어져야 함.
- 남측의 유엔단독가입 놀음은 국제적인 세력균형의 변화를 이용해서 분열을 지속시키고 승공통일을 위한 환경조성하려는 목적에서 출발한 것임.

o 이 싯점에서

(평방, 91.4.22. 04:20)

- 남북동시가입 또는 남한의 단독가입이 승인되면 이것은 한반도의 긴장상태와 전쟁위험을 격증시켜 핵전쟁을 막을 수 없게 할 것임.

공람 91년 5월 3일	담당	과장	국장
	여	[signature]	[signature]

0098

- 단독가입이 성사되어 분열이 고착되면 그것은 남북대결과 전쟁위험을 격증시킬 뿐 평화와 통일에 어떤 출로도 열어주지 않음.

o 한.소 정상회담 관련
(민민전, 91.4.22. 19:40) <화제의 촛점>
- 동 회담에서 노00가 한국의 올해 유엔단독가입신청에 대한 소련의 적극적 협력을 간청한 것은 분열주의자의 정체를 드러낸 것임.

o 부산대 일부 교수들, 한.소 정상회담과 관련 심포지엄 진행
(민민전, 91.4.22. 20:00)
- 4.21. 동 심포지엄에서 교수들은 노00가 회담에서 올가을 단독가입안 제출에 대한 소련의 협조를 요청한데 분노하며, 통일문제와 직결된 유엔 가입문제를 남북 합의없이 처리하려는 것을 용납해서는 안된다고 주장함.

o 서울에 사는 재야민주인사 이모씨등, 한.소 정상회담 비난
(민민전, 91.4.22. 22:00)
- 한.소회담에서 유엔단독가입문제가 거론된 것은 승공통일을 이룩해 보려는 반통일적, 반민족적 처사라고 비난

o 로무니아 신문, '역사의 모순이 합법화될 수 있겠는가" 제하의 논평보도
(국제 91.4.22. 13:00, 민민전 91.4.29. 20:20)
- 동 신문 12일부는 논평을 통해, 남측은 유엔단독가입을 책동하는 반면, 북한은 유엔에 단일의석으로 가입하는 문제와 관련 남북이 접수할 수 있는 방도를 찾을 것을 희망하고 있다고 언급함.

o 용납못할 반민족적 범죄행위 - 유엔가입관련
(중방, 91.4.23. 09:00) <노동신문 논평>
- 남측은 얼마전 정부비망록을 제출, 유엔가입의지를 표명함으로써 조국을 영구분열시키고 민족에 반역하는 범죄의 길에 새로운 걸음을 내디딤.

0093

- 유엔가입문제는 민족자결권에 속하는 문제로 온민족의 의사에 따라 결정되어야 함.
- 남측의 동시, 단독가입책동은 외세에 의한 분열을 스스로 인정하여 두개국가를 국제적으로 합법화하는 범죄행위임.

o 노00가 한.소 정상회담에 관해 떠든것과 관련
(민민전, 91.4.23. 22:15) <시사해설>

- 노00는 22일 한.소 정상회담 후속조치를 위한 임시국무회의를 개최, 동 회담이 남북관계 및 한반도 주변정세 변화를 촉진시킬 것이라며, 연내 유엔가입을 위한 대책을 강구하라고 지시함.
- 민족의 자주적 의사의 협의로 해결해야 할 민족내부문제에 외세를 끌어들이고 분단고착을 민족에 강요하는 것은 7천만 겨레에 대한 배신이며 도전임.

* 고르바쵸프와 노태우와의 상봉회담 결과에 대하여
(모스크, 91.4.23. 20:20)

- 한국이 국제공동체 활동에 적극 참여하며 유엔에 발기와 조치들을 더욱 활발하게 한다면 한반도의 통일을 자극시킬 외무환경이 마련될 것임.

o 전민련, 한.소 정상회담 규탄성명 발표
(중방 91.4.24. 06:03, 민민전 91.4.24. 19:00)

- 전민련은 20일 성명을 발표, 고르바쵸프의 남한 단독가입지지는 남북 교차승인이라는 대국의 일방적인 외교전략으로 한반도 분단의 장기화를 초래할 것이라고 비난

0100

o 하나의 조선의 상징 코리아 유일팀 출전

(평방, 91.4.25. 16:55) <노동신문 글>

- 지금 남과 북, 해외동포들은 체육뿐만 아니라 다른분야에서도 합작을 실현, 그것이 통일로 이어지기를 바라고 있음.
- 그러나 남측은 유엔단독가입을 떠들며, 분열을 고정화하고 승공통일을 해 보려고 책동하고 있음.

o 로무니아 신문등, 북한외교부 성명 게재

(국제 91.4.25. 21:00, 중방 91.4.26. 12:00)

- 인도네시아 신문 13일부, 북한이 남측의 유엔가입 움직임을 반통일 정책으로 비난하였다라는 제목으로 북한외교부 대변인의 기자회견 내용을 보도함.

o 민족통일 의지에 대한 정면도전

(중방, 91.4.26. 09:24) <노동신문 논평>

- 노00는 22일 청와대에서 재외공관장들에게 금년도 외교당면과제는 유엔가입을 실현하는 것이라고 언급
- 불가침선언을 채택하자는 우리의 제안을 뿌리치고 유엔에 단독가입 하려는 것은 우리와의 결별, 대결선언으로 이로인해 남북간에는 정치적 불신과 군사적 대결의 응어리가 커질 것임.

o 제주도에서의 단막극

(중방, 91.4.27. 06:15) <노동신문 논평원의 글>

- 노00는 회담에서 북한이 동시가입을 하려하지 않는다면 남측만이라도 단독가입하겠으니 지지해 달라고 함.
- 만일 남측이 고위급회담을 고의로 파탄상태로 끌고가지 않았다면 유엔 가입문제와 관련 보다 합리적이고 신축성있는 방도에 대해 협의할 수도 있었을 것임.

0101

o 유엔단독가입책동은 반통일적 입장의 발로
(평방, 91.4.27. 21:25)
- 노골화되는 유엔단독가입책동과 때를 같이하여, 남한이 자체 방위능력을 가진 후에도 미군이 남한을 계속 강점하겠다고 떠드는 것은 남측의 단독가입책동을 무력으로 뒷받침해 주는 것임.

o 니까라과 신문등, 남한내 고르바쵸프 방한 반대시위 소식 게재
(평방, 91.4.27. 22:00)
- 벨지크 신문 21일부 서울에서의 대학생시위를 보도
- 시위자들은 고르바쵸프의 방한이 한반도통일에 난관을 조성하는 행위요 유엔단독가입을 시도하는 서울당국을 부추키는 행위라고 규탄함.

o 평양 IPU 총회에 참가하는 국회대표단을 만나서 한 노00의 발언에 대하여
(민민전, 91.4.27. 22:10) <시사해설>
- 노00는 25일 IPU 대표단들에게 연방제 통일방안의 비현실성을 지적하고 분단고착을 위한 남한의 유엔단독가입의 당위성을 고집함.
- 분단국인 우리나라의 유엔가입문제는 민족내부의 문제로서 남북의 합의에 의해 이루어져야 함.

o 서울대생 2천여명, 유엔단독가입 및 강경대 사망관련 시위투쟁
(중방, 91.4.28. 06:00)
- 학생들은 유엔단독가입이 반통일적 행위라고 주장하면서 유엔단독가입을 반대함.

o 위대한 수령님께서 밝히신 우리나라의 통일문제
(평방, 91.4.28. 23:00)
- 김일성, 4.19. 일본 마이니찌 편집국장과의 질의.응답에서 아국유엔가입 문제와 관련 원칙적 입장은 연방제통일 후 단일국호하의 가입이며 통일 이전에는 남북이 하나의 의석으로 가입하자는 것이라고 언급함.

0102

!

o 한반도의 통일과 유엔

(민민전, 91.4.29. 19:30) <통일의 광장>

- 남측은 9월 유엔총회 개막전에 유엔가입을 신청할 것이라며 유엔가입 의사를 담은 비망록을 안보리의장에게 전달함.
- 유엔은 우리민족의 자주적 평화통일 노력을 지지해야 하며 지난 40여년전 남한의 분단정권수립에 관여했던 과오를 되풀이않기 위해서도 한국의 유엔단독가입책동을 단호히 거부해야 함.

o 통일단합된 힘의 위력한 과시

(평방, 91.4.30. 21:51) <시사논단>

- 지금 남과 북, 해외동포들은 세계탁구선수권대회를 계기로 체육 뿐만 아니라 다른분야에서도 합작을 실현, 그것이 통일로 이어지기를 바라고 있음.
- 그러나 남측은 유엔단독가입을 떠들며, 분열을 고정화하고 승공통일을 해보려고 책동하고 있음.

o 괴뢰들을 분열책동에로 부치키는 미제

(중방, 91.5.1. 13:40) <대담>

- 정전협정의 평화협정으로의 전환이나 남북불가침선언의 채택을 반대하는 미국의 입장은 분열영구화를 추구하는 것이고 그것은 유엔가입을 획책하는 남측을 부추기는 것임.
- 남측당국이 유엔가입을 운운하며 두개국가 조작책동을 다그치는 것은 민족의 운명이야 어떻게 되건 나라의 분열을 영구화시키고 미국의 군사적 비호 밑에서 장기집권과 승공통일을 이루어보자는 것임.

0103

유엔가입관련 북한 및 중.소방송 보도요약

(91.5.2-5.10)

o 분열영구화에 환장한 자들의 경거망동

(중방, 91.5.2. 20:50) <시사논단 논평>

- 이상옥 외무장관은 5.1. 미 국무장관 대리와의 회담에서 남측의 연내 유엔가입을 위해 공동 노력하기로 합의함.
- 남측은 유엔가입지지를 구하기 위해 이달초까지 대통령특사로 전직 국무총리, 외무장관등을 9개지역 36개 나라에 파견키로 하고 5.30부터 떠나보내기 시작함.
- 체육분야에서 유일팀의 국제경기 출전은 마땅히 단일의석 유엔가입으로 이어져야 함에도 불구하고 기어이 유엔에 단독가입하려는 것은 우리와의 결별선언이요 노골적인 대결선언임.

* 한국, 금년도 유엔공식가입 계획 제의

(모스크, 91.5.2. 11:00)

- 한국정부 당국은 국가평화 달성을 위해 금년도 유엔가입계획을 공식적으로 제기함.
- 방미중인 이상옥 외무장관은 남북한이 동시에 유엔회원국이 되기위해 노력을 계속하고 있다고 언급함.

o 워싱턴에서 한 이상옥 외무장관의 발언관련

(민민전, 91.5.3. 20:10 <시살헤설>, 민민전 5.3. 20:00)

- 방미중인 이상옥장관은 1일 아시아학교와 세계문제협회가 마련한 리셉션에 참가, 한·미관계와 한반도 문제등에 관해 연설함.
- 이장관은 동 연설에서 한국의 유엔가입에 대한 미국의 지지를 요청하면서 이것이 평화통일에 저해가 되지 않는다고 언급함.

공람	년 5월 13일	담당	과장	국장
		여	(서명)	

0104

* 부시, 한국의 유엔가입지지 표명

(모스크, 91.5.3. 10:59, 91.5.4. 20:00)

- 방미중인 이상옥 외무장관은 성명을 통해, 부시 미대통령이 올해 가을 유엔총회에서 유엔가입을 신청하려는 한국에 지지를 표명했으며, 그 구상을 실현키 위한 기타 나라들과의 협조를 약속했다고 언급함.

o 분열보따리 메고 동분서주한다.

(중방, 91.5.4. 09:26) <노동신문 논평>

- 온겨레가 체육분야에서의 통일팀을 계기로 다른 분야에서도 공동보조를 취하며 특히 유엔단일의석 가입을 주장하고 있는때에, 남측 당국자들만은 유엔단독가입에 기승을 부리고 있음.
- 유엔단독가입책동은 국제무대의 세력균형이 변화되는 기회를 이용하여 분열을 지속시키고 승공통일을 위한 대외적 환경을 마련하려는데 그 목적이 있음.

o 민단계 단체등, 남한의 유엔단독가입에 대한 일본의 지지관련 성명 발표

(중방, 91.5.4. 18:00, 국제 5.4. 14:00, 민민전 5.6. 07:00)

- 재일한국 민주통일연합등 민단계 단체들은 4.26. 연명으로 성명을 발표, 일본당국이 제6차 한·일 외상 정기협의회에서 남측의 유엔단독가입책동에 동조해 나선 사실에 항의함.
- 성명은 일본정부가 유엔단독가입에 대한 지지표명을 취소하며 분단에 대한 책임을 다할 것을 촉구함.

o 국제의회동맹 제85차 총회 제5일회의, 인민문화궁전에서 진행

(평방, 91.5.4. 08:05)

- 국제의회동맹 제5일회의 전원회의에서 북한대표 박동춘은 연설을 통해, 북한은 유엔에 빨리 들어가 국제공동체 활동에 이바지하기를 바라고 있으며, 유엔성원국이 될 당당한 자격도 가지고 있다고 주장함.

0105

- 또한 박동춘은 많은 유엔성원국들이 남북간에 먼저 합의하여 진행한다면 유엔도 환영할 것이라고 한데 고무를 받았다며, 북한은 남북이 국제 의회동맹을 비롯한 국제기구들에도 유일대표단으로 참가할 것을 바라고 있다고 언급함.

o 비열한 매국배족 행위

(민민전, 91.5.4. 00:15) <좌담>

- 4.20. 한·소 정상회담에서 남측이 유엔단독가입문제를 주요안건으로 설정하고 소련의 협조를 요청한 것은 외세의 힘을 빌어 통일문제를 해결하려는 매국배족행위임.
- 이러한 구걸외교는 남북을 접근시키고 민족을 단합시키는 것이 아니라 오히려 이북을 자극해서 반목과 대결을 조장시키는 민족분열 행위임.

o 한반도의 통일과 유엔

(민민전, 91.5.4. 00:45)

- 유엔은 한국의 유엔가입문제를 유엔헌장의 요구대로 우리민족의 의사와 요구에 맞게 처리해야 함.
- 유엔은 우리민족의 자주적 평화통일 노력을 지지해야 하며 지난 40여년간 이남의 분단정권수립에 관여했던 과오를 되풀이 하지 않기 위해서도 한국의 유엔단독가입책동을 단호히 거부해야 함.

o 미제의 아시아전략과 두개조선 조작책동

(평방, 91.5.5. 14:40)

- 미국은 두개한국을 조작하고 또한 한반도의 분열을 국제적으로 합법화 하기 위해 열을 올리고 있음.
- 유엔동시가입이니 단독가입이니 하는 분열안을 성사시키려고 유엔을 비롯한 국제무대를 찾아다니면서 온갖 음모술책을 다하고 있는 것은 그러한 실례의 하나임.

0106

o 북과 남은 하나의 의석으로 유엔에 가입해야 한다.

(평방, 91.5.5. 16:40) <연단>

- 남북이 하나의 의석으로 가입해야 유엔무대를 통해 우리민족의 의사를 통일적으로 표명하고, 유엔에서의 모든 문제들을 통일과 민족의 이익에 부합되게 해결 할 수 있음.
- 동시가입 또는 단독가입책동은 외세에 의한 분열을 스스로 인정하며 두개국가를 국제적으로 합법화하는 범죄행위임.

o 하나의 조선통일, 조선의 장쾌한 화폭

(평방, 91.5.7. 09:30) <노동신문 논평>

- 체육분야에서 하나의 한국으로 나가고 있는 이상 마땅히 유엔에도 남과 북이 하나의 의석으로 들어가야 함.
- 그러나 남측당국자들은 유엔단독가입을 실현하려고 청탁외교와 막후 공작에 혈안이 되어 동분서주하고 있음.

* 한국 주제의 소련 출판물 개관

(모스크, 91.5.7. 21:50)

- 소련의 대중통보수단들은 제주정상회담을 총화짓는 자료들을 계속 게재하고 있음.
- 이즈베스치아 신문에 따르면, 노태우 대통령은 고르바쵸프 대통령과의 대화내용을 언급하면서 모스크바가 유엔가입에 대한 서울의 제안을 지지하고, 기타 협조분야에서도 지지하고 있는 것은 한반도의 평화와 안전 수립에 뒷받침이 될 것이라고 지적함.

o 날로 노골화되는 분열광증

(평방, 91.5.8. 18:50) <대담>

- 얼마전 남측이 정부비망록을 통해 유엔가입을 표명한 것은 조국을 영구히 분열시키는 길에 새로운 걸음을 내디딘 것임.

0107

- 동시가입이나 단독가입책동은 분열을 인정하고 두개한국을 국제적으로 합법화하려는 범죄행위임.

o 유엔단독가입책동은 무엇을 노리고 있는가
(평방, 91.5.9. 14:40)

- 남측당국은 남북관계를 국가간의 관계처럼 표사하면서 유엔동시가입을 고집하다 못해 남측만의 유엔가입을 노골화 하며 이를 위한 막후공작을 벌이고 있음.
- 남측당국은 유엔단독가입을 통해서 나라의 분열을 국제적으로 합법화 하고, 남북간의 정치·군사적 대결상태를 격화시켜 분열의 장벽을 더욱 높이 쌓아 통일의 앞길에 새로운 장애를 조성하려 함.

o 쿠바주재 한민전대표부 부대표, 남한 정치정세관련 기자회견 진행
(중방, 91.5.10. 22:00)

- 김창수 부대표는 7일 기자회견에서 남측의 두개한국 조작책동을 폭로 하면서 남측당국은 반민족적인 북방정책에 매달려 청탁외교를 통해 유엔단독가입을 성사시키려 책동하고 있다고 규탄함.

o 괴뢰들의 민족영구분열 책동
(평방, 91.5.10. 19:50)

- 남측은 얼마전 정부비망록을 유엔에 제출, 유엔가입을 표명함으로써 조국을 영구분열시키고 민족을 반역하는 범죄의 길에 새로운 걸음을 내딛임.
- 남북이 두개의석으로 가입하거나 어느 한쪽이 일방적으로 유엔에 들어간다면 그것은 외세에 의한 민족의 분열을 국제적으로 고정화, 합법화시키고 민족대결을 국제무대로까지 번지게 할 것임.

0108

* 중국외교부 대변인, 이붕총리의 북한방문등 언급(북경, 91.5.10. 12:30),
중국정부, 남북양측이 협상을 통해 유엔가입문제 해결방안 모색 희망
표명(북경, 91.5.10. 08:30)

- 중국외교부 대변인 오원립은 9일 기자회견에서, 이붕총리의 방북중 남북한의 유엔가입문제에 관한 논의가 있었느냐는 질문에, 동 문제에 대한 논의가 있었다며 중국측은 남북양측이 대화와 협상을 통해 양측이 모두 수용가능한 해결방안을 모색해 이 문제를 원만히 해결할 수 있기를 바란다는 중국정부의 입장을 전달했다고 밝힘.
- 또한 이와관련, 북한은 남한측과 이 문제를 계속 협상할 용의가 있다는 입장을 밝혔다고 말함.

0109

유엔가입관련 북한 및 중.소 방송보도 요약
(91.5.14-6.2)

o 더욱 노골화되는 괴뢰들의 유엔 단독가입 책동
(중방 91.5.14. 18:30) <대담>

- 남측은 최근 전 외무부장관, 전 총리 또는 전 문화부장관등을 대통령 특사로 파견하여 저들의 유엔 단독가입의 당위성을 설명하고 지지를 요청하고 있음.
- 남북이 두개 의석으로 가입하거나 한쪽이 일방적으로 가입하는 것은 외세에 의한 민족의 분열을 국제적으로 고정, 합법화하고 민족대결을 국제무대로 번지게 하는 것임.

o 노대통령, 소련 대통령에 친서
(민민전 91.5.14. 20:00)

- 노○○는 방소중인 박준규 국회의장을 통해 고르바쵸프 대통령에 보낸 친서에서 남북의 유엔동시가입과 남북관계 개선을 위한 소련측의 협조를 요청함.
- 민족은 물론 국제사회의 강력한 반대에도 불구, 친서까지 보내 동시 가입의 지지를 요청한 것은 노○○가 대세에 역행하는 분열주의자임을 세계에 보여주는 행위임.

o 마다가스칼 아엔뻬통신, "유엔 단독가입 책동은 반민족적인 범죄행위"라는 논평 발표
(중방 91.5.16. 21:00, 국제 5.17. 14:05, 민민전 5.21. 22:10)

- 동통신(4.30)은 남측 당국자들의 단독가입 책동은 민족의 통일염원을 무시한 반통일적 범죄행위라 규탄함.
- 또한 남측 당국자들은 단독가입 책동을 당장 걷어치우고 유엔에 하나의 의석을 가지고 공동으로 들어가자는 북측의 제의에 응해야 한다고 주장함.

공람 91년 6월 4일	담당	과장	국장
	여	Wy.	J2

0110

o 통일염원에 역행하는 범죄적 분열행위

(중방 91.5.18. 09:25) <노동신문 논평>

- 남측은 9월에 열리는 유엔총회 개막식에 가입이 결정될 수 있도록 8월초순에 가입신청서를 낼 것이라며 갖가지 공작을 벌이고 있음.
- 그러나 남측의 유엔 단독가입은 분열을 더욱 심화하고 조국통일 위업에 새로운 장애를 조성하며 평화를 엄중히 위협하는 결과만을 초래할 것임.

o 민족분열을 해하는 괴뢰들의 책동

(중방 91.5.19. 16:40) <대담>

- 방미중인 이상옥 외무장관은 5.1. 유엔단독가입에 대한 미국의 지지를 구하면서 남북의 동시가입이 한반도의 평화통일을 저해하지 않는다고 주장함.
- 두개 한국을 국제적으로 공식화하고 민족내부문제를 국제화하면서 외세에 힘을 빌려 승공통일을 이루려는 남측의 단독가입 책동은 실패를 면치못할 것임.

o 김일성주의 연구 포르투갈 중앙위, 한국의 유엔 단독가입정책 규탄 성명

(중방 91.5.20. 06:13, 민민전 5.28. 14:00)

- 동 성명(5.14)은 남측이 유엔에 단독가입하게 되면 한반도는 영원히 분열되게 될것이며 남북관계는 더욱 악화되어 한반도에 새로운 긴장 상태가 조성될 것이라 경고함.

o 용납못할 반통일적 범죄행위

(평방 91.5.20. 18:50)

- 온민족이 90년대 통일을 향하여 힘차게 떨쳐 나오고 있는 때에 남측은 유엔가입을 통한 두개 조선과 분열영구화 책동에 매달리고 있음.
- 이는 우리 내부문제인 통일문제를 국제화하고 우리나라에 대한 외세의 간섭과 침략의 길을 열어주는 민족반역 행위임.

ㅇ 전인철, 3차 조.일 수교회담 첫날 회담관련 기자회견

(중/평방 91.5.21. 09:00, 민민전 5.21. 19:00)

- 전인철 외교부 부부장은 5.20. 동 기자회견에서 남북대화가 잘 되려면 남측 당국자들이 북한의 불가침 선언 제안에 동의하고, 민족 내부문제로서 남북이 합의해 해결해야 할 유엔가입문제를 밖에 들고 다니면서 청탁외교를 하지 말아야 한다고 주장함.
- 그는 또한 일본측이 국교정상화 교섭에서까지 남의 문제에 간섭하면서 유엔 단독가입을 지지하는 것은 일본이 남측 일변도 정책을 실시하고 있다는 노골적인 표현이라고 지적함.

* 중-소, 남북한간 지속적인 대화 및 협상을 통한 관계개선 희망 표명

(북경 91.5.20. 08:30)

- 중.소 양국은 19일 공동성명을 통해 한반도내에서 최근 발생하고 있는 적극적인 변화를 환영한다고 밝히면서, 남북 양측간 대화와 협상을 통한 한반도의 평화통일을 지지한다는 입장을 재천명함.
- 또한 한반도 정세안정과 한반도의 평화통일에 장애가 되는 어떠한 행동도 취하지 말것을 각측에 촉구한다고 밝힘.

* 평양-도꾜 정상화 노상에 장애가 제거될 수 있겠는가

(모스크 91.5.21. 23:28)

- 일본과 북한 대표자들간의 세번째 회담에서 일본은 관계정상화를 서둘지 않는다는 인상을 주면서, 쌍방관계에 직접 관계되지 않는 남북한의 유엔가입문제등을 다루었음.

o 북한, 조국평화통일위원회 창립 30주년 기념보고회 진행

(평방/중방 91.5.23. 21:00)

- 상기 보고회(5.23)에서 윤기복은 기념보고를 통해 남측 당국자들이 다른 나라의 흡수통합방식에 현혹되어 유엔 단독가입을 통해 한반도에서도 그런 방식의 승공통일 야망을 책동하고 있다고 비난함.

o 김일성이 마이니찌 신문 편집국장에 준 대답 강연회, 인도에서 진행

(중방 91.5.24. 06:00)

- 동 강연회(5.7)에서 참석자들은 남북한의 유엔 단일의석 가입을 강조함.

o 파키스탄 주재 북한대사관, 5.14. 한국의 유엔가입 관련 기자회견

(중방 91.5.24. 18:00)

- 동 기자회견에서 북한대사는 남측의 유엔 단독가입 책동을 비난하면서, 유엔가입에 대한 북한의 입장이 한반도의 통일을 바라는 세계의 염원에도 부합된다고 강조함.

o 대통령 특사, 남북한 유엔 동시가입 필요성 지적

(중방 91.5.24. 20:55) <라디오 단평>

- 구라파의 한 나라에 간 남측의 대통령 특사는 동북아에서 또 한차례 전쟁이 일어나는 것을 방지하기를 원하는 사람들은 남북한이 유엔에 가입하도록 해야할 것이라고 주장함.
- 한반도의 긴장격화와 대결지속은 남북한이 유엔에 들어가지 않아서가 아니라 남측이 미국의 부추김으로 북침전쟁 소동을 하기 때문임.

o 북한 외교부, 유엔가입문제 관련 성명발표

(중/평방 91.5.28. 10:00, 민민전 5.29. 12:00)

- 북한 외교부는 5.27. 유엔가입문제와 관련한 북한정부의 입장을 밝히는 성명을 발표, 남측 당국자들에 의하여 조성된 일시적 난국을 타개하기 위한 조치로서 현단계에서 유엔에 가입하는 길을 택하지 않을 수 없게 되었다고 밝힘.

* 모스크바 방송, 북한의 유엔가입 신청결정 사실보도

(모스크 91.5.28. 17:00, 5.28. 19:00)

- 북한은 남한당국에 의해 야기된 내부의 어려움을 극복하기 위한 조치로서 유엔가입 신청방침을 세웠다고 외교부 성명에서 밝힘.

* 모스크바 방송국 논평원, 북한의 유엔가입 결정과 관련논평

(모스크 91.5.28. 21:00)

- 북한 외교부 성명은 평양의 이번 결정이 전체민족의 이익에 관계되는 문제가 일방적으로 침해되는 것을 방지하려는 것으로 부득이 했다고 설명함.

- 만일 남북한이 유엔에서 상호 자주의 길을 찾을 수 있다면 이것은 그들의 나라를 통일하는데 도움이 될것임.

* 북경방송, 유엔가입문제와 관련 북한 외교부대변인 성명 인용보도

(북경 91.5.28. 20:00)

- 조선 중앙방송은 5.28. 북한 외교부 성명(5.27자)을 발표, 남측 당국이 조성한 일시적 난관을 극복키 위한 하나의 조치로서 유엔에 가입하는 길을 선택했다고 언급함.

5

0114

o "마르코" 유엔총회의장, 평양도착(5.28)

- 김영남(외교부장) 면담, 회담, 연회

(중방 91.5.29. 00:05, 평방 5.29. 09:00)

- 데 마르코 의장은 북한의 이번조치는 매우 현실적이고 중요한 발기라며, 한반도의 통일은 물론 세계평화와 안전에도 기여할 것이라고 언급

- 동 의장은 이번 결정은 북한지도부의 현명성을 반영한 조치라며, 북한이 자기가 의장으로 있는 45차 총회기간중에 가입을 신청하면 적극 도울 것이라고 언급

o 조성된 정세에 대처하여 취하게 된 불가피한 조치

(평방 91.5.29. 00:15) <대답>

- 유엔가입 결정과 관련 똑똑히 이해할 점은 그것이 남측의 분열주의적 책동으로 조성된 정세에 대처하여 불가피하게 취한 조치라는 점임.

- 남북이 따로 유엔에 들어가야 하는 오늘의 이 사태는 절대로 고착되지 말아야 하며, 우리는 앞으로도 남북이 유엔에서 하나의 의석을 갖게 되기를 기대함.

* 소련 대통령 보좌관, 북한의 유엔가입결정 환영 성명

(모스크 91.5.29. 19:00)

- 소련은 유엔에 가입하기로 한 평양의 결정을 환영한다며 이 결정은 북한지도부가 건전한 사고력을 발휘한 것을 의미한다고 지적함.

- 또한 이 조치가 남북간 대화전망에 도움을 줄것으로 기대한다고 언급함.

* 유엔가입에 대한 조선민주주의 인민공화국의 결정
(모스크 91.5.29. 21:25)
- 북한의 이번 결정은 어느정도 뜻밖으로 평양이 사변들을 신속성있게 받아들이고 있다는 것을 확증해 줌.
- 남북한 국가들 사이에 효과적인 정치적 대화가 벌어질 가망이 커질 것이라고 기대함.

* 중국과 한국의 접촉과정이 벌어지고 있다.
(모스크 91.5.29. 23:25)
- 관측통에 따르면 최근 중국은 한국의 유엔가입을 반대하지 않을 것이라고 한두번 지적한 것이 아님.
- 중국은 북한과의 관계를 감안, 일정한 조심성을 발휘하고 있지만 중국과 한국간의 관계는 상승선을 따르고 있음.

* 모스크바 방송, 한국의 대북회담 적극화 예정 사실보도
(모스크 91.5.29. 23:10)
- 한국정부는 평양이 유엔가입을 결정한 것과 관련, 북한과의 대화를 적극화시킬 예정임.
- 한국정부는 앞으로 진행될 유엔총회의 테두리안에서 총리급 모임이나 외상급 모임을 성공시킬 예정임.

* 중국외교부 대변인, 북한의 유엔가입 적극적 의미라고 발표
(북경 91.5.29. 08:30, 5.29. 12:30)
- 동 대변인, 북한의 이번 결정은 적극적인 의미가 있으며 남북대화와 한반도의 평화 및 안정촉진에 도움이 될수 있을 것이라고 언급함.

* 북경방송, 북한 유엔가입 발표 보도

(북경 91.5.29. 08:30, 북경 5.29. 12:30, 흑룡강 5.29. 10:30)

- 북한 중앙방송 28일자 보도 인용, 북한의 유엔가입결정 보도

* 말타 부수상, 베이징에서 기자회견

(북경 91.5.29. 20:00)

- 남북한의 유엔가입문제와 관련, 데마르코는 남한이 유엔에 가입을 신청한 후 북한도 유엔가입을 신청하게 될 것이라고 언급

* 유엔주재 중국 상임대표, 북한 유엔가입신청 성명을 접수

(북경 91.5.29. 21:00, 5.30. 05;40, 5.30. 11:12, 5.31. 20:00)

- 유엔주재 중국 상임대표는 어제 유엔에 가입할 것을 요구한 북한 정부의 신청성명을 받아 안보리 이사국들에게 배포함.

o 조성된 일시적 난국을 타개하기 위한 정당한 조치

(중방 91.5.30. 16:25) <분담>

- 외교부 최우진 순회대사, 이번 결정은 우리당과 정부의 그간 견지해온 유엔정책에 전적으로 부합되는 정당한 조치라고 주장
- 우리의 이번 조치는 남측의 분열주의적 책동에 의해 조성된 정세와 관련 불가피하게 취해진 것으로, 우리는 유엔에 가입해서 남측이 조성한 통일의 난국을 타개하여 남북한 단일의석을 위해 노력할것임.

o 일시적 난국을 타개하기 위한 조치

(평방 91.5.30. 00:20, 5.30. 08:55) <논평>

- 남측이 민족의 통일염원에 역행하여 기어이 유엔에 단독가입 하겠다는 조건에서 북한은 조성된 일시적 난국을 타개하기 위한 조치로서 현단계에서 유엔에 가입하는 길을 택하지 않을 수 없게 됨.

* 소련 외무부상 "로가쵸프"가 유엔에 가입할데 대한 조선민주주의 인민공화국 결정에 대해서
(모스크 91.5.30. 23:17)
- 유엔에 가입한다는 북한의 결정은 건전한 사고력으로 설명된다며, 이것은 정치적 현실, 한반도, 남북한의 유엔가입문제를 둘러싸고 조성된 사태를 고려하여 취해진 조치라고 언급함.
- 소련은 이번 조치를 환영하며 종국에 가서 이는 한반도 통일에로의 전진의 길을 촉진시킬 것이며, 전극동 전반정세를 개선하는데 기여할 것이라고 언급함.

* 한국, 북한의 유엔가입결정 관련 남북 정상회담 제안 예정
(모스크 91.5.30. 21:11)
- 프랑스 프레스통신에 따르면 한국은 뉴욕에서 유엔총회가 개막될때 남북간 총리급이나 외상급 모임에서 남북 정상회담 제안을 내놓을 예정임.

* 조선은 유엔에 가입하게 된다.
(모스크 91.5.30. 21:16)
- 북한의 이번 결정은 한국을 자주국가로 승인하는 조치이며, 폐쇄정책에서 물러나 세계 공동체에서의 자기의 지위를 확고히 하려는 것을 의미함.
- 일부 관측통은 중국의 이붕 총리가 얼마전 김일성 주석과의 담화시에 유엔 별도가입을 권고했을 것이라고 예측

* 김영남, 말타공화국 외무상 "데마르코"와 회담

(북경 91.5.30. 05:30, 5.30. 05:40)

- 데마르코는 28일 김영남과 회담에서 북한의 유엔가입결정은 가장 현실적인 조치라고 지적함.
- 그는 또한 45차 유엔총회 의장으로서 북한의 유엔가입을 위해 적극적인 협조를 할 것이라고 언급함.

* 미국무원 대변인, 북한의 유엔가입 환영 표명

(북경 91.5.30. 11:10)

* 소련 외교부대변인, 북한의 유엔가입관련 환영입장 표명

(북경 91.5.30. 14:28, 5.31. 05:30)

- 동대변인은 5.29. 기자회견에서 북한의 유엔가입에 관한 결정을 환영한다고 밝힘.
- 그는 또한 이번 결정이 남북간 대화에 도움이 될 것이라며, 한반도의 긴장된 정세완화와 이 지역의 안전강화 및 북한의 국제적 지위향상에도 도움되기를 희망한다고 언급

* 북경방송, 한국의 유엔가입 신청시기등 보도

(북경 91.5.30. 18:00, 5.30. 20:00)

- 남한 외무부 대변인은 5.29. 남한은 6월말이나 늦어도 7월초까지는 유엔가입 신청서를 제출할 것이라고 밝힘.

o 유엔가입과 관련한 외교부 성명을 놓고

(평방 91.5.31. 00:15) <문답>

- 외교부 순회대사 최우진, 북한의 유엔가입결정은 북한의 일관되고도 자주적인 대유엔정책을 보여주는 것임.

- 남측의 유엔 단독가입정책이 요지부동하다는 것을 확인하고, 이러한 일시적 난국을 타개키 위해 유엔에 가입하는 길을 택하게 됨.

* 말타 외무상, 한국 외무장관과 회담
(모스크 91.5.31. 21:00)

- 서울도착 성명에서 동외상은 북한의 유엔가입 결정은 변동되지 않을 것이라며 이것은 김일성 주석과의 담화과정에서 확인할 수 있었다고 언급
- 이상옥 장관은 한국은 쌍무협조를 위해 남북한 상정회의를 유엔 테두리내에 형성시킬 것이라고 언급

* 소련주재 북한대사가 유엔에 가입한데 대한 평양의 결정에 대해
(모스크 91.5.31. 23:18)

- 북한대사 손성필, 이번조치는 변화된 정세와 관련하여 조성된 난국을 타개키 위해 불가피적으로 취한 조치라고 언급
- 북한은 사태를 그대로 내버려두면 한반도 정세가 유엔에서 편견적으로 토론될 수 있기 때문에 부득불 이러한 조치를 취하게 되었다고 언급

o 조성된 일시적 난국을 타개하기 위한 주동적 조치
(평방 91.6.2. 09:27) <노동신문 논설>

- 우리는 남측이 조성한 일시적 난국을 타개하기 위해 불가피하게 유엔 가입을 택하지 않을 수 없게 됨.
- 유엔가입결정은 유엔무대에서 나라의 분열을 반대하고 조국통일투쟁을 더욱 적극화하려는 주동적 조치임.

報 告 畢

長官報告事項

1991. 6. 4.
國際機構條約局
國際聯合課(31)

題 目 : 北韓의 유엔加入 決定關聯 勞動新聞 論評

북한은 6.2. 평양방송을 통해 "조성된 일시적 난국을 타개하기 위한 주동적 조치" 제하의 노동신문 논설을 보도, 자신들의 유엔가입결정은 현단계에서 「불가피한 선택」이었으며, 유엔무대에서 조국통일 투쟁을 적극적으로 벌이기 위한 「주동적인 조치」였다고 주장함.

<주요 보도내용>

- 우리 공화국은 유엔성원국이 될 충분한 자격이 있었지만, 유엔가입문제를 조국통일문제에 복종시켜 이에 이롭게 해결하기 위하여 노력해 옴.

- 그러나 남측은 우리의 정당한 주장에 완고히 반대하면서 외세의 도움으로 유엔단독가입을 이루하기 위해 책동해 옴.

- 남측의 유엔단독가입이 방임된다면 유엔무대에서 전 한민족의 이익과 관련된 중요한 문제가 편견적으로 논의되어 엄중한 후과가 초래될 수 있음.

- 이에 우리는 남측이 조성한 일시적 난국을 타개하기 위하여 불가피하게 유엔에 가입하는 길을 택하지 않을 수 없게 됨.

- 유엔에 가입하려는 우리의 결정은 유엔무대에서 나라의 분열을 반대하고 조국통일을 위한 투쟁을 더욱 적극적으로 벌이기 위한 주동적인 조치임.

- 끝 -

91
6
4 여

0121

報 告 畢
(서명)

長官報告事項

1991. 6. 4.
國際機構條約局
國際聯合課(31)

題 目 : 北韓의 유엔加入 決定關聯 勞動新聞 論評

> 북한은 6.2. 평양방송을 통해 "조성된 일시적 난국을 타개하기 위한 주동적 조치" 제하의 노동신문 논설을 보도, 자신들의 유엔가입결정은 현단계에서 「불가피한 선택」이었으며, 유엔무대에서 조국통일 투쟁을 적극적으로 벌이기 위한 「주동적인 조치」였다고 주장함.

<주요 보도내용>

o 우리 공화국은 유엔성원국이 될 충분한 자격이 있었지만, 유엔가입문제를 조국통일문제에 복종시켜 이에 이롭게 해결하기 위하여 노력해 옴.

o 그러나 남측은 우리의 정당한 주장에 완고히 반대하면서 외세의 도움으로 유엔단독가입을 이룩하기 위해 책동해 옴.

o 남측의 유엔단독가입이 방임된다면 유엔무대에서 전 한민족의 이익과 관련된 중요한 문제가 편견적으로 논의되어 엄중한 후과가 초래될 수 있음.

o 이에 우리는 남측이 조성한 일시적 난국을 타개하기 위하여 불가피하게 유엔에 가입하는 길을 택하지 않을 수 없게 됨.

o 유엔에 가입하려는 우리의 결정은 유엔무대에서 나라의 분열을 반대하고 조국통일을 위한 투쟁을 더욱 적극적으로 벌이기 위한 주동적인 조치임.

- 끝 -

0122

報 告 畢

長官報告事項

1991. 6. 12.
國際機構條約局
國際聯合課(34)

題 目 : 北韓의 유엔加入決定 關聯 평양방송 報道

> 北韓 평양방송은 6.8. "유엔加入問題와 關聯한 우리의 主動的인 措置"라는 題目의 報道를 통해, 자신들의 유엔加入 決定이 世界各國 특히 安保理 常任理事國들의 "一致하게 支持 歡迎하는" 反應을 받았다며, 이번의 유엔加入 決定은 자신들의 "統一政策 貫徹에도 有利한" 環境을 造成할 것이라고 主張함.

<主要 報道內容>

- 우리의 유엔가입결정과 관련, 世界 여러나라 특히 安保理 常任理事國들은 대단히 敏感한 反應을 보이면서 一致하게 支持 歡迎하는 反應을 보임.

- 우리는 이번措置로 유엔에 單獨으로 加入하려던 南韓當局에 심대한 打擊을 주었으며, 결국 그들의 單獨加入 試圖를 제때에 挫折시켰다고 할 수 있음.

- 우리가 유엔에 加入하면 不可侵宣言 採擇問題, 停戰協定의 平和協定으로의 轉換問題, 유엔司 解體와 美軍 및 核武器 撤去問題等에 決定的으로 有利한 條件을 마련할 수 있게 됨.

- 또한 우리의 유엔加入은 우리의 國際的 權威를 높이고, 世界 여러나라 특히 西方의 나라들과 關係를 改善시켜 祖國統一에 有利한 環境을 造成할것임. 끝.

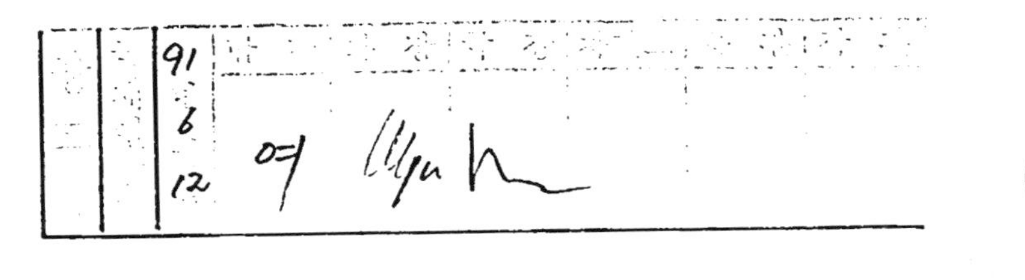

0123

관리 번호	91-609

분류번호	보존기간

발 신 전 보

번 호 : WUN-1676 910612 1255 CT 종별 : 지급

수 신 : 주 유엔 대사. 총영사

발 신 : 장 관 (국연)

제 목 : 북한방송 송부

북한 평양방송은 6.8. "유엔가입문제와 관련한 우리의 주동적인 조치"라는 제목의 대담 보도(남북고위급회담 북측대표 최우진)를 통해 아래요지로 주장함.(상세 타편 송부함)

- ㅇ 우리의 유엔가입결정과 관련, 세계 여러나라 특히 안보리 상임 이사국들은 대단히 민감한 반응을 보이면서 일치하게 지지 환영하는 반응을 보임.
- ㅇ 우리는 이번조치로 유엔에 단독으로 가입하려던 남한당국에 심대한 타격을 주었으며, 결국 그들의 단독가입 시도를 제때에 좌절시켰다고 할 수 있음.
- ㅇ 우리가 유엔에 가입하면 불가침선언 채택문제, 정전협정의 평화협정으로의 전환문제, 유엔사 해체와 미군 및 핵무기 철거문제등에 결정적으로 유리한 조건을 마련할 수 있게 됨.
- ㅇ 또한 우리의 유엔가입은 우리의 국제적 권위를 높이고, 세계 여러나라 특히 서방의 나라들과 관계를 개선시켜 조국통일에 유리한 환경을 조성할것임. 끝.

1991.12.31. 에 예고문에 의거 일반문서로 재분류됨

(국제기구조약국장 문동석)

보안 통제	(서명)

앙 고 재	91년 6월 12일	유엔과	기안자 성명		과 장		국 장		차 관	장 관
			여		(서명)					(서명)

외신과통제

0124

유엔가입관련 북한 및 중소방송 요약

(91.6.3-6.16)

* 한국, 8.15.즈음 북한에 몇일간 국경개방 제의예정

(모스크 91.6.3. 20:29)

- 지금 한국은 지난주에 유엔에 가입하겠다는 북한의 의도표명과 관련해서 큰 낙관성을 표시하고 있음.

o 김일성, 교도통신사 사장의 질문에 준 대답요지

(중/평방 91.6.4. 06:00, 민민전 6.4. 20:00)

- 김일성은 6.1. 일본 교도통신 사장과의 면담시 유엔가입문제에 언급하면서, 남북의 유엔 단일의석 가입이 실현될 수 없는 조건에서 북한은 대응조치로서 유엔에 들어가기로 했다고 언급함.
- 또한 남북이 하나의 민족으로서 국제무대에 공동으로 나가며 온 민족을 대표하는 하나의 국가로서 유엔의석을 차지할 것을 지향하는 원칙적 입장에는 변함이 없다고 언급함.

* 북한 노동신문, 유엔가입관련 글 게재

(북경 91.6.4. 20:00)

- 노동신문은 6.2. 북한이 주동적으로 유엔가입을 신청한 것은 국제무대에서 조선의 분열을 반대하기 위한 투쟁을 벌이기 위해서라고 지적함.
- 또한 노동신문은 북한의 유엔가입신청은 미국과 남한의 두개 한국 정책과 본질적으로 다르다고 주장함.

공람	91년 6월 18일	담 당	과 장	국 장
		여	山.	

0125

* 이붕총리, 북한 유엔가입관련 환영입장 표명

(북경 91.6.4. 11:10)

- 이붕 총리는 3일 영빈관에서 오우찌 일본 민사당 위원장등 일행을 회견하는 자리에서 한국문제와 관련, 최근 북한이 통일이전의 과도적 조치로 유엔가입 신청을 결정한 것은 이미 국제사회로부터 환영을 받고 있고 중국도 이에 예외는 아니라고 언급함.

* 소련 출판물 자료개관

(모스크 91.6.4. 20:45)

- 이스베스치야, 북한 외교부의 성명을 인용하면서 북한정부가 한국이 조성한 난관을 극복하기 위해서 부득이 유엔가입 결정을 취하게 되었다고 보도함.
- 프라우다, 평양의 이번 조치가 한반도와 아.태지역 전반의 긴장을 완화시킬 것이라며 이 조치는 또한 북한이 폐쇄정책에서 물러선다는 것을 의미하는 것이라고 지적함.

o 쿠바신문 그란마등, 북한의 유엔가입 의사표명 외교부 성명 보도

(평방 91.6.4. 07:00)

- 동 신문 5.29부는 남측이 유엔 단독가입을 강행함으로써 조성된 일시적 난국을 타개하기 위하여 북한이 유엔에 가입하는 길을 택하지 않을 수 없게 되었다고 지적함.

* 북한 최고인민회의, 중국 전인대 대표단 위해 연회개최

(북경 91.6.5. 11:00)

- 팽충 부위원장을 단장으로 하는 중국 전인대 대표단 환영 연회(6.4)에서 양형섭 의장은 연설을 통해 북한정부는 남측이 야기한 어려움을 타개키 위한 주동적 조치로 유엔가입신청을 결정했다고 언급

2

0126

* 김일성, 유엔의 남북 단일의석 가입원칙 불변시사
(흑룡강 91.6.5. 10:30)
- 김일성, 북한이 유엔가입 신청을 결정했더라도 유엔 단일의석 가입을 바라는 원칙적 입장을 개변하지는 않을 것이라고 강조함.

* 노대통령, 민주적이고 평화적으로 통일하기 위한 이사회 창건 10돌 즈음 연회에서 연설 (모스크 91.6.6. 20:28)
- 노대통령은 연회에서 남북이 현세기말에 통일되리라는 기대를 표시하면서, 자기의 확신을 북한의 유엔가입 결정과 결부시켰음.

o 이북의 유엔가입 결정문제와 관련
(민민전 91.6.7. 12:10) <화제의 초점>
- 남측당국은 이북의 유엔가입결정을 자신들의 외교적 승리이니 국제적 고립에서 탈피키 위한 궁여지책이니 하고 주장하고 있고, 관제 언론들도 이 결정이 두개 한국정책을 반대하는 이북의 한반도 정책의 변경이라고 선전하고 있음.
- 그러나 이북의 유엔가입결정은 누구의 압력이나 권고에 의한 것이 아니라 남한이 조성한 일시적 난국을 타개키 위한 자주적 조치로서, 이북의 통일정책은 절대로 달라진 것이 없으며 남한의 두개한국 정책을 반대하는 입장에는 변함이 없음.

o 중국 매스콤등, 북한 외교부의 5.27자 성명내용 보도
(중방 91.6.7. 17:06)
- 인민일본 5.29부는 "조선이 유엔가입을 정식 신청하기로 결정" 제하에 북한 외교부의 성명내용을 보도

o 유엔가입 문제와 관련한 우리의 주동적인 조치

(평방 91.6.8. 04:30) <문답>

- 북한 외교부 순회대사 최우진, 북한의 유엔가입 결정은 남측의 유엔 단독가입 책동과 급변하는 국제정세에 주동적으로 대처한 조치라고 주장
- 북한은 이번조치로 남측의 유엔 단독가입 책동을 제때에 좌절시켰다며 북한의 유엔가입은 조국통일에도 유리한 환경을 조성시킬 것이라고 주장함.

o 조선의 통일과 평화를 위한 국제연락위 서기장, 김일성에게 유엔가입 결정 지지 연대성 편지 (중방 91.6.9. 06:00)

- 동 연락위는 남측이 통일의 앞길에 조성한 난관을 극복키 위해 북한이 취한 유엔가입결정을 환영함.
- 또한 이번조치가 불가침선언 및 조.미간 평화협정 체결과 연방제 통일에 유리한 환경을 마련했다고 인정함.

o 몽고 대외연락상, 유엔가입문제 관련 김영남에 연대성 편지

(중방 91.6.11. 22:01)

- 편지는 북한의 금년 유엔가입조치가 한반도의 긴장상태 완화와 통일 문제 진전에 기여함으로써 한민족의 이익에 부합되는 중요한 발기라고 언급

o 아시아지역 주체사상 연구소, 북한의 유엔가입조치 관련 강연회 진행

(평방 91.6.11. 22:23)

- 동 강연회(6.3)에서는 북한의 유엔가입결정이 갈라진 나라와 민족을 이으려는 한민족의 염원을 반영하는 중대한 조치라고 강조됨.

4

0128

* 민주조선 국회대표단의 필리핀 방문에 대하여

(모스크 91.6.11. 18:15)

- 필리핀과 북한간의 대사교환 합의에 이어 아.태지역의 다른 나라들도 그 본을 따르리라 예상되고 있음.
- 이는 평양의 유엔가입결정이 아.태지역을 비롯한 전세계에 긍정적 반향을 일으킴으로써 그 전제조건이 마련되었기 때문임.

o 김일성주의 폴투갈위, 북한의 유엔가입안 지지 성명

(중방 91.6.12. 21:00)

- 동 성명(6.5)은 남측이 기어이 유엔에 단독가입하려는 조건에서 북한은 일시적 난국타개조치로서 유엔가입에 대한 입장을 달리 취하지 않을 수 없게 되었다고 언급
- 북한의 유엔가입은 한반도의 통일과 평화보장에 크게 기여할 것이며 불가침선언 채택과 연방제 통일에도 유리한 조건을 조성할 것이라고 주장

o 네팔주재 북한대사관에서 유엔가입문제 관련 기자회견

(국제 91.6.12. 14:00, 중방 6.13. 17:11)

- 주네팔 북한대사는 6.4. 기자회견에서 북한의 유엔가입조치는 남측의 유엔 단독가입 책동과 변화된 정세에 주동적으로 대처키 위해 불가피하게 취한 자주적인 조치라고 강조함.
- 또한 북한은 유엔에 들어가서도 하나의 의석을 갖기 위해 계속 노력할 것이라고 언급함.

* "노" 대통령, 유엔총회에서 연설 예정

(모스크 91.6.12. 20:25)

- 노대통령은 한국이 유엔에 가입한다면 9월에 유엔회의에서 연설할 것을 계획하고 있다고 보도됨.

o 페루 좌익혁명동맹 전국집행위원장, 북한의 유엔가입관련 성명발표

(중방 91.6.13. 07:10)

- 동성명(6.10)에 따르면, 북한정부는 책임적인 입장에서 유엔에 단독 가입하여 유엔에서 한민족의 대표권을 독점, 한국문제를 부당하게 처리하려는 남측의 책동을 묵과할 수 없었다고 지적
- 유엔에 남북이 따로따로 가입하면 통일에 난관이 조성될 것이라며 남측 당국자들은 역사와 민족 앞에서 분열의 책임을 져야할 것이라고 주장함.

o 북한 대외문화연락 위원회, 조선통일 지지 쿠바위원회 결성 15돌 맞아 연회 (중방 91.6.15. 00:04)

- 동 연회(6.14)에서 북한주재 쿠바대사 "레온 배가"는 남측의 반통일적 책동으로 말미암아 남북이 유엔에 따로 들어가게 된데 대해 언급하며, 쿠바는 북한이 유엔에 들어가서도 통일을 앞당기기 위하여 진지한 노력을 다할 것이라고 한데 높이 평가한다고 언급함.

o 이붕, 북한의 유엔가입 신청 결정 환영

(중방 91.6.15. 06:20)

- 신화통신 보도(6.14)에 의하면 이붕 총리는 5.30. 멕시코 신문과의 회견에서, 통일전의 과도적 조치로서 유엔가입을 신청키로 한 북한의 결정이 중국을 비롯하여 세계적으로 환영받고 있다고 언명함.

6

0130

o 전인도 조선친선협회등, 북한 외교부 성명 지지 공동성명 발표
(중방 91.6.15. 21:10)
- 동 성명(6.7)은 유엔가입문제와 관련한 북한 외교부 성명을 전적으로 지지한다며, 북한의 유엔가입조치가 한반도의 긴장상태를 해소하고 평화통일을 앞당기는데 기여할 것이라고 주장

o 자주적이며 애국애족적인 통일지향적 조치
(평방 91.6.15. 07:27) <논설>
- 남북이 단일의석으로 유엔에 들어가는 문제가 실현될 수 없는 조건에서 우리가 그에대한 대응조치로서 유엔에 들어가기로 한것은 우리의 독자적인 정세판단과 결심에 따라 취해진 완전히 자주적인 조치임.
- 우리는 남측만이 유엔에 단독으로 들어가 유엔무대를 분열의 고정화에 악용하는 것을 막으며, 유엔무대에서 민족적 화해를 실현하고 한반도의 평화와 통일에 유리한 국면을 마련하려는 취지에서 유엔가입을 결정함.

* 이붕, 멕시코 태양보 사장의 취재 접수
(북경 91.6.15. 12:30)
- 이붕 총리는 5.30. 동 취재에서 북한이 유엔가입을 신청한 것을 환영한다고 언급

o 조선의 자주적 평화통일 지지 일본 시마네현 위원회 대표단, 기자회견 진행 (평방 91.6.16. 10:00)
- 동 기자회견(6.15)시 대표단은 6.25-7.27. 반미 공동투쟁월간에 북한에 일방적인 핵사찰을 요구하는 것을 반대하며 북한의 유엔가입을 지지하는 운동을 벌여나갈 것이라고 언급함.
- 또한 북한이 조성된 정세에 대처하여 유엔이 조선의 분단고정화를 위한 도구로 이용되지 않도록 하기 위하여 불가피하게 유엔가입과 관련한 자주적인 결단을 내린데 전폭적으로 지지함.

유엔가입관련 북한 및 중소방송 요약

(91.6.17-6.24)

o 방글라데시 조친협, 북한 유엔가입 결정 지지성명 발표
(중방 91.6.17. 07:15)

- 동 성명(6.11)은 지난기간 남북의 유엔가입문제를 통일에 이롭게 해결하기 위해 온갖 성의와 노력을 다해 온 북한정부의 유엔가입 조치를 지지한다고 언급

o 탄자니아 쉬아타 통신사 사장, 자국주재 조선중앙통신사 기자와 회견
(중앙 91.6.17. 07:15, 국제 6.17. 14:00)

- 동 회견(6.6)에서 조선중앙통신기자는 북한의 유엔가입 조치를 설명하면서, 남북이 따로따로 유엔에 들어가게 되면 남한은 유엔헌장에 따라 불가침 선언 채택을 외면못할 것이며, 미군을 계속 잡아둘 조건이 없어지게 될 것이라고 주장함.

o 이붕, 이북의 유엔가입결정은 세계적으로 환영을 받고 있다고 언명
(민민전 91.6.17. 22:00)

- 이붕 총리는 5.30. 멕시코의 "엘 수제" 지사장과의 회견에서 유엔 가입을 신청키로 한 이북의 결정이 세계적으로 환영을 받고 있다고 언명함.

o 연회에서 한 "김영남" 외교부장의 연설
(중방/평방 91.6.18. 08:02)

- 북한을 방문중인 전기침 중국외상을 위한 연회(6.17)에서 김영남은 조선의 분열을 국제적으로 합법화하려는 분열주의자들의 기도가 엄중한 단계에 이르렀다며, 남측이 유엔 단일의석 가입안을 반대하고 단독가입을 강행하려 한것이 그 하나의 증거라고 주장함.

앙 고 재	91년 6월 26일	담당	과장	국장
		07	Ug.	

0132

- 그는 또한 북한이 조성된 난국을 타개하기 위한 주동적인 조치로서 유엔에 가입하기로 하였다며, 남북이 유엔에 제각기 들어가야 하는 오늘의 사태가 절대로 고착되지 말아야 한다고 주장함.

o 연회에서 한 "전기침" 외교부장의 연설
(중방/평방 91.6.18. 08:08)
- 전기침, 최근 북한정부는 조성된 국제정세를 분석하데 기초하여 유엔가입을 공식적으로 신청키로 결정하였다고 언급
- 북한의 이 중대하고 긍정적인 조치는 세계 여러나라들의 광범한 환영을 받고 있으며, 국제적으로 심원한 영향을 불러일으킬 것이라고 언급

* 중국 외교부장, 북한의 유엔가입 신청서 별도제출 결정 지지
(모스크 91.6.18. 20:27)
- 방북중인 중국 외교부장 전기침, 중국은 유엔가입 신청서를 독립적으로 내기로 한 북한의 결정을 지지한다고 언급
- 그는 또한 북한의 이 결정이 국제사회에 긍정적 영향을 미칠 것이라고 강조

* 조선 외교부, 전기침 위해 연설 배설
(북경 91.6.18. 12:30)
- 연회에서 김영남 외상은, 북한정부가 유엔에 가입할 것을 신청한 것은 통일문제에서 나타난 난국을 타개키 위해 취한 주동적인 행동이라고 주장

* 전기침 외교부장, 북한의 유엔가입 지지입장 표명
(북경 91.6.18. 08:30)
- 전기침은 6.17. 북한 외교부의 환영연회에서 연설을 통해 북한정부가 유엔가입을 신청키로 한 결정은 국제사회에 긍정적 영향을 미칠 것이라고 언급

o 조선의 자주적 평화통일에 관한 페루 전국토론회, 김일성에 편지
(중방 91.6.19. 07:00)
- 남측의 유엔 단독가입 책동에 대처하여 필요한 조치를 취하고 주동적으로 유엔에 가입키로 한 북한의 결정을 환영함.

o 코트디브와르 외무성, 북한 유엔가입 지지 북한대표부에 각서
(중방 91.6.19. 21:15)
- 코트디브와르 외무성은 6.14. 각서를 통해 유엔의 보편성에 부합되는 북한의 유엔가입 조치에 지지를 표한다고 지적함.

o 페루 인민행동당 전국총비서, 북한대사 면담
(중방 91.6.19. 22:00)
- 동 총비서는 6.15. 면담에서 북한의 유엔가입 결정은 평화와 통일을 위한 선의의 표시로서 응당한 지지를 받아야 한다고 주장함.

o 아시아지역 주체사상연구소등, 북한 유엔가입 지지성명 발표
(평방 91.6.19. 22:00)
- 동 성명(6.10), 유엔가입 결정과 관련한 북한 외교부의 성명을 지지

o 중국주재 북한대사, 북한 불가침선언 채택관련 기자회견 진행
(중방 91.6.20. 08:00)
- 북한 주창준 대사, 6.18. 기자회견에서 불가침선언 채택은 남북간 대결을 해소하고 평화통일의 새국면을 여는데 출발점이라고 주장하면서, 북한의 유엔가입 신청 결정의 동기를 설명함.

o 통일의 탈을 쓴 분열주의자
(중/평방 91.6.20. 09:25) <노동신문 논평>
- 며칠전 통일장관회의에서 노○○가 통일이후의 독일을 연구하고 철저히 대비하라고 훈시한 것은 외세와 함께 흡수통합 승공통일의 야망을 이루려는 언사임.

3

0134

- 남측은 통일을 위해 유엔에 하나의 의석으로 들어가자는 우리의 현실적인 제안을 거부하고 부득부득 단독으로 들어가 두개 한국을 국제적으로 합법화하려고 획책함.

o 방글라데슈 단체등 북한의 유엔가입조치 지지성명(6.13)
(평방 91.6.20. 08:00)

o 전인도 조친협등, 북한 유엔가입 책동지지 성명(6.7) 발표

* 김일성, 6.19. 전기침 외상과 회견
(북경 91.6.20. 12:00, 북경 6.20. 20:00)
- 회견(6.19)에서 전기침은 북한정부가 얼마전에 내린 유엔가입 결정은 한반도의 국세를 완화의 방향으로 발전시키는데 유리하다며, 이 중요한 결정을 지지한다고 표함.

o 인니외상 환영연회에서 한 "김영남" 외교부장의 연설
(중/평방 91.6.21. 08:03)
- 얼마전에 우리정부는 통일도상에 조성된 새로운 난국을 타개키 위해 유엔에 가입할데 대한 주동적인 조치를 취함.
- 이 조치는 지금 세계적 판도에서 광범한 지지를 받고 있음.

o 동 연회에서 한 인도네시아 외무상의 연설
(중/평방 91.6.21. 08:05)
- 블럭불가담운동 성원국들과 마찬가지로 인도네시아는 북한이 유엔에 정식으로 가입하는데 대하여 환영함.
- 북한이 앞으로 유엔에 정식 가입하면 우리 두나라 사이의 협조관계가 더욱 발전되리라 생각함.

o 탄자니아 통신사 사장, 북한의 유엔가입조치 지지
(민민전 91.6.21. 19:00)
- 동 사장은 6.6. 조선 중앙통신사 기자와의 인터뷰에서 이북의 유엔가입 조치는 노○○에 커다란 타격이 된다고 강조함.
- 그는 또한 유엔이 한반도 문제를 편견없이 나라의 통일에 유리하게 해결해야 한다고 강조함.

o 프랑스 파리 진행 남조선에서의 인권에 관한 국제법률가 회의, 김일성에 편지 (중방 91.6.22. 07:00)
- 북한의 유엔가입은 남측에서의 민주화와 인권옹호에도 유리한 환경을 조성할 것이라고 언급

o 조선인민과의 세네갈 친선조직 위원장, 북한의 유엔가입 지지 담화
(평방 91.6.22. 22:00)
- 동 위원장은 담화(6.17)에서 북한의 유엔가입 조치는 남측의 유엔 단독가입 책동에 대처한 응당한 조치라며, 이 조치가 나라의 통일을 연방제 방식으로 실현하는데 유리한 조건을 마련할 것이라고 언급

o 카리브 민족운동 위원장, 자메이카 주재 북한대사와 담화
(중방 91.6.23. 00:00)
- 동 위원장은 면담(6.17)에서 북한의 유엔가입 결정은 한반도 정세에 부합되는 매우 정당한 조치라고 강조함.

o 남한에서의 인권에 관한 국제법률가회의서 채택된 백서전문
(중방 91.6.23. 09:00)
- 북한은 유엔무대에서 통일을 위한 노력을 계속해 나가기 위해 91.5.27. 유엔가입 결정을 채택하게 됨.
- 남북이 각각 유엔에 들어가게 만든 책임은 전적으로 남측에 있음.

5

0136

- 남측의 유엔 단독가입책동과 관련해 취한 북한의 조치는 남측을 유엔헌장원칙에 얽매어 놓고 인권유린행위를 하지 못하도록 하는 면에서 매우 긍정적인 조치임.

o 연회에서 한 세이셜 대통령 연설
(중방 91.6.23. 21:15)
- 북한은 최근 극적으로 변화하는 정세에 주동적으로 대처하여 유엔에 가입하기로 함.
- 우리는 북한의 유엔가입을 적극 지지할 것임.

o 조국통일의 앞길에 휘황한 전망을 열어놓은 역사적 노작
(평방 91.6.23. 11:00) <논설>
- 북한은 유엔가입문제도 조국통일문제에 복종시켜 고찰했으며 조국통일 실현에 이롭게 유엔가입문제를 해결하기 위해 노력했음.
- 그러나 남측은 미국의 두개한국정책을 추종하면서 외세의 힘으로 유엔단독가입을 실현하려고 청탁외교에 몰두함.
- 북한은 남측이 조성한 일시적 난국을 타개키 위해 불가피하게 유엔에 가입하는 길을 택하게 됨.

o 조국통일의 유리한 국면을 열기위한 획기적인 조치
(평방 91.6.23. 14:55) <해설>
- 김일성, 1973.6.23. 평양시 군중대회에서 연설을 통해 조국통일 5대 방침을 제시하면서, 고려연방공화국 국호에 의한 유엔가입을 주장했음.
- 그러나 미국과 남측의 끊임없는 전쟁책동과 영구분열책동으로 조국통일 5대 방침이 오늘까지 실현되지 못하고 있음.

ㅇ 프랑스 조친협, 블레친 발행

(국제 91.6.24. 08:00)

- 블레친(6.15)은 "북한 유엔에 가입하기로 결정"등 제목의 글들을 편집함.

* 인도네시아와 조선 민주주의 인민공화국간의 관계발전

(모스크 91.6.24. 18:12)

- 방북중인 인도네시아 외상 알라타스, 평양의 유엔가입 결정은 인도네시아와 북한의 관계를 적극적으로 발전시킬 가능성을 열어 놓고 있다고 설명함.
- 북한의 유엔가입 결정은 평양의 정책에서 원칙적으로 중요한 전환을 의미하는 것으로 세계도처에서 긍정적 반향을 일으켰음.

* 한반도에서의 핵안전문제

(모스크 91.6.24. 20:15)

- 국제원자력기구와 북한간에 조약이 조인되고 또 북한이 유엔에 가입하게 된다면, 이것은 세계여론에 큰 영향을 미쳐 미국의 한국 주둔 핵무기 철거에 대한 문제가 부득이 논의되게 할것임.
- 북한이 유엔에 완전가입국으로 등장하고 국제의무를 준수할때면 북한에게 필요한 전제조건이 마련되어 이남 핵무기의 주둔을 필요없게 할 수 있을것임.

유엔가입관련 북한 및 중소방송 요약

(91.6.25-7.2)

o 무엇 때문에 사태를 왜곡하는가

(평방 91.6.28. 16:53)

- 남측은 북한의 유엔가입 천명을 두개 한국의 실체인정이니 대국의 압력에 의한 것이니 하면서 저들의 분열주의 틀에 맞추어 불순한 목적에 악용하려 함.
- 북한의 유엔가입 결정은 독자적인 정세판단과 결심에 따라 취해진 완전히 자주적인 조치로서, 남측의 유엔 단독가입 책동에 의해 조성된 일시적 난국을 타개키 위한 애국애족적인 조치임.

o 분열주의적 정체를 가리우기 위한 잔꾀

(중방 91.6.29. 18:35)

- 얼마전 통일관계 장관회의에서 노○○는 통일이후의 독일을 연구하고 철저히 대비하라고 훈시하면서 분열주의자의 정체를 가리워보려고 책동함.
- 그러나 통일을 위해 유엔에 하나의 의석으로 들어가자는 현실적인 제안을 거부하고 단독으로 들어가 두개 한국을 국제적으로 합법화할 것을 획책한 남측은 분열주의자임에 틀림없음.

* 이붕, 남북 유엔가입신청문제등 언급

(북경 91.6.29. 20:00)

- 이붕, 남북 쌍방의 유엔가입 신청은 그들 자신이 한 결정이라면서 중국은 이를 환영한다고 언급
- 또한 그는 중국은 이것이 한반도의 안정에 유리하다고 인정하고 있다고 함.

공람	91년 7월 4일	담당	과장	국장
		여	(서명)	(서명)

0139

o 미국 신문들, 북한의 유엔가입조치 관련 글 발표

(중방 91.6.30. 06:00)

- 신문 워커즈 월드 13일부, 북한은 오래전부터 유엔동시가입을 반대해 왔으며, 통일전 남북한 단일의석 가입을 시종일관 주장해 왔으나, 남측이 이러한 제안들을 계속 반대해왔기 때문에 부득이 유엔에 가입하는 길을 택하지 않으면 안되게 되었다고 보도

0140

유엔가입관련 북한 및 중소방송 요약

(91. 7. 3-7. 9)

o 세네갈 평화운동 위원장, 북한 UN가입 지지 성명

(민민전 91.7.3. 20 : 05)

- 동 성명(6.18)은 유엔가입과 관련한 이북의 주동적 조치를 지지한다며, 이 조치가 남북불가침선언 채택과 미북 평화협정체결에 유리한 조건을 마련하게 될 것이라고 강조함.

o 유엔가입에 관한 조선의 조치는 정당하다.

(중방 91. 7. 4. 16 : 54) <세계 사회계의 반향>

- 지금 세계사회계는 유엔가입에 관한 북한의 조치를 지지하는 목소리를 높이고 있음.
- 또한 이 조치가 자주적이며 정당한 대응책으로서 나라의 통일을 연방제 방식으로 실현하는데 유리한 조건을 마련케 할 것이라고 주장함.

o 무엇 때문에 사태를 왜곡하는가

(평방 91. 7. 5. 19 : 50)

- 내외의 공정한 여론은 통일을 지향하는 북한의 주동적 조치가 정세변화에 대처한 현실적인 조치라고 지지 환영하고 있으나 유독 남측만은 그것을 두개한국 실체인정이니, 대국의 압력에 의한 것이니 하고 왜곡하고 있음.
- 남측이 북한의 유엔가입결정을 왜곡하는 것은 유엔가입으로 분열을 지속시키고 국제적인 세력균형의 변화를 이용해서 승공흡수 통일의 야망을 실현해 보려는 것임.

o 마다가스칼 외무상, 김영남에게 연대성 편지

(국체 91. 7. 5. 08 : 00)

- 존 데라만자라 외무상, 유엔가입문제와 관련한 북한의 입장을 지지한다며 유엔가입신청서를 제출키로 한 북한의 결정을 지지한다고 지적.

공람	91년 7월 11일	담 당	과 장	국 장

0141

o 분열주의자들의 비열한 행위

(평방 91. 7. 8. 16 : 33) <대담>

- 남측은 우리의 유엔가입 결정이 두개 한국의 실체인정이라느니 대국의 압력에 따른 것이라느니 왜곡하고 있음.
- 우리의 유엔가입 결정은 지금까지 전개해온 하나의 조선정책의 포기이거나 그 무슨 실체인정을 통한 두개 한국에로의 정책전환이 결코 아님.

* 한국과 조선민주주의인민공화국의 유엔가입에 대한 기사

(모스크 91.7.9. 20:15)

- 북한이 유엔가입신청을 공식 제기했다고 평양에서 전해지고 있음.
- 한국이 유엔가입신청을 제기한 북한의 결정을 환영한 것은 아주 상징적임.
- 남북한이 유엔에 가입하려 하는 것은 한반도 통일을 내다보는 보조의 하나로 됨.

* 이상옥 외무장관, 북한의 유엔가입 신청서 제출에 환영

(모스크 91.7.9. 20:22)

- 한국의 이상옥 외무장관, 북한의 유엔가입신청은 그들의 정책변화를 반영하고 있다며 이를 환영함.
- 또한 한국도 오래지 않아 유엔에 가입신청서를 보낼 것이라고 지적함.

0142

유엔가입관련 북한 및 중.소방송 요약

(91.7.10-7.20)

o 중국-이란 외상들 회담시, 북한의 유엔가입문제 논의

(북경 91.7.10. 05:30)

- 회담에서 전기침 외상은 조선의 유엔가입문제에 대해 이야기함.

o 일본수상, 북한의 유엔가입신청 환영표명

(북경 91.7.10. 12:00)

- 일본수상과 외상은 9일 북한의 유엔가입 신청은 한반도 안정에 도움이 될 것이라며 환영한다고 언급함.

o 김영남, 유엔가입신청서 제출

(북경 91.7.10. 20:16)

- 북한 외교부장 김영남은 최근 유엔사무총장에게 보낸 편지에서 정식으로 유엔가입에 관한 북한의 신청을 제기함.

o 북한, 유엔가입신청서 제출

(모스크 91.7.10. 18:10)

o 북한, 유엔가입 정식 신청

(흑룡강 91.7.11. 10:30)

- 북한이 유엔가입 신청을 정식으로 제기했다고 유엔의 소련인사가 9일 밝힘.

o 한국국회, 정부의 유엔가입 신청안 승인

(모스크 91.7.13. 22:00)

- 한국 국회는 7.13. 유엔가입 신청을 하려는 정부의 계획을 전원일치로 승인함.

심의관

양 고 재	년 7 월 23 일	담 당	과 장	국 장

0143

- 노태우 대통령은 9.27. 유엔총회 회의에서 발언할 예정이며, 한국은 유엔헌장을 지지한다고 성명하면서 남북통일의 위업을 도와 줄 것을 세계에 호소할 것이라고 전해짐.

o 소련신문, 로련공훈활동가 "미하일 노브" 글 게재
(중방 91.7.13. 14:00)

- 북한의 유엔가입 결정은 남측의 유엔 단독가입으로 유엔무대에서 민족의 이익과 발전된 중대한 문제들이 편견적으로 토의되는 것에 대응한 응당한 조치임.

o 조성된 난국을 타개하기 위한 정당한 조치
(평방 91.7.13. 14:20) <해설>

- 남측이 우리의 유엔가입 조치를 두개한국의 실체 인정이라고 책동하는 것은 유엔무대를 범죄적인 두개조선 조작음모에 악용하려는 분열주의적 책동임.
- 우리는 유엔무대에서 민족적 화해와 단합을 실현하고, 한반도의 평화와 통일에 유리한 국면을 마련키 위한 취지에서 유엔가입 조치를 취한 것임.

o 우리의 유엔가입 조치를 분열영구화에 악용하려는 괴뢰들
(평방 91.7.15. 07:45) <대담>

- 남측은 우리의 유엔가입 조치가 두개조선의 실체 인정이나 대국의 압력에 의한 것처럼 조작하고 있음.
- 우리의 가입결정은 나라의 영구분열을 막고 하나의 조선을 고수하기 위한 자주적이고 통일지향적인 조치임.

0144

o 분열주의적 목적에 악용하려는 행위

(중방 91.7.16. 20:50) <시사논평>

- 남북한의 유엔가입을 계기로 남과 북의 관계를 국가간의 관계처럼 보면서 상주대표부나 설치하고 장사나 하자는 것은 우리를 이른바 개방에로 유도해서 흡수통일, 승공통일 야망을 이루어 보겠다는 것임.
- 우리의 유엔가입 결정은 조성된 정세에 대처해서 불가피하게 취하게 된 조치이지, 결코 통일을 포기하거나 분열을 고정화하기 위한 것이 아님.

o 신화통신등, 북한 유엔가입신청서 제출 소식보도

(평방 91.7.18. 13:00)

- 중국 신화통신, 7.9. 북한이 유엔가입신청서를 정식 제출했다고 보도
- 소련 타스통신도 7.10. 북한 외교부장이 유엔가입 신청과 관련하여 유엔사무총장에게 보낸 편지 내용을 보도
- 7.8. 제출된 북한의 유엔가입 신청서는 7.11. 유엔총회와 유엔안보리에 문건으로 배포됨.

o 공화국의 유엔가입은 나라의 통일을 위한 길에서 취한 정당한 조치

(중방 91.7.19. 16:34) <대담>

- 우리의 유엔가입 결정은 조성된 정세하에서 유엔무대에서 나라의 분열을 방지하고 조국통일을 위한 통일을 더욱 적극적으로 벌이기 위한 주동적인 조치임.
- 우리는 앞으로도 유엔에서 남과 북이 하나의 국호를 가지고 하나의 의석을 차지하기 위해서 온갖 성의를 다할 것이고, 유엔무대에서 한반도의 통일문제와 국제문제들이 민족의 이익과 세계평화에 맞게 해결되도록 적극 노력할 것임.

0145

유엔가입관련 북한 및 중소방송 요약

(91.7.21-8.2)

ㅇ 조선인민과의 친선 모잡비크위, 북한 유엔가입 지지성명

(인민전 91.7.22. 12:08, 민민전 7.22. 21:00)

- 동 위원회는 7.11. 성명에서 이북이 유엔에 가입하기로 한것은 조성된 정세에 대처하기 위한 주동적인 조치이며 이북의 합법적 권리라고 강조함.

ㅇ 월남, 북한 유엔가입 지지

(민민전 91.7.22. 12:09)

- 월남 외무성 대변인은 7.18. 월남은 이북의 유엔가입신청을 환영한다고 언급

ㅇ 네팔신문등, 북한의 유엔가입 신청 보도

(평방 91.7.24. 22:00)

- 동 신문은 7.15. 북한의 유엔가입은 남북한의 자주적 평화통일에 유리한 국면을 마련키 위한 투쟁의 일환이라고 주장함.

ㅇ 이란외상, 김영남에게 북한 유엔가입 결정 지지 연대성 편지

(중방 91.7.26. 20:00, 평방 7.28. 10:00)

- 이란 외상은 동 편지에서 북한의 유엔가입 결정은 남북한의 통일을 촉진하고 한반도에서 평화를 이룩하는데 기여할 역사적인 조치라며 이 주동적 조치를 지지함.

0146

o 자이르 주재 북한대사, 유엔가입문제관련 기자회견

(평방 91.7.27. 10:00)

- 동 대사는 유엔가입문제와 관련 5.27. 북한 외교부의 성명내용과 유엔에 가입신청서를 제출한데 대해 상세히 언급함.

* 북경방송, 한국 유엔가입 신청예정 발표

(북경 91.7.31. 11:00)

- 서울방송국 7.30자 보도에 의하면, 남한은 유엔가입 신청서 및 유엔헌장 이행증서를 8.5. 정식제출할 예정이라고 함.

0147

유엔가입관련 북한 및 중소방송 요약

(91.8.3 - 8.11)

o 조선에서 받아안은 영광

(평방 91.8.3. 13:45) (전국 일조우호 촉진의원 연맹 대표단 성원 인상담)

- 유엔문제와 관련 김일성은 남측이 단독가입을 적극추진하고 있는 조건에서 그것을 그대로 내버려두면 유엔무대에서 전민족과 관련된 문제들이 편견적으로 토의 될 수 있기 때문에 북한은 별도로 유엔에 가입하기로 했다고 언급함.
- 그러나 통일된 하나의 조선을 지향하는 북한의 원칙적인 입장에는 변함이 없다고 말함.

o 한국, 유엔가입신청서 제출

(모스크 91.8.5. 12:00)

- 한국은 월요일에 유엔가입신천서를 정식 제출한다고 토요일 한국정부 당국이 발표함.

o 서울이 유엔에 가입신청을 내고 있다

(모스크 91.8.5. 20:17)

- 서울과 평양사이에는 유엔가입문제에 관한 상당히 예리한 논쟁이 있었음.
- 지금 한반도에서 벌어지고 있는 과정에 지난해의 한소관계 정상화는 기여를 했다고 할 수 있음.
- 모스크바의 입장은 평양으로 하여금 한반도문제 해결에 대한 이전의 태도를 변경시키려 하는 것임.

o 한국, 유엔가입신청서 정식제출

(모스크 91.8.6. 14:00)

0148

o 조선의 유엔가입조치를 전적으로 지지한다.

(중방 91.8.8. 18.55) <세계 사회계 반향>

- 북한이 조성된 일시적 난국을 타개키 위한 주동적 조치로서 유엔에 가입하기로한 조치는 세계평화애호 인민들과 사회계에서 커다란 반향을 계속 불러 일으키고 있음.

o 유엔안보리, 남북한 유엔가입 권고결의안 채택

(모스크 91.8.9. 12:00, 모스크 8.9. 18:00)

- 유엔 안보리는 총회에 제출할 조선민주주의 인민공화국과 대한민국의 유엔가입 권고 결의안을 채택함.
- 안보리 의장은 성명에서 두나라의 유엔회원국으로의 가입결정을 축하하며, 양국의 유엔가입이 이 지역 및 세계평화에 기여할 것이며, 양국간의 긴장이 감소되고 남북한 통일의 장애요인을 극복하는 길이 열리게 되었다고 언급함.

o 유엔에 가입할데 대한 두 조선국가의 결정과 관련한 프라우다 신문의 논평

(모스크 91.8.9. 20:18)

- 두 조선국가의 동시적인 유엔가입은 타협에로의 준비태세를 발휘한 평양의 신축성의 결과임.
- 만일 북한이 자기 핵대상들에 국제핵감시단원을 들여놓는다면 한국은 한반도를 비핵지대로 전변시킬데 대한 문제토의에 준비되었다고 성명했는데, 두 조선국가가 유엔에 가입하기 직전에 한국은 이북의 신축성에 대한 응답으로 신축성을 발휘해야 할 것임.

o 북경방송, 남북한 유엔가입 권고결의안 통과소식 보도

(북경 91.8.9. 08:30, 북경 8.9. 12:30, 흑룡강 8.9. 10:30)

0149

- 결의한 통과후 안보리 의장 랏소는 축하연설을 통해 남북의 유엔동시가입은 남북 쌍방과 아시아 대륙 및 전국제사회에 역사적인 사건이라며 남북의 유엔 가입으로 유엔의 업무 효율성을 높일 수 있을 뿐만 아니라 한반도내 긴장완화에도 도움이 될 수 있을 것이라고 언급함.

o 일본 외무성, 북남 유엔 동시가입 관련 담화 발표

(북경 91.8.9. 20:00)

- 일본외무성, 일본정부는 남북 쌍방의 유엔동시가입을 환영 한다며, 이것은 일본과 북한 두나라 정부간의 국교 정상화 담판에 유리할 것이라고 말함.

o 유엔안보리, 북한의 유엔가입을 총회에 권고하는 결의 채택

(중방 91.8.11. 06:20)

- 유엔안보리는 8.8. 가입위원회가 작성 제출한 보고를 심의하고 조선민주주의 인민 공화국의 유엔가입을 총회에 권고하는 결의를 만장일치로 채택함.

-이와관련 꾸에야르 유엔사무총장은 김영남에게 축하편지를 보내옴.

0150

o 북경방송, 한국 유엔가입 신청서 제출보도

(북경 91.8.6. 12:00)

o 전민련, 유엔가입신청서 제출관련 성명 발표

(민민전 91.8.7. 12:00)

- 전민련은 8.5 정부의 유엔가입신청서 제출과 관련 성명을 내고, 이번 남북 유엔가입을 계기로 적대시하거나 분쟁을 고조시키는 모든 제도와 장치가 철폐되야 할것이라고 주장함.

o 유엔안보리, 남북한 가입신청서 검토

(모스크 91.8.7. 14:00, 모스크 8.7. 18:00)

o 남북의 유엔가입 문제에 대한 토의

(모스크 91.8.7. 22:18, 모스크 8.8. 20:20) <오늘의 세계>

- 국제사회는 현조건에서 남북한이 유엔에 가입하는 것은 한반도의 공고한 평화를 위한 도상에서 중요한 보조라고 간주하고 있음.
- 유엔의 선린적인 노력은 우리시대의 복잡한 지역문제를 조정하는데 적지않은 역활을 하고 있으므로, 만약 평양과 서울이 이러한 노력을 이용하려 한다면 이는 의심할 바 없이 남북대화의 성공 가망성을 높일것임.
- 남북의 유엔가입은 그들 외교지도자들에게 정상적인 접촉을 위한 새 가능성을 가져다 줄것임.

0151

정 리 보 존 문 서 목 록					
기록물종류	일반공문서철	등록번호	2020060125	등록일자	2020-06-30
분류번호	731.12	국가코드		보존기간	영구
명 칭	남북한 유엔가입 / 국명표기, 1991				
생 산 과	국제연합1과	생산년도	1991~1991	담당그룹	
내용목차					

0001

관리 번호	91 -3773

	분류번호	보존기간

발 신 전 보

번 호 : WUN-1613 910605 1841 FO 종별 :

수 신 : 주 유엔 대사. 총영사

발 신 : 장 관 (국연)

제 목 : 서독 국명표기

73년 동서독 유엔가입시 서독의 국명은 안보리 및 총리결의문에는 'Federal Republic of Germany'로 표기되어 있는 한편, 가입이후 유엔 사무국등 유엔내에서 'Germany, Federal Republic of'로 표기되어, 결과적으로 동.서독이 유엔총회장에서 나란히 좌석을 갖게된 것으로 보이는 바, 상기 서독의 국호표기 변경 배경과 이를 위해 서독측이 유엔사무국에 대해 별도로 취한 조치여부를 확인 보고바람. 끝.

예 고 : 1991.12.31.에 일반문에 의거 일반문서로 재분류됨

(국제기구조약국장 문동석)

보 안 통 제	

앙 고 재	91년 6월 5일	국연 과	기안자 성 명		과 장	국 장	차 관	장 관
			김			전결		

외신과통제

0002

관리 번호	91 -3830

	분류번호	보존기간

발 신 전 보

번 호 : WUN-1670 910611 1910 FO 종별 :

수 신 : 주 유엔 대사. 총영사

발 신 : 장 관 (국연)

제 목 : 국명표기

연 : WUN-1613 (서독국명표기) 6.5.

대 : UNW-1484 (지구촌), 6.7.

1. 남북한의 유엔가입시 국명표기와 관련, 하기와 같은 금후 상황 전개를 상정할 수 있다고 봄.

- 현금의 남북한 관계 현실과 금번 동시가입 결정의 경우에도 남북한이 합의에 의거 가입하는 것이 아니고 각기 가입을 결정한 것임을 감안할때, ROK, DPRK로 표기, 이에따른 ~~별도의~~ 의석을 갖는 것이 가장 자연스럽다고 봄.
- 그러나 북측이 가입신청을 결정하면서 가입후에도 남북한 단일의석을 달성하기 위한 투쟁을 계속하겠다고 밝힌 ~~은 한~~ 점에 비추어, 이러한 투쟁의 일환으로 KOREA, DPR 및 KOREA, Republic of ~~RG~~로 하여 의석을 나란히 앉자고 제의해올 가능성도 있다고 봄. 또한 북한은 아측과의 사전 협의없이 일방적으로 그들의 국명을 KOREA, DPR로 함으로써 마치 그들의 전체 KOREA를 대표하는 듯한 인상을 주고자 할 가능성도 배제할 수 없음.

/ 계속 /

보안 통제	

앙 고 재	91년 6월 11일	유엔과	기안자 성명		과 장		국 장	1차보	차 관	장 관

외신과통제

0003

2. 상기 상황전개 관련, 남북한이 별도로 앉는 방향으로 추진한다면, 이를 위해 어떠한 조치가 필요할런지, 북측 제의시 어떤 대처방안이 있을 수 있는지등에 관해 보고바랍. 끝.

예 고 : 1991.12.31. 일반

(장 관)

0004

남북한 국명표기문제 검토(안)

1991.6.19.
국제연합과

문제의 제기

o 남북한의 유엔가입과 관련, 남북한이 유엔내에서 국명표기를 어떻게 하느냐에 따라 유엔내 각종 회의장에서 남북한의 좌석이 인접 또는 떨어져 있게 됨.

o 국명표기문제는 회의장내 남북한 대표의 좌석배치 문제에 국한되지 않고, 금후 남북한의 유엔내 활동에도 적지않은 영향을 줄 수 있으며, 또한 경우에 따라서는 한반도를 누가 대표하는가 하는 상징성 및 특히 선전적 차원에서 통일에 대한 남북한의 의지와도 관련되는 인상을 줄 수 있음.

o 우리로서는 국명표기문제와 관련, 금후 적어도 북측에 의해 수동적으로 결정을 강요받는 상황을 피하는 것이 바람직하며, 적극적인 입장에서 남북한 화해와 협조, 그리고 궁극적인 평화통일을 촉진코자 하는 정부의 의지를 부각하는 차원에서 적극 대처할 것이 요망됨.

국명표기 현황

o 유엔회원국의 국명은 가입국의 희망에 따라 표기, 현재 각국은 정식국명 보다 단축된 국명 또는 고유명칭을 앞세운 국명 선호경향

- The Kingdom of Sweden: Sweden, The Union of Myanmar: Myanmar, The Republic of Singapore: Singapore

* 금추 총회관련, 유엔사무국 총회담당관은 신규가입국의 경우 총회 개막일에 가입결정된 직후 지정좌석에 착석하게 되는 바, 가급적 7월중에 행할 총회장 좌석배치시까지 아국 희망 국명 표기를 구두 통보해 줄것을 요망

ㅇ 분단국의 동시가입시에도 국명표기는 가입국별로 결정, 유엔에 통보 선례(상호간 합의 불필요)

* 분단국 선례
  - 동.서독(73.9. 동시가입)
    . 동독 "German Democratic Republic", 서독 "Germany, Federal Republic of"로 국명표기(서독만 변경)
  - 남.북예멘(북예멘 47년, 남예멘 67년 별도가입)
    . 북예멘 "Yemen, (원국명 : The Yemen Arab Republic), 남예멘 "Democratic Yemen"으로 국명표기(북예멘만 변경)

남북한 국명표기 방안

ㅇ 아 국 : "Republic of Korea" 또는 "Korea, Republic of"(변경)

ㅇ 북 한 : "Democratic People's Republic of Korea" 또는 "Korea, Democratic People's Republic of"(변경)

* 남.북한이 각기 국명을 변경할 경우에만 유엔에서 좌석이 인접 배치되게 됨.

2

0006

공 란

건 의

- o 우리의 국명을 "KOREA, Republic of"로 표기
  - 유엔내 남북한간 화해와 협조를 도모코자하는 정부의 통일의지를 부각시키고,

- o 유엔주재 남북대사간 회담관련 진전동향을 보아가면서 적절한 시기에 북측과도 협의. 끝.

공 란

원 본

관리번호	91-4135

외 무 부

종 별 :

번 호 : UNW-1800 일 시 : 91 0711 1830

수 신 : 장 관(국연,기정)

발 신 : 주 유엔 대사

제 목 : 유엔가입(국명표기)

1. 7.11 유엔사무국 총회담당 ERIK JENSEN 국장은 신대사를 접촉, 아국의 유엔가입 문제와 관련 사무국내부 준비에 필요하니 한국의 국명표기 방법에 대한한국측 결정을 조속한 시일내(가능하면 1 주일내) 에 알려주면 좋겠다고 하면서, 북한대사 박길연과도 금일 같은 취지의 통화를 가졌는바, 북측은 일주일후경엔 알려줄수 있을 것이라고 하였다함.

2. 신대사는 현재 본국정부에서 검토중인바, 결정되는대로 알려주겠다고 하였는바, 본건 본부방침 조속결정 회보바람.

3. 본건 당관으로서는 금번 유엔가입을 계기로 대다수 회원국의 관례및 남북한 관계개선의지 부각 차원등에서 국명을 "KOREA, REPUBLIC OF " 로하는 문제를 예의 검토하여 주시기 건의함. 끝.

(대사 노창회-국장)

예고:91.12.31. 일반

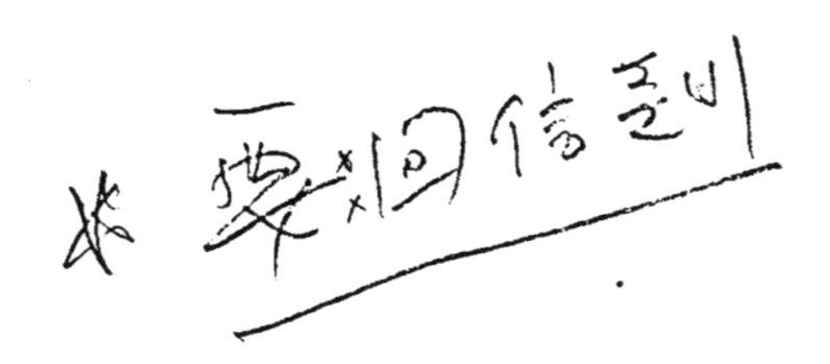

국기국 장관 차관 1차보 청와대 안기부

PAGE 1

91.07.12 08:00

외신 2과 통제관 BS

0010

관리번호	

외 무 부

종 별 :

번 호 : UNW-1800 일 시 : 91 0711 1830

수 신 : 장 관(국연,기정)

발 신 : 주 유엔 대사

제 목 : 유엔가입(국명표기)

1. 7.11 유엔사무국 총회담당 ERIK JENSEN 국장은 신대사를 접촉, 아국의 유엔가입 문제와 관련 사무국내부 준비에 필요하니 한국의 국명표기 방법에 대한한국측 결정을 조속한 시일내(가능하면 1 주일내) 에 알려주면 좋겠다고 하면서, 북한대사 박길연과도 금일 같은 취지의 통화를 가졌는바, 북측은 일주일후경엔 알려줄수 있을 것이라고 하였다함.

2. 신대사는 현재 본국정부에서 검토중인바, 결정되는대로 알려주겠다고 하였는바, 본건 본부방침 조속결정 회보바람.

3. 본건 당관으로서는 금번 유엔가입을 계기로 대다수 회원국의 관례및 남북한 관계개선의지 부각 차원등에서 국명을 "KOREA, REPUBLIC OF " 로하는 문제를 예의 검토하여 주시기 건의함. 끝.

(대사 노창희-국장)

예고:91.12.31. 일반

국기국 장관 차관 1차보 청와대 안기부

PAGE 1

91.07.12 08:00

외신 2과 통제관 BS

0011

관리 번호	91-4171

	분류번호	보존기간

발 신 전 보

번 호 : WUN-1901 910712 1856 FN 종별 :

수 신 : 주 유엔 대사. 총영사

발 신 : 장 관 (국연)

제 목 : 국명표기

대 : UNW-1800

연 : WUN-1670

1. 우리의 국명은 Republic of Korea로 표기, 이에따른 의석을 배치받고자 하며, ~~북측의 동향을 보아가면서~~ 사무국측에 적절한 시기에 통보하기 바람.

2. 다만, 본부로서는 만일 북한이 KOREA, D.P.R.로 할 경우에는 KOREA, Rep. of로 표기, 대응하고자 하니 이점은 우선 귀관의 참고로만 하고, 전기와 같은 북한의 움직임이 있는지를 예의 주시바람. 끝.

(장 관 이상옥)

예고 : 91.12.31.일반 예고문에 의거 일반문서로 재분류됨

보안 통제	

앙 고 재	91년 7월 12일	유엔과	기안자 성명		과 장	심의관	국 장	1차보	차 관	장 관

외신과통제

0012

관리 번호	91 -4401

원 본

외 무 부

종 별 :

번 호 : UNW-1975　　　　일 시 : 91 0730 2030

수 신 : 장관(국연,기정)

발 신 : 주 유엔 대사

제 목 : 국명표기

대:WUN-1901

1. 금 7.30 사무국 BOIVIN 총회담당관(ERIC JENSEN 국장 및 MALDONADO 담당관 휴가중)이 당관 서참사관에게 알려온내용을 아래보고함.(수일전 동인으로 부터 아국의 희망 국명표기에 대한 문의가 있어 서참사관은 아국은 가입신청서 제출을 전후하여 국명표기 방법에 관하여 통보하게 될것이라 하고 북한측으로부터 통보가 있으면 참고로 알려주도록 협조요청한바 있었음.)

가. 자신은 작일 북한 박길연대사와 국명표기 문제와 관련 면담을 갖고 북한측의 희망국명을 문의한바 박대사는 개인적 의견임을 전제 아래와같이 답변하였음.

"IT IS BETTER TO KEEP PRESENT FORMULA THAT, I BELIEVE , IS ACCEPTABLE TO BOTH SIDES. IF ONE SIDE UNILATERALLY CHANGES IT, IT WILL ONLY CAUSE UNNECESSARY FRICTION."

나. 자신은 사무국 입장에서 본건의 민감성 특히 남북한 공히 먼저 의사표시하기를 꺼리는 듯한 점 감안 (자신은 그러한 인상을 받고 있다함) 상기 북한측생각을 한국에 알려주고 반응을 유도해 보는것에 대하여 어떻게 생각하는지를 박대사에게 타진한바 박대사는 사무국이 중개역할 (GO-BETWEEN) 을 해주면 좋겠다고 하고 한국측 입장을 알아달라고 부탁하였음.

2. 상기에 비추어 아측으로서 대호대로 현행 표기를 따르고자 함을 비공식으로 사무국측에 우선 시사 할것인지 본부의견 회시바람. 끝

(대사 노창희-장관)

예고:91.12.31..일반

국기국	장관	차관	1차보	청와대	안기부

PAGE 1　　　　91.07.31 10:09
외신 2과 통제관 FE

0013

관리 번호	91 —4409

	분류번호	보존기간

발 신 전 보

번 호 : WUN-2029 910731 1557 FO 종별 :

수 신 : 주 유엔 대사. 총영사

발 신 : 장 관 (국연)

제 목 : 국명표기

대 : UNW-1975

연 : WUN-1901

대호 아국의 국명표기는 연호 에 따라 사무국측에 통보하고 결과 보고바람. 끝.

(국제기구조약국장 문동석)

예고 : 91.12.31. 일반 예고문에 의거 일반문서로 재분류됨

보안 통제	

앙 고 재	91년 7월 31일	유엔 과	기안자 성명		과 장	심의관	국 장		차 관	장 관
			김성철				전결			

외신과통제

0014

관리 번호	91 -4495

원 본

외 무 부

종 별 :

번 호 : UNW-2024 일 시 : 91 0805 1520

수 신 : 장관(국연,기정)

발 신 : 주 유엔 대사

제 목 : 국명표기

대:WUN-2029

연:UNW-1975

1. 금 8.5. 오전 당관 서참사관은 사무국 MALDONADO 총회담당관 (BOIVIN 담당관 배석)을 면담, 대호에따라 통보하였음.

2. 이에대해 MALDONADO 담당관은 사무국으로서는 연호 북한측의 의견및 금일 아측의견에 따라 의석배치(아국은 QATAR 과 ROMANIA 사이에, 북한은 체코와 덴마크 사이에 의석이 배치될것이라함.), 명패등 제반준비를 진행할것이라함.,3. 서참사관은 사무국에서 북한측에 대해 연호에 불구 공식적인 통보를 요구할것인지를 문의한바, 동인은 사무국으로서는 연호 박대사의 의견을 북한측 통보로 간주하고 있다함.(국명표기문제는 해당국의 희망에 따른다는 원칙및 해당국이 하시라도 (가입후에도) 국명표기를 바꾸는 것이 허용된다는 점에서 국명표기(변경)에다른 사항은 비공식으로 처리한다함.)

4. 동인은 이에 연호 박대사의 부탁을 감안 아측 의견을 북한측에 참고로 전달할것인바, 북한측에서 아측의견에 대해 만족해 할것으로 믿는다함.

5. 마이크로네시아 및 마샬군도는 각각 MICRONESIA, FEDERATED STATE OF 및MARSHALL ISLANDS 로 통보해왔다함. 끝

(대사 노창희-장관)

예고:91.12.31. 일반

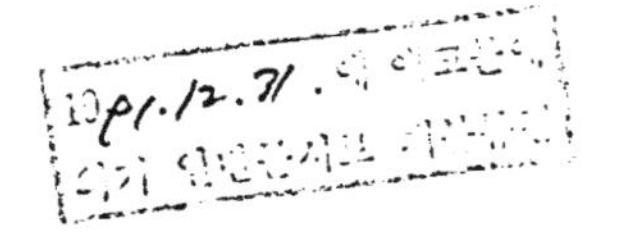

국기국 장관 차관 1차보 청와대 안기부

PAGE 1

91.08.06 06:23

외신 2과 통제관 CA

0015

원 본

암호수신

외 무 부

종 별 :

번 호 : AVW-1134 일 시 : 91 0913 1930

수 신 : 문동석 국제기구국장

발 신 : 주 오스트리아 대사

제 목 : 업연

아국의 유엔가입에 즈음하여 알파벳트상 아국의 의전상 순서가 종래의 대체적 관행인 'R'로부터 'K'로 시작하는 그룹에 자리 잡는것이 좋겠다고 생각되니 선처바람. 끝.

국기국

PAGE 1

91.09.14 08:38

외신 2과 통제관 DO

0016

외 무 부

암 호 수 신

종 별 :

번 호 : AVW-1584

일 시 : 91 1129 1830

수 신 : 장 관(연일,국기,경기) 사본:주유엔대사중계필

발 신 : 주 오스트리아 대사

제 목 : 국제회의 좌석배치

1. 당지 각종 국제회의시 회의장 좌석 배치는 각국의 국명 알파벧 순서에 의거, IAEA 의 경우 아국은 K 에 따라 JAPAN 다음이 되고, UNIDO 기타 UN 관계 회의의 경우엔 유엔에서의 관행에 의거 REPUBLIC OF KOREA 의 R 에 따라 QUATAR 다음으로 되어 있음.

2. 상기 순서는 아국의 UN 가입전 남북 경쟁시대의 부영이었으나 아국이 유엔에 가입함에 따라 동 순서를 재고할 필요가 있다고 봄.

3. 대부분의 나라가 공식 국명에 REPUBLIC 을 표기하고 있으나 실제 의전상순서는 그나라의 고유 명칭인 알파벧 순서에 따르고 있음(주재국 외교관 명단에서는 남북한을 함께 K 에 등재 시키고 있음)

4. 따라서 아국도 아국의 고유 명칭 KOREA 의 'K'에 따르는것이 순리일 것이므로 동 문제를 주유엔 대표부를 통해 유엔 본부에 제기할 것을 건의함.

5. 통일 되기전 동서독의 경우 모두 알파벧 'G'에 따라 좌석을 나란히 앉았던 점을 참작 우리도 북한과 나란히 앉도록 북한측에 제의해보는 것도 의미가 있을 것으로 보며, 북한이 이를 반대할 경우엔 북한은 DPRK 의 'D'를 그대로 따르도록 해도 무방할 것으로 봄.

6. 상기 문제는 아세안 그룹, G-77 등 비공식 협상 그룹 의장직 윤번 순서에 당장 관련이 있음을 첨언함. 끝.

국기국	장관	차관	1차보	2차보	국기국	경제국	외정실	분석관
청와대	안기부	중계						

PAGE 1

91.11.30 12:04
외신 2과 통제관 BD

0017

관리 번호	91-1588

	분류번호	보존기간

발 신 전 보

번 호 : WAV-1395 911204 1540 FL 종별 :

수 신 : 주 오스트리아 대사. ~~총영사~~

발 신 : 장 관(연일)

제 목 : 국명표기

대 : AVW-1584

1. 본부는 유엔가입전 우리의 국명표기를 Korea, R.O.로 하는 방안을 검토하였고, 이를 유엔측과도 협의한 바 있음.

2. 또한 주유엔 남북한 대사간 협의시에도 동문제를 제기코자 하였으나, 북측은(박길연 유엔대사) 유엔사무국을 통하여 "It is better to keep present formula that, I believe, is acceptable to both sides. If one side unilaterally changes it, it will only cause unnecessary friction" 이라는 의견을 통보해 옴에 따라 기존의 국명표기를 일단 그대로 사용키로 결정하였음.

3. 이와관련, 유엔등 국제회의에서의 국명표기 문제는 해당국의 희망에 따른다는 원칙 및 해당국이 하시라도 국명표기를 바꾸는 것이 허용됨을 감안, 남북한의 국명표기 변경문제는 금후 남북한간의 관계개선 추이를 보아가면서 ~~추후 북측과 협의하여 결정코자 함을~~ 재검토 할것임 참고바람. 끝.

19 92. 6. 30. 에 예고문에 의거 일반문서로 재분류됨

(국제기구국장 문동석)

보안 통제	

앙 고 재	91년 12월 4일	유엔1과	기안자 성명		과장	심의관	국장		차관	장관
			[서명]		[서명]	[서명]	전결			[서명]

외신과통제

0018

정 리 보 존 문 서 목 록

기록물종류	일반공문서철	등록번호	2020060112	등록일자	2020-06-25
분류번호	731.12	국가코드		보존기간	영구
명 칭	김대중 신민당 총재의 유엔사무총장 앞 서한 / 남북한 유엔가입 관련, 1991				
생 산 과	국제연합과	생산년도	1991~1991	담당그룹	
내용목차	* 4.25자 김대중 총재 서한, 5.8 유엔사무총장 앞 전달				

0001

가입문제 (국내동향)

報告畢

長官報告事項

1991. 2. 8.

國際機構條約局
國際聯合課 (7)

題目 : 金大中 總裁의 유엔加入問題關聯 言及內容 分析

91.1.30. 金大中 平民黨 總裁의 國會 演說文中 유엔加入問題 關聯 內容을 아래와 같이 報告드립니다.

1. 유엔加入問題 關聯 言及要旨

- o 南北韓은 同數의 代表를 選拔, 聯邦國會와 聯邦政府를 形成하고 유엔에 單一國號로 加入토록 함.
- o 北韓은 유엔同時加入을 永久 分斷이라고 主張하는 사리에 맞지 않은 主張은 抛棄하고 이를 積極的으로 檢討해야 함.
- o 南北韓 유엔同時加入은 贊成하나 單獨加入은 당분간 追求하지 말아야 함. 單獨加入은 北韓 孤立化 政策이 되고, 따라서 南北關係를 파탄으로 이끄는 길임. 繼續 努力하면 北韓의 同時加入 受諾도 可能하다고 봄.

공람	담 당	과 장	국 장	차 관 보	차 관	장 관
	(서명)	(서명)	(서명)			

0002

2. 分析 및 評價 (言及內容上의 問題点)

- 金總裁는 自身이 主張하는 共和國聯邦制가 "1 聯邦 2 獨立政府의 形態로서 南北韓은 現存대로 外交, 國防, 內政에 대한 全權을 가지고 獨立政府로서 國際社會나 國內에서 存在"한다고 하면서 유독 유엔에만 單一國號로 함께 加入해야 한다고 主張함은 矛盾임.
- 我側이 繼續 努力하면 北韓이 同時加入을 受諾할 수 있을 것이라 하나 이는 막연한 推測일뿐, 現在 北韓의 態度로 미루어 볼때 實現 可能性이 稀薄함.
- 또한 "南韓의 單獨加入이 北韓을 孤立化하고 南北關係를 파탄으로 이끄는 길"이라고 하나 이와는 正反對로 我國의 先加入이 北韓의 加入을 促進하게 되어 結局 北韓을 開放으로 誘導하고 南北關係의 安定에도 寄與할 것임.

- 끝 -

0003

1- 2- 7 ;AM10:57 ; F.A.N.U.C 788-3353 ;# 1

FAX.NO: 720-2686

수신: 외무부 유엔과

발신: 국회 외무통일위원회 조사관실

제목: 연설문 송부

페이지수: 2P ~ 26

- [illegible]

- 북한 입장 제하 ([illegible])
  - 공화국연방제 제도下에 연방
  - 1민족 2국가 내정, 외교등 별도로 하게되어 있는데 유엔에서는 함께 가입하자?
  - 영원히 분단 노릇
  - 동시가입 주장은 북측

- 대응
  - 동시가입 추진시 국내적 문제점을 알고 있다
  - 기회있을때마다 홍보에 노력.
  - 고위관계자 방문시 각대표 [illegible] 별 활용

0004

軍事文化를 一掃하고 이 땅에 民主文化를 꽃피우도록 해야 한다. 92년에 들어설 民間民主政府의 最大의 課題 중의 하나가 軍事文化의 척결과 새로운 民主文化의 創造發展일 것이다.

7. 國樂과 東洋畫의 敎育

우리는 國樂과 東洋畫를 國民學校 때부터 敎育시켜서 民族예술을 회복시켜야 한다고 주장한다. 우리 음악은 世界的으로 가장 우수한 음악중의 하나이고 동양화는 서양화 못지 않은 본질적인 우수성을 가지고 있다. 왜 우리가 서양음악과 서양화만 가르쳐야 하는지, 이것은 반드시 시정되어야 한다고 생각한다. 民族藝術을 살리고 키워야 한다.

Ⅳ. 統一·國防·外交부문－共和國聯邦制

1. 統 一

나는 지난 20년동안 統一에 대한 나의 주장으로 인해서 많은 어려움을 겪어야 했다. 그러나 이제 6共和國에 들어서 나의 統一에 관한 모든 주장의 正當性이 政府에 의해서 인정되고 또 현실적으로 실천되고 있는 것을 볼 때 감개무량한 심정을 금할 수 없다.

平和共存, 平和交流, 平和統一의 3段階統一方案은 國務總理가 國會에서 가장 훌륭한 統一方案이라고 찬성한 바 있다. 4대국의 한반도 平和보장은 이제는 하나의 상식이 되어 있고 盧泰愚 大統領이 주상한 6개국 會談은 결국 4대국에다 南北을 합친 것이다. 共産圈과의 通商주장은 이제는 通商만이 아니라 國交까지 하고 있는 실정이다.

共和國聯邦制가 가장 큰 오해와 반대 그리고 박해를 불러 일으켰었다. 北韓의 高麗聯邦制에 동조했다는 것이다. 그러나 高麗聯邦制와 나의 주장은 다르다. 이 점은 國會 外務統一委員會에서 政府의 統一院 長官도 증언한 바 있다. 그는 나의 共和國聯邦制는 누구든지 연구해야 할 훌륭한 方案이라고까지 말했던 것이다.

金日成의 高麗聯邦制는 1聯邦國家와 2自治政府制로서 결국 中央聯邦이 軍事, 外交뿐 아니라 內政의 중요한 부분도 지배하고 그리고 양쪽 共和國은 이제는 일개의 地方政府로 변질하는 것이다. 이것은 美國의 聯邦과 비슷하며, 實現 不可能한 非現實的인 案이다.

그러나 내가 말하는 共和國聯邦制는 1聯邦 2獨立政府의 형태로서 南北의 양쪽 共和國은 현존대로 外交, 國防, 內政에 대한 전권을 그대로 가지고 獨立政府로서 國際社會나 國內에서 존재한다. 그리고 다만 양쪽 共和國은 同數의 대표를 보내가지고

-30-

0006

聯邦國會와 聯邦政府를 형성하는데, 이 聯邦機構의 주임무는 3段階 統一 즉 平和共存, 平和交流, 平和統一의 업무를 주로 관장하고 UN에 單一國號로 가입하는 것이다.

이 案은 實現 可能性이 매우 높은 案으로서 美國 등 世界의 韓國問題 專門家들의 지지를 받고 있다.

지금 南北의 總理會談을 볼 때 不可侵宣言과 交流協力問題가 北韓에 의해서 제기되고 있다. 그런데 北韓이 주장한 不可侵宣言은 원래 74년 朴正熙 大統領이 주장한 것이고 89년에 盧泰愚 大統領이 UN에서 또 주장한 것이다. 따라서 나는 北韓이 交流協力을 받아들인 이 마당에 不可侵宣言과 交流協力을 같이 논의하는 데 우리 政府가 보다 유연한 태도를 취할 필요가 있다고 생각한다.

동시에 北韓도 UN 同時加入을 永久分斷이라고 주장하는 사리에 맞지 않은 주장은 포기하고 이를 적극적으로 검토해야 한다. 그리고 무리한 高麗聯邦制보다는 실현 가능한 방안에 동의해야 한다고 본다.

일부에서는 金日成 主席이 죽지 않으면 統一은 안된다고 말하고 있는데 나는 그 견해를 달리한다. 지금 北韓에서 南北統一 문제에 관해서 어떤 양보나 결단을 내릴 수 있는 권위와 실력을 가지고 있는 사람은 金日成 主席 뿐이다. 따라서 그가 생존해

0007

있는 동안에 統一問題를 해결해야 한다. 또 그는 필생의 소원이 그 나름대로 統一이기 때문에 그는 상당한 양보를 하더라도 統一의 결단을 내릴 수 있는 사람이다.

우리 社會에서 西獨이 東獨을 흡수한 것 같은 獨逸式의 統一方案을 꿈꾸는 사람이 있고 특히 政府내의 상당수의 지도자들이 그런 생각을 하고 있다고 나는 듣고 있다. 그러나 이것은 잘못이다.

하나는 무엇보다도 西獨은 한번도 東獨의 흡수 통합을 주장한 일도 없고 바란 일도 없다. 西獨은 오직 東獨과의 平和的 交流와 共存을 바랬고 또 統一을 요원한 일로 생각해 왔다. 그런데 東獨 사람들이 들고 일어나서 西獨과의 흡수 통합을 주장하고 나선 것이다. 그러기 때문에 統一독일을 위험시한 東西의 어떤 나라도 이것을 반대할 수 없게 된 것이다. 우리도 물론 정황에 따라서 그런 가능성이 전혀 없다고는 볼 수 없다. 그러나 우리가 미리 그러한 방향을 가지고 밀고 나간다면 이것은 北韓에 있어서 開放세력을 궁지로 몰고 南韓과 무력대결을 주장하는 세력에 대해서 강한 입지를 주어서 대단히 위험한 결과를 초래할 가능성이 큰 것이다.

뿐만 아니라 우리는 西獨이 東獨에 대해 가지고 있는 것과 같은 政治, 經濟, 社會의 압도적인 우월성도 가지고 있지 못하고

西獨과 東獨사이에 이루어졌던 40여년에 걸친 交流와 開放을 통한 同質性 回復도 우리에게는 있지 않다. 그렇기 때문에 이러한 政策을 대단히 위험하고 부당하다고 생각한다.

그것보다는 우리는 당장에 우리 일방적으로도 할 수 있는 TV와 라디오의 開放을 해야 한다고 생각한다. 西獨에서도 먼저 開放해서 東獨의 開放을 유도해 냈고 또 이러한 開放이 東獨國民으로 하여금 西獨을 동경하게 하고 흡수통일조차 바라게 한 가장 큰 원인이 되었다는 것을 우리는 알아야 한다.

따라서 政府는 일방적으로라도 TV와 라디오의 開放을 단행해야 한다고 나는 주장한다. 우리 國民은 다소간의 충격쯤은 이겨낼 自淨能力이 있다.

우리 平和民主黨은 北韓 共産政權에 대해서 어떠한 허점도 보이지 않으면서 자신있게 5년내에 제1단계의 共和國聯邦制에 의한 統一을 해 낼 수 있다고 확신한다.

한가지 강조할 것은 政府는 최근 계속해서 北韓과의 사이에 政府高位層등 特使를 주고 받으면서 우리 黨에 대해서는 아무런 설명도 해주지 않고 있는 사실이다. 이래가지고는 頂上會談도 無意味하며 統一에 대한 超黨的인 對應도 있을 수 없다.

-33-

0009

2. 國 防

우리는 南北間의 平和체제가 확립될 때까지 확고한 安保체제를 계속 유지해야 한다고 생각한다. 그러한 의미에서 駐韓美軍도 상당기간 駐在해야 한다는 것이 우리의 입장이다.

그리고 우리는 軍의 중립에 대해서 國民이 신뢰심을 가질 수 있도록 軍의 지휘당국이 책임있고 성실한 태도로 계속적으로 노력해 주기 바란다. 그러한 실증으로서 保安司는 해체되고 과거와 같이 各軍의 독립된 防諜隊에 의해서 방첩 업무가 장악되도록 해야 한다. 그리고 모든 軍搜査機關은 어떠한 경우에도 國民은 물론 특히 軍隊에 있어서의 政治査察도 엄중히 금지되어야 한다. 이런 일이 존재하는 한 軍의 政治的 中立에 대한 國民의 신뢰는 얻을 수 없을 것이고 國民의 신뢰없는 軍隊가 강력한 安保능력을 발휘할 수 없다는 것은 두말할 나위가 없다고 생각한다.

3. 外 交

우리는 外交에 있어서 오랫동안 우리가 꿈꾸어 오던 全方位外交時代가 된 것을 지극히 다행이라고 생각한다. 이것은 물론 時代潮流의 변화, 특히 東구라파나 蘇聯의 변화에 의해서 온 것이기도 하지만, 또 盧政權의 功勞도 인정받아야 한다고 생각한다. 다만 盧政權의 對蘇 접근은 지나치게 성급하고 그로 인해서

0010

友邦국가나 中國과 어려운 문제나 거리가 생긴 것을 우리는 유감스럽게 생각하지 않을 수 없다.

이번에 盧政權이 蘇聯에 대해서 30억불의 經濟협력을 제공하기로 했는데 지금 과연 蘇聯이 이런 거액의 經濟협력을 받아들일 만큼 안정된 태세가 되어 있으며 또 償還문제는 걱정 없는지 묻고 싶다. 그리고 도대체 우리가 그러한 經濟協力을 할만한 實力이 있는지도 의문이다.

특히 現金 借款 10억불은 우리가 외부에서 借款까지 도입하면서 주겠다는 것인데, 이것은 國民 모두가 지나친 處事라고 생각하고 있다. 우리는 國會의 審議과정에서 국민의 뜻에 따라 충분히 논의되어야 한다고 생각한다.

對美관계는 적어도 앞으로 상당히 장기간동안 韓國의 外交의 기본이 되어야 한다고 생각한다. 비록 우리가 4大國의 韓半島 平和보장을 요구하고 있지만 그러나 美國과의 관계는 가장 중요한 기본적인 것으로 굳게 維持하는 것이 우리의 國益과 일치한다고 강조하고 싶다.

우리는 南北韓의 UN 同時加入을 주장하지만 그러나 單獨加入은 당분간 추구하지 말아야 한다고 주장한다. 單獨加入은 北韓 孤立化政策이 되고 따라서 南北관계를 파탄으로 이끄는 길이기 때문이다. 우리가 계속 노력하면 北韓의 同時加入 수락도 충분한

-35-

0011

가능성이 있다고 본다.

마지막으로 주장할 것은 우리가 이제 先進國을 지향하면서 아시아—태평양 時代의 主役이 되고자 하는 마당에 우리가 가져야 할 기본자세에 대해서 이다. 우리는 과거 얼마전까지 우리가 처해 있었던 世界 後進國家의 진정한 벗으로서 그들을 돕고 그들의 발전에 협력해야 한다. 그리하여 그들과 더불어 이 世界에서 平和와 번영을 누릴 수 있는 방향으로 나아가는 나라, 道德的 先進國家를 지향해야 한다고 확신한다.

이런 道德的 先進國을 지향할 때만 우리는 오늘의 世界에 신선한 충격을 주고 훌륭한 공헌을 하게 될 것이다. 우리 國民은 世界 도처에서 사랑과 존경을 받게 될 것이다. 그리고 우리는 우리나라와 世界歷史에 자랑스러운 한 페이지를 남기게 될 것이라고 확신하는 바이다.

〈맺는말〉

1991년 1월 30일
平和民主黨 總裁 金大中

0012

가입문제 (국내동향)

報告畢
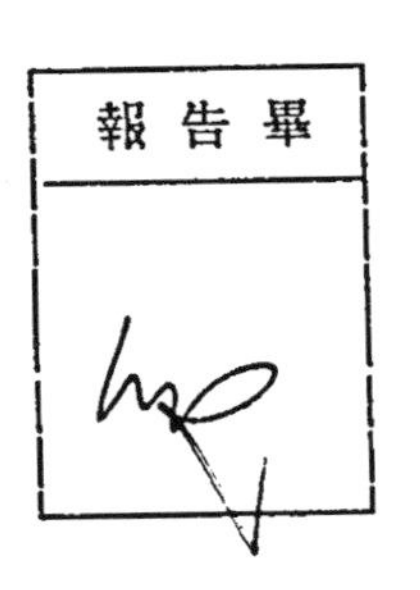

長官報告事項

1991. 2. 8.

國際機構條約局
國際聯合課 (7)

題目 : 金大中 總裁의 유엔加入問題關聯 言及內容 分析

91.1.30. 金大中 平民黨 總裁의 國會 演說文中 유엔加入問題 關聯 內容을 아래와 같이 報告드립니다.

1. 유엔加入問題 關聯 言及要旨

- 南北韓은 同數의 代表를 選拔, 聯邦國會와 聯邦政府를 形成하고 유엔에 單一國號로 加入토록 함.
- 北韓은 유엔同時加入을 永久 分斷이라고 主張하는 사리에 맞지 않은 主張은 拋棄하고 이를 積極的으로 檢討해야 함.
- 南北韓 유엔同時加入은 贊成하나 單獨加入은 당분간 追求하지 말아야 함. 單獨加入은 北韓 孤立化 政策이 되고, 따라서 南北關係를 파탄으로 이끄는 길임. 繼續 努力하면 北韓의 同時加入 受諾도 可能하다고 봄.

2. 分析 및 評價 (言及內容上의 問題点)

- 金總裁는 自身이 主張하는 共和國聯邦制가 "1 聯邦 2 獨立政府의 形態로서 南北韓은 現存대로 外交, 國防, 內政에 대한 全權을 가지고 獨立政府로서 國際社會나 國內에서 存在"한다고 하면서 유독 유엔에만 單一國號로 함께 加入해야 한다고 主張함은 矛盾임.

0013

o 我側이 繼續 努力하면 北韓이 同時加入을 受諾할 수 있을 것이라 하나 이는 막연한 推測일뿐, 現在 北韓의 態度로 미루어 볼때 實現 可能性이 稀薄함.

o 또한 南韓의 單獨加入이 北韓을 孤立化하고 南北關係를 파탄으로 이끄는 길이라고 하나 이와는 正反對로 我國의 先加入이 北韓의 加入을 促進하게 되어 結局 北韓을 開放으로 誘導하고 南北關係의 安定에도 寄與할 것임.

- 끝 -

0014

1. 평민당측의 그간 표명 입장(김대중 총재의 발언내용 중심)

가. 단일의석 가입안에 대한 논평 (90.5.30. 국내일간지)

o 북한 제의 「단일의석 가입안」 긍정적 검토 필요

o "단일의석하 회원국으로 가입은 큰 상징적 의미"

나. 아사히 신문과의 단독 기자회견 (90.7.6)

o 남북이 단일의석으로 유엔에 가입하는 것은 실현성있는 스텝

o "한개 의석으로 유엔가입하는데 찬성"

o "남북이 단일의석으로 유엔에 가입할 경우 수석대표는 1년마다 교대하되, 쌍방의 의견이 일치된 사안에 대해 투표, 합의치 못한 사안은 기권"

o "단일의석 가입이 유엔헌장에 문제가 되면 헌장을 고치거나 남북 대표 기구를 만들면 될것"

o 평화공존(1민족 2국가) - 평화적 교류(1국 2지방정부) - 평화통일 (완전 단일국가)의 3단계 통일론 강조

다. 국회 대표연설 (91.1.30. 국내 일간지)

o 독일식 흡수통일방식은 반대하고, 남북한 유엔동시가입은 찬성하되 단독가입은 반대

라. 아사히 신문과의 단독기자 회견(91.3.7)

o "한국의 단독가입은 남북대화를 악화시킴으로 평민당은 반대임"

- 한국정부의 단독가입 움직임을 비판, 남북쌍방의 합의로 동시 가입을 추진키 위해 미, 일이 영향력을 행사할 것을 요구함.

* 평민당은 그간 단일의석안 지지에서 최근 남북한 동시가입찬성

다 오리이 다드가이에느 게소 바데이자

0015

3/12/91

유엔가입 추진관련
대평민당 홍보대책

1. 평민당측의 그간 표명 입장(김대중 총재의 발언내용 중심)

가. 단일의석 가입안에 대한 논평 (90.5.30. 국내일간지)

o 북한 제의「단일의석 가입안」 긍정적 검토 필요

o "단일의석하 회원국으로 가입은 큰 상징적 의미"

나. 아사히 신문과의 단독 기자회견 (90.7.6)

o 남북이 단일의석으로 유엔에 가입하는 것은 실현성있는 스텝

o "한개 의석으로 유엔가입하는데 찬성"

o "남북이 단일의석으로 유엔에 가입할 경우 수석대표는 1년마다 교대하되, 쌍방의 의견이 일치된 사안에 대해 투표, 합의치 못한 사안은 기권"

o "단일의석 가입이 유엔헌장에 문제가 되면 헌장을 고치거나 남북대표 기구를 만들면 될것"

o 평화공존(1민족 2국가) - 평화적 교류(1국 2지방정부) - 평화통일(완전 단일국가)의 3단계 통일론 강조

0016

다. 국회 대표연설 (91.1.30. 국내 일간지)

o 독일식 흡수통일방식은 반대하고, 남북한 유엔동시가입은 찬성하되 단독가입은 반대

라. 아사히 신문과의 단독기자 회견(91.3.7)

o "한국의 단독가입은 남북대화를 악화시킴으로 평민당은 반대임"

- 한국정부의 단독가입 움직임을 비판, 남북쌍방의 합의로 동시 가입을 추진키 위해 미, 일이 영향력을 행사할 것을 요구함.

* 평민당은 그간 단일의석안 지지에서 최근 남북한 동시가입찬성 단, 우리의 단독가입에는 계속 반대입장

2. 기본추진 방향

o 평민당의 기본입장 변경 유도를 위해 노력하되, 단기적으로는 우리의 유엔가입 정책에 대한 이해를 제고시키는데 역점을 두고 가급적 평민당이 가입문제에 관한 대외발언을 자제해주도록 추진

- 정부의 유엔가입추진 노력 및 현황, 유엔가입 추진입장을 설명

0017

o 그간 김대중 총재의 대외발언 내용을 감안, 우선 당내 주요인사에 대하여 차관 및 국장급에서 관련사항을 설명토록 하고, 이후 적절한 계기에 김총재에게도 설명토록 함.

o 1차 대상자 (안)

1) 외무통일위 소속 : 조승순 의원, 문동환 의원

2) 외무부 관련인사 : 정대철 의원, 최운상 대사

* 우선 문동환의원에 대하여는 차관이 3.13(수) / 3.14(목) 오찬 초대, 설명예정

0018

1. 신민당(평민당)측의 그간 표명 입장 (김대중 총재의 발언내용 중심)

가. 단일의석 가입안에 대한 논평(90.5.30)

o 북한제의「단일의석 가입안」 긍정적 검토 필요

o "단일의석하 회원국으로 가입은 큰 상징적 의미"

나. 아사히 신문과의 단독기자회견 (90.7.6)

o 남북이 단일의석으로 유엔에 가입하는 것은 실현성있는 스텝

o "한개의석으로 유엔가입하는데 찬성"

o "남북이 단일의석으로 유엔에 가입할 경우 수석대표는 1년마다 고대하되, 쌍방의 의견이 일치된 사안에 대해 투표, 합의치 못한 사안은 기권"

o "단일의석 가입이 유엔헌장에 문제가 되면 헌장을 고치거나 남북대표 기구를 만들면 될 것"

다. 국회 대표연설 (91.1.30. 국내일간지)

o 독일식 흡수통일방식은 반대하고, 남북한 유엔동시가입은 찬성하되 단독가입은 반대

라. 아사히 신문과의 단독기자회견(91.3.7)

o "한국의 단독가입은 남북대화를 악화시키므로 평민당은 반대임."

- 한국정부의 단독가입 움직임을 비판, 남북 쌍방의 합의로 동시 가입을 추진키 위해 미, 일이 영향력을 행사할 것을 요구함.

* 신민당(평민당)은 단일의석안 지지입장에서 남북한 동시가입 찬성으로 입장 선회. 단, 우리의 단독가입에는 계속 반대입장.

0013

1. 평민당측의 그간 표명 입장(김대중 총재의 발언내용 중심)

가. 단일의석 가입안에 대한 논평 (90.5.30. 국내일간지)

o 북한 제의「단일의석 가입안」 긍정적 검토 필요

o "단일의석하 회원국으로 가입은 큰 상징적 의미"

나. 아사히 신문과의 단독 기자회견 (90.7.6)

o 남북이 단일의석으로 유엔에 가입하는 것은 실현성있는 스텝

o "한개 의석으로 유엔가입하는데 찬성"

o "남북이 단일의석으로 유엔에 가입할 경우 수석대표는 1년마다 교대하되, 쌍방의 의견이 일치된 사안에 대해 투표, 합의치 못한 사안은 기권"

o "단일의석 가입이 유엔헌장에 문제가 되면 헌장을 고치거나 남북대표 기구를 만들면 될것"

o 평화공존(1민족 2국가) - 평화적 교류(1국 2지방정부) - 평화통일(완전 단일국가)의 3단계 통일론 강조

0020

다. 국회 대표연설 (91.1.30. 국내 일간지)

o 독일식 흡수통일방식은 반대하고, 남북한 유엔동시가입은 찬성하되 단독가입은 반대

라. 아사히 신문과의 단독기자 회견(91.3.7)

o "한국의 단독가입은 남북대화를 악화시킴으로 평민당은 반대임"

- 한국정부의 단독가입 움직임을 비판, 남북쌍방의 합의로 동시 가입을 추진키 위해 미, 일이 영향력을 행사할 것을 요구함.

* 평민당은 그간 단일의석안 지지에서 최근 남북한 동시가입찬성 단, 우리의 단독가입에는 계속 반대입장

0021

* 별 첨 자 료 *

1. 김총재 서한

2. 김총재 서한 관련보도

3. 민자당 대변인 논평

4. 김총재 주요 발언내용

0022

<별첨 1>

엘 페레즈 데 큐엘라 UN 事務總長 閣下

本人은 韓國의 唯一한 野黨인 新民黨을 代表하여 이 書翰을 드리는 榮光을 가지는 바입니다.

먼저 本人은 事務總長께서 國際 紛爭의 平和的 解決을 위하여 세우신 偉大한 功績을 높이 致賀드리는 바이며, 이제는 UN이 名實 共히 平和維持機構로서의 役割을 다하고 있음을 기쁘게 生覺하는 바입니다.

本 書翰의 目的은 韓國의 UN 加入에 關한 野黨의 基本的 立場을 閣下에게 明白히 말씀드리고 이와 關聯하여 閣下의 協力을 要請하는 것입니다.

韓半島는 現在 世界에서도 가장 緊張이 높은 곳입니다. 韓半島의 平和는 東아시아 및 世界 平和에 극히 중요한 것입니다. 本人 新民黨은 南北韓의 UN 加入은 두가지 原則에 기초하여 해결되어야 한다고 생각합니다.

즉 첫째로 南北韓이 함께 UN에 가입되어 7천만 韓民族의 의사가 반영되어야 한다는 것이며, 둘째로는 우리의 UN 加入은 韓半島 平和에 기여해야 한다는 것입니다. 이런 의미에서 大韓民國의 UN 單獨加入은 韓民族으로서는 不完全한 意思表示이며 南北間의 緊張을 강화시켜 韓半島 平和에 否定的인 影響을 끼칠 것입니다. 그러므로 우리는 南北韓의 UN 同時加入이 실현되기를 바라는 바입니다.

한편 南北韓의 UN 同時加入이 分斷의 永久化를 가져온다는 北韓의 주장은 근거가 없는 것입니다. 東西獨과 南北 예멘은 동시에 UN會員國으로 가입되어 있으므

- 1 -

0023

나 결국은 統一되었습니다. 蘇聯은 UKLAINE共和國 및 BYELORUSSIA共和國과 더불어 3개 UN會員國으로 구성되어 있으나 소련이 결코 分斷된 國家는 아닌 것입니다.

따라서 北韓의 주장은 國際的 支持도 받지 못할 뿐더러 理致에도 맞지 않는 것입니다. 本人은 최근 北韓 平壤에서 개최 중인 國際議員연맹(IPU)에 참석하는 우리 黨 代表에게 北韓이 同時加入을 수락하도록 촉구하는 本人의 意思를 전하도록 하였습니다.

本人은 진정한 民主主義의 실현, 人權의 保障 및 統一을 갈망하는 韓國 國民의 絶對多數를 대표하는 新民黨을 대신하여 閣下께 한가지 要請이 있습니다. 그것은 閣下께서 UN安全保障理事會에 要請하여, 특히 5大 常任理事國들을 설득하시어 南北韓이 UN에 同時加入되도록 安保理事會의 명의로 南北韓 代表를 초청하여 주십사 하는 것입니다.

이렇게 함으로써 UN은 그의 普遍性 原則과 世界平和에의 숭고한 理念을 다시한번 펼치게 될 것입니다. 그리고 무엇보다도 北韓으로 하여금 面目을 잃지 않고 UN에 들어올 수 있는 계기를 만들어 줄 것입니다. 이렇게 해도 北韓이 UN 加入의 決斷을 내리지 않을 때는 UN은 당연히 大韓民國만의 加入을 승인할 수 밖에 없을 것입니다.

閣下의 賢明한 判斷을 바라 마지않습니다.

閣下에게 本人의 최고의 敬意를 표하면서,

1991년 4월 25일

新民黨 總裁 金大中

0024

<별첨 2>

(5.3. 조선)

"韓国 유엔 단독加入 반대"

新民 金大中총재, 케야르總長에 서한

5.3 조선

"南北긴장만 악화"

동시가입 노력을 당부

金大中신민당총재는 정부의 年內 유엔단독가입추진과 관련, 하비에르 페레스 데 케야르 유엔사무총장에게 서한을보내 한국의 단독가입에 사실상 반대한다는 입장을 밝히기로했다.

이에따라 신민당은 2일 金총재의 서한을 인편으로 미국에 보냈으며, 이 서한은 訪美중인 趙昇衡의원을 통해 금명간 케야르사무총장에게 전달될 예정이다.

金총재는 이서한에서『대한민국의 유엔단독가입은 한민족으로서는 불완전한 의사표시이며 南北간의 긴장을 강화시켜 한반도평화에 부정적인 영향을 끼칠 것』이라고 단독가입에 사실상 반대의사를 피력한뒤『우리는 곡 南北韓의 유엔동시가입이 실현되기를 바란다』고 말했다.

金총재는 이를 위해『閣下께서 유엔안전보장이사회 이사국들, 특히 5대상임이사국들을 설득해 南北韓이 유엔에 동시가입되도록 安保理事會의 명의로 남북한 정부를 공동초청해달라』고 케야르총장에게 요청했다.

金총재는『이런 방법만이 북한으로 하여금 체면을 잃지않고 유엔에 들어갈수있는 계기를 만들어줄 것』이라고 주장했다.

그는 이어 南北韓의 유엔가입은 양측이 함께 가입해 7천만 한민족의 의사가 반영되어야하고 한반도평화에 기여해야한다는 두가지 원칙아래에서 해결되어야만 한다는 견해를피력했다.

신민당은 남북한의 유엔가입에 대해 단일 国号로 가입하는 것을 원칙으로 하되 잠정적인 南北 동시가입은 가능 하다는 입장을 밝혀왔다.

(5.3. 경향)

金大中총재 유엔단독가입 반대

케야르에 「同時가입」 협력요청

5.3. 경향

金大中新民黨총재는 2일 케야르유엔사무총장에게 南北韓의 유엔 동시가입을 위해 적극적 노력을 기울여달라는 내용의 서한을 발송했다.

金총재는 서한에서『韓國의 유엔단독가입은 남북한의 긴장을 강화시켜 한반도평화에 부정적인 영향을 끼칠것』이라고 한국의 유엔단독가입에 반대하는 黨의입장을 밝혔다.

金총재는 이어 南北韓의 유엔동시가입의 필요성을 설명하고『유엔사무총장이 안보리의 상임이사국들을 설득해 남북한의 동시가입을위해 안보리명의로 남북한 정부를 초청해달라』고 요청했다.

金총재는『그렇게해도 북한이 유엔가입의결단을 내리지않을때는 유엔은 당연히 대한민국만의 가입을승인할수밖에 없을것』이라고 밝혔다.

(5.3. 중앙)

南韓만 유엔가입 평화에 도움안돼

金총재 유엔에 서한

金大中 新民黨총재는 3일 케야르 유엔사무총장에게 5개상임이사국들을 설득해 南北韓이 유엔에 동시가입 신청을 할수있게 해달라는 영문서한을 우편으로 보냈다.

金총재는 서한에서『南北韓의 유엔가입은 南北韓이 공히 유엔에 가입해 7천만 한민족의 의사가 반영되고, 한반도평화에 기여해야하는 두가지 원칙에 기초해야 한다』고 전제,『대한민국의 유엔단독가입은 한민족의 불완전한 의사표시이며 한반도 평화에 부정적인 영향을 끼칠 것』이라고 전했다.

그는 또 北韓의「南北韓 유엔단일의석 가입론」에 대해『유엔동시가입이 한반도의 영구분단을 가져온다는 北韓의 주장은 근거가 없으며 국제적 지지도 받지 못한다』고 반박했다.

民自 "외교혼선" 비난

朴熺太民自黨대변인은3일 金大中新民총재가 케야르유엔사무총장에게 유엔단독가입 반대서한을 제출키로한데대해『외교노선에 혼선을 초래하는것』이라고 비판하고『국가의 목소리가 아닌 정파의 목소리가 외교무대에 공식전달되는 것은 바람직스럽지 못하다』고 말했다.

(5. 3. 국민)

UN단독가입반대

케야르총장에 서한

金大中총재

신민당의 金大中총재는 3일 남북한의 유엔동시가입을 촉구하는 英文서한을 케야르 유엔사무총장에게 보냈다.

金총재는 서한에서「대한민국의 유엔단독가입은 남북한의 긴장을 강화시켜 한반도 평화에 부정적인 영향을 끼칠 것」이라고 밝히고「그러므로 남북한의 유엔동시가입이 실현되기를 바란다」고 강조했다.

金총재는「이같은 의사를 평양IPU총회에 참석중인 신민당대표를 통해 북한측에 전달했다」고 말하고「남북한이 유엔에 동시가입되도록 안보이사회의 명의로 남북한 정부를 초청해달라」고 촉구했다.

金총재는「북한이 유엔에 가입할 수 있는 계기를 만들어 주었는데도 불구하고 결단을 내리지 않을 경우 유엔은 당연히 대한민국만의 가입을 승인할 수밖에 없을것」이라고 덧붙였다.

0025

5.3 한겨

南北韓 유엔同時가입노력 요청

金大中총재, 케야르總長에 서한

金大中 新民黨총재는 2일 케야르 유엔사무총장에게 서한을 보내 남북한의 유엔동시가입을 위해 적극적인 노력을 기울여 줄것을 요청했다.

金총재는 서한에서 『유엔사무총장이 안보리의 상임이사국들을 설득해 남북한의 동시가입을위해 안보리 명의로 남북한정부를 초청해달라』고 요청했다.

金총재는 이어 『그럼에도 북한이 유엔의 가입결정을 내리지 않을때는 유엔은 당연히 대한민국만의 가입을 승인할수밖에 없을것』이라고 밝혔다.

5.3 세계

「同時가입」협력 요청

金총재, 케야르에 서한

金大中신민당총재는 2일 오후 케야르 유엔사무총장에게 南北韓의 유엔동시가입을 위해 적극노력을 기울여 달라는 내용의 서한을 발송했다.

金총재는 서한에서 『한국의 단독 유엔가입이 한반도평화에 부정적 영향을 미치게 될 것이지만 北韓이 유엔가입결단을 내리지 않을 때는 유엔은 당연히 한국만의 가입을 승인할 수밖에 없을 것』이라고 강조했다.

5.3 동아

南北 유엔同時가입 협조를

金大中 新民총재 케야르總長에 서한

新民黨의 金大中총재는 南北韓의 유엔가입문제와 관련, 케야르 유엔사무총장에게 『安保理의 이사국들을 특히 5대상임이사국들을 설득해 南北韓이 유엔에 동시 가입되도록 安保理명의로 南北韓정부를 초청해달라』는 내용의 서한을 3일 발송했다.

金총재는 이같이 南北韓동시가입에 대한 협조를 요청하면서 『大韓民國의 단독가입은 한민족으로서 불완전한 의사표시이며 남북간의 긴장을 강화시켜 한반도평화에 부정적인 영향을 미칠것』이라고 밝혔다.

그는 유엔의 「南北韓정부 초청」방안이 『北韓으로 하여금 체면을 잃지 않고 유엔에 들어올수 있는 계기를 만들어줄 것』이라고 주장했다.

그러나 金총재는 『이같은 기회에도 불구하고 北韓이 유엔가입의 결단을 내리지 않는다면 유엔은 당연히 大韓民國만의 가입을 승인할수 밖에 없을것』이라고 말했다.

5.3 동아

외무부 안도의 한숨

◇…외무부는 3일 金大中新民黨총재가 南韓만의 유엔단독가입에 반대한다는 내용의 서한을 페레스 데 케야르 유엔사무총장앞으로 보내기로 했다는 일부언론의 보도에 한때 적잖게 긴장했었으나 金총재의 서한이 오히려 「南北韓동시가입 또는 동시가입불가능할 경우 韓國만의 先가입」이라는 우리정부의 입장을 지지하는 것으로 밝혀지자 「안도」.

외무부의 한 관계자는 『訪美중인 李相玉외무장관이 지난달29일 케야르 유엔사무총장을 만나 韓國가입의 불가피성을 설명하고 지지를 호소했는데 불과 1주일도 못돼 韓國 제1야당의 총재가 이를 반대한다는 서한을 같은 사람 앞으로 보낸다면 미안이 얼마나 우스워졌겠느냐』며 안도의 한숨.

(5.3. 동아. 5面 餘錄)

0026

770-0213
민주당대외정책조사 민병훈

논평

P.2

금 金大中 신민당 총재가 케야르 UN 사무총장에게 서한을 보내 한국 단독 UN 가입을 반대한다는 의사를 표명했다는 일부 언론 보도 내용에 대해 다음과 같이 우리당 입장을 밝힌다.

同 서한은 세 부분으로 구성되어 있음

▲ 남북한 동시 가입해야 하며 단독가입은 한반도 긴장을 초래할 우려가 있기에 반대함

▲ 남북한 동시가입을 실현시키기 위하여 UN 안보이사회에서 남북한 당국을 동시 초청, 설득해 달라.

▲ 이렇게 해도 북한이 UN 가입 결단을 내리지 않을 경우에는 남한(한국) 단독 가입이 불가피함

이상 세 부분으로 나뉘져 있으나, 전반적

APL 03 '91 17:03 D.J.P.H.Q

①

0027

흐름이 『한국 단독가입 반대』로 비쳐질 소지는 있음.

행여 金총재의 이같은 주장이 정부의 외교방침과 상치되지 않을까 우려스러움.

특히 남북 UN 가입문제를 UN 사무총장을 통하여 상임이사국에 호소하려는 것은 주권국가의 위신을 실추시킬 우려도 있음.

盧大統領이 外交를 잘 한다는 평가를 받고 있으니 金총재도 한번 해 보려는 마음에서 서한을 보낸것이 아닐까 싶음.

그러나 외교는 한 목소리를 내야하며 超黨外交가 세계적 관례이고

国内에서라면 다른 목소리를 내어도 무방하나 国外에서라면 도리어 외교노선에 혼선을 초래함.

따라서 국가장래에 중요한 영향을 미칠 행동을 할 때는 사전에 정부와

②

0028

APL 03 '91 17:02 D.J.P.H.Q

P.1

年 月 日

협의해야 할 것임.

國家의 목소리가 아닌 政派의 목소리가 외교무대에 그대로 공식전달되는 것은 바람직 스럽지 못함.

지금 노대통령이 外交를 잘하고 있으니 金총재는 직접 외교노선에 나서지 않아도 된다는 점을 유념해 주길 당부함.

1991. 5. 3.

민주자유당 대변인 박희태

③

0023

<별첨 4>

김대중총재의 남북관계 발언내용

구 분	내 용
UN가입	o 통일을 위해 남북이 단일의석으로 UN에 가입하는 것은 실천성있는 단계임 o 수석대표 1년 교대, 미합의 사안은 기권, 단일의석 가입에 UN헌장이 문제된다면 헌장을 고치거나 특별한 남북대표기구를 구성하면 될 것임 (90.7.6 일 아사히신문 회견) o UN에의 단독가입은 찬성하지 않으며 남북한 통일회원국으로 가입할 것을 제안함 o 수석대표는 교대하고, 투표는 찬반간에 남북의사가 일치될 때만 행사함 (90.7.7 도봉 을지구당대회 강연시) o 우리는 지난 42년동안 UN에 가입하지 않고도 아무 지장이 없었음 o 우리는 「동시가입」을 하거나 「단일회원국」으로 가입하거나 어느 쪽이든 합의하면 좋다고 생각함 o 그러나 단독가입은 반대함. 이것은 모처럼 열리는 남북간의 화해와 통일의 무드를 선변적으로 깨버릴 것임 o UN단독가입은 결국 북한 고립화 정책인데 그것이 우리민족에게 무슨 도움이 되는가 이렇게 생각함 o 지난번에 연형묵 총리가 왔을때 국회의장이 베푼 만찬석상에서 연총리에게 UN의 동시가입이 영구분단이라는 것은 독일이나 예멘의 예를 봐도 맞지 않다고 얘기했음 (90.11.23 국회연설) o 이달 하순 평양 IPU총회에 참석하는 당 대표단을 통해 남북한 UN동시가입을 촉구하는 당 공식입장을 전달하겠음

1

0030

구 분	내 용
	o 한국만의 UN단독가입은 남북한 영구분단으로 연결될 수 있으므로 이를 반대함 o 북한은 남북한 UN동시가입에 동의해주기 바람 (91.4.9 기자회견) o 대한민국의 UN단독가입은 한민족으로서는 불완전한 의사표시이며 남북간의 긴장을 강화시켜 한반도 평화에 부정적인 영향을 끼칠 것임 o 우리는 꼭 남북한의 UN동시가입이 실현되기를 바람 o 남북한의 UN동시가입이 한반도의 영구분열을 가져온다는 북한의 주장은 근거가 없는 것임 o 본인은 사무총장께서 UN안보리 5 대 상임이사국들을 설득하여 남북한이 UN에 등시가입 되도록 안보리의 명의로 남북한 정부를 초청하여 줄것을 요청하는 바임 o 이렇게 해도 북한이 UN가입의 결단을 내리지 않을 때에는 UN은 당연히 대한민국만의 가입을 승인할수밖에 없을 것임 (91.5.2 UN 사무총장앞 편지<4.25 자>)
통일문제	o 남북한 통일장애요인은 남북한의 현집권자들이 기득권 유지를 고수하려는 반역사적 태도때문 o 현정권이 남북 정상회담에 집착하고 있는 것은 기득권을 보존하기 위한 고육지책이며 이는 통일의 진정한 지름길이 아님 (90.7.5 평민당 통일정책 토론회) o 우선 남북의 현정부를 그대로 둔채 지극히 제한된 권한을 갖는 연방기구를 구성하여 평화공존(1단계) 과 평화교류(2단계) 를 실현한 후 군사·외교권까지 장악하는 중앙 연방정부를 수립, 평화통일(3단계) 을 이룩해야 함

2

0031

구 분	내 용
	o 범국민 민족통일협의회를 구성, 정부의 한민족공동체 통일 방안과 평민당의 공화국 연방제, 기타 재야안까지 포함해 논의한 뒤 단일방안을 마련해 국민투표에 부쳐 과반수 찬성으로 통일방안을 만들어내야 함(90.11.23 국회 당 대표연설) o 김일성의 고려연방제는 비현실적임 o 북한에서 통일문제에 대해 결단을 내릴수 있는 자는 김일성 자신뿐으로, 그가 생존해 있는 동안에 통일문제를 해결해야함 o 안보체제는 남북간 평화체제가 확립될때까지 유지되어야 하며 주한미군도 상당기간 주재해야함 (91.1.30 국회 대표연설) o 73년부터 주장해온 「공화국 연방제」통일방안을 20년이 지난 지금 여러가지 변화를 감안, 이를 다시 정리·발전시켜 평화공존·평화교류·평화통일을 3 원칙으로 하는 「3 원칙 3단계의 통일방안」 (공화국 연합제) 을 제시 o 3 단계 통일방안 내용은 < 1 단계 > - 「1 연합 2 독립정부」형태의 「공화국 연방제」로서 현남북 두공화국이 독립정부로 외교, 국방, 내정의 모든 권한을 유지한채 권한이 제한된 「연합기구」를 구성 - 남북 동수대표로 구성되는 「연합기구」는 「연합의회」와 「연합정부」를 구성, 평화공존을 위한 군사·정치적 조치와 새연합의 이름으로 UN에 단독가입하는 기능 수행 - 「연합기구」의 의결은 남북한 합의제로 함 < 2 단계 > - 「1 연방정부 2 지역자치정부」체제로서 연방정부가 외교·군사권을 전면 장악 및 내정 권한을 가짐

3

0032

구 분	내 용
	- 이는 1 단계의 「공화국 연합제」에서의 상호 신뢰·협력이 증대되면 실현 가능하며 고려연방제도 검토 가능 < 3 단계 > - 통일의 완성조치로 「1 민족 1 정부」체제로 돌입, 분단 국가가 하나의 완전한 통일국가로 됨 (91.4 "공화국 연합제 통일의 제창" 제하 책자)
남북대화 ·교류	o 남북한 TV 및 라디오 상호시청 개방을 제안하며 북한은 이를 적극 수용해 남북간 불신의 벽을 허무는데 협력해야함 (89.11.18 인천남구 갑지구당 개편대회시) o 김일성이 이미 나를 초청해 놓고 있는 만큼 내가 방북하게 될 경우 김일성과의 면담추진 문제등 사전 정비작업을 착실히 준비할 것임 (90.1.13 기자 간담회) o 정부가 승인한다면 금년 상반기중에 몇명의 당 대표를 북한에 파견, 북한 당국 또는 정당 대표들과 접촉할 것임 o 자신의 방북은 당 대표의 방북결과 및 정부의 적극 찬동이 있을 경우 검토 (90.1.18 연두회견시) o 북한의 판문점 북한지역 개방선언과 남북한 교류 제안을 원칙적으로 환영하며 정부의 상응한 조치를 촉구함 o 남북 정상회담을 반대하지는 않으나 정상회담보다는 국민적 레벨의 교류가 더 중요함(90.7.7 도봉 을지구당대회 강연시) o 총리회담은 그 만남으로도 통일과 화해를 향한 큰 기대를 가지며 아무쪼록 큰 성과가 이뤄지기를 기대하며 휴전협정에 대신할 평화협정 체결, 남북간 상호 불가침선언, 단계적 미군 철수와 군축이 진행되어야 함 (90.9.1 당사 기자회견)

4

0033

구 분	내 용
	o 내년초 당대표를 북한에 파견, 그 결과가 남북간의 화해와 통일에 보탬이 된다는 확신이 서면 내년중 직접 북한을 방문할 생각임 o 북측은 우리가 제안한 전면적 교류를 수용해야 하고 우리도 북측이 제안한 불가침선언을 수용해야 함 (90.11.23 국회 당 대표연설) o 남북한 상호 TV 및 라디오개방을 촉구하되, 북한이 이를 수용하지 않을 경우에는 우리만이라도 일방적으로 개방해야 함 (91.1.14 프레스센타 외신기자클럽) o 불가침선언은 74년 박대통령, 89년 노대통령이 먼저 거론한 문제로 남북한 관계진전을 위해 유연히 대처해야 함 o 북한 TV와 라디오를 일방적으로 개방해야 함. 우리 국민은 충분한 자정능력이 있음 (91.1.30 국회 대표연설)
기 타	o 북한측이 남한 공산화를 명시한 당. 규약을 바꾸는 조치를 강구하라고 촉구 o 또한 국가보안법을 폐지하고 "민주질서 수호법" 으로 대체 입법, 안기부법을 개정하여 수사권을 해외정보수집에만 국한하자고 언급 (90.2.27 국회 대표연설) o 북한이 요구하는 한반도 비핵지대화 구상을 긍정적으로 받아들일 필요가 있으며 이것이 실현되지 않는 한 북한이 핵을 만들고 있다는 주장의 정당성에 찬성할 수 없음 (91.3.7 아사히신문 회견)

5

0034

김대중총재의 유엔사무총장앞 서한 관련 민자당 성명

김대중 총재가 유엔사무총장 앞 서한을 통해 한국의 단독유엔가입이 한반도평화에 부정적 영향을 끼칠 것이라고 지적한 것은 우리 정부의 유엔가입 정책을 잘못이해한 결과이다.

우리 정부는 한국만의 단독가입을 추구한 바가 없으며, 다만 한국의 유엔 선가입을 통해 남북한 유엔동시가입을 촉진시키려 하는 것이다.

김총재가 정부 여당과 마찬가지로 남북한의 유엔 동시가입을 바라면서도 남북한의 유엔 동시가입을 위한 한국의 유엔선가입에 반대하는 것은 이점을 충분히 인식하지 못했기 때문이다.

우리 정부는 남북한이 통일될때까지 함께 유엔에 가입할 것을 북한측에 설득해 왔다. 그것은 북한의 남북한 단일의석 유엔가입 주장이 유엔헌장에도 맞지 않고 선례도 없는 비현실적인 것이기 때문이다.

우리가 남북한의 유엔가입을 희망하는 것은 한반도의 평화와 안정을 위한 것이며, 이는 이미 절대다수의 유엔 회원국이 충분히 동감하고 있는 바이다. 이점에 있어서는 김대중 총재도 남북한 유엔가입이 한반도 분단을 영구화 한다는 북한의 주장과 의견을 달리하고 있다.

0035

그럼에도 불구하고 한국의 유엔 선가입이 남북한의 긴장을 악화시킨다고 주장한 것은 한국의 유엔선가입이 북한의 유엔가입을 유도할 것이고 따라서 궁극적으로 한반도의 안정에 도움이 된다는 점을 간과한 것이다.

우리의 유엔선가입 정책은 북한이 우리와 함께 유엔에 가입하지 않을 경우 우리가 먼저 가입하려는 것이며, 결코 북한의 가입을 막자는 것이 아니다. 이러한 뜻에서, 안보리 상임이사국들의 노력으로 남북한의 동시가입이 이루어질 수만 있다면 그보다 다행스러운 일은 없을 것이다.

그러나 만약 신민당이 바라는 바와 같이 유엔사무총장의 노력으로 안보리 상임이사국에 의한 남북한 동시초청이 이루어지지 않는다면 남북한의 유엔가입을 요원하게 하고 한반도의 불안정한 대치상태를 영구화시키는 결과가 된다. 이것은 바로 북한을 도우는 결과가 될 뿐이다.

(우리의) 남북한 유엔가입 문제는 남북한간의 문제이며, 국가주권의 문제이다. 현실적으로 유엔사무총장과 안보리 상임이사국의 역할에는 한계가 있음에도 불구, 유엔사무총장을 통하여 상임이사국에게 남북한간의 문제를 호소하는 것은 한국민의 위신을 실추시키고 한국민의 뜻에 반하는 행위인 것이다.

정치인으로서 우리 국민의 장래에 영향을 미칠 중요한 행동을 취함에 있어 김대중 총재는 응당 사전에 정부와 국민과 협의를 하는 절차를 취했어야 할 것이다.

우리는 김대중 총재가 케야르 사무총장에게 유엔문제 관련 서한을 보낸 것이 야당의 정치지도자로서 사려깊은 행위라고 볼 수 없다.

0036

신민주연합당
The New Democratic Union
TEL.780-5083~9 FAX.782-3740

수신: 유엔과 (723-3509)
참조: 여승배 사무관
발신: 문동환의원실
분량: 3枚

His Excellency
Dr. Javier Perez de Cuellar
Secretary General of the United States
United Nations, N.Y.

April 25, 1991

Excellency:

I have the honor of writing this letter to you in my capacity as President of the New Democratic Party (NDP) which is the only unified opposition party in Korea.

First of all, we wish to express our profound respect and appreciation to you for your great achievement in realizing a peaceful settlement of the Persian Gulf crisis. We are pleased that the United Nations has become a truly effective machinery for keeping peace in the world.

The purpose of this letter is to bring to your personal attention the sincere views of the NDP in regard to Korea's membership in the United Nations and to seek your good offices in this regard.

At present, in the world, the Korean peninsula is a place where tension is still very acute. Peace in Korea is very important not only to East Asia but to the world. In my view, the admission of Korea to the United Nations should be based on two principles: First, the will of 70 million people of Korea must be reflected through simultaneous admission of ROK and DPRK to the United Nations and second, our admission to the United Nations must contribute to the peace in the Korean peninsula. In this sense, the admission of ROK alone to the United Nations is an incomplete expression of the will of the Korean nation and will exercise a negative influence over the peace in the Korean peninsula by heightening the tension between South and North of Korea. Therefore, we desire that both ROK and DPRK should be admitted to the United Nations by all means simultaneously.

On the other hand, the North Korean argument that the simultaneous admission of ROK and DPRK will perpetuate the division of Korea is without foundation. East and West Germany, as well as North and South Yemen were the

0037

'91-05-03 11:14 BG4 P03

Member States of the United Nations at the time [illegible] but were eventually unified. The Soviet Union, along with Ukraine and Byelorussia, holds three seats in the United Nations but is not considered a divided state.

Therefore, the North Korean argument can receive neither the international support nor is [illegible] with reason. I have asked [illegible] delegation, who was going to Pyongyang, North Korea to attend the conference of the Inter-Parliamentary Union (IPU), to convey my message of urging North Korea to [illegible] to the simultaneous admission of Korea to the United Nations.

In [illegible] which represents the [illegible] majority of the Korean people and [illegible] for realization of [illegible] democracy, guarantee of human rights and unification of Korea, I [illegible] the honor to request one favor from you. That is for Your Excellency to [illegible] the Security Council of the United Nations -- particularly, the five permanent members of the Security Council to invite the Governments of ROK and DPRK to apply for simultaneous admission to the United Nations.

In this way, the United Nations will once again propagate its principle of universality of [illegible] and noble ideal of world peace. Above all, it will provide an opportunity for DPRK to enter the United Nations without losing its self-respect. Despite such opportunity being offered, if DPRK still does not render its decision to enter the United Nations, then the United Nations will have no choice but admit ROK to the United Nations.

We are looking forward to your [illegible] in this matter.

Accept, Excellency, the renewed assurances of my highest consideration.

President

The Democratic [illegible]

0038

91- 5- 3 ;AM11:42 ; MOON TONG HWAN, 788-3128 ;# 2

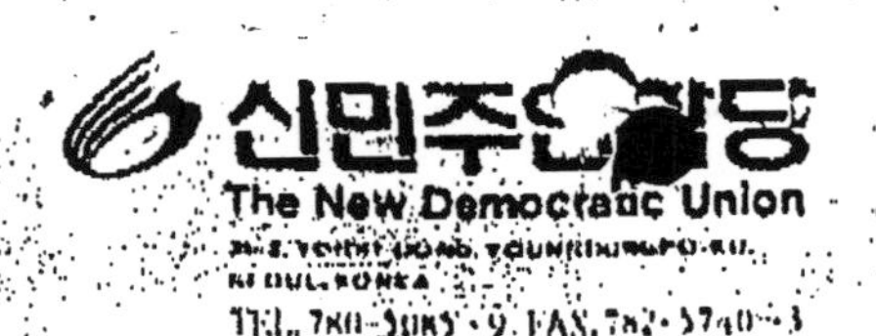

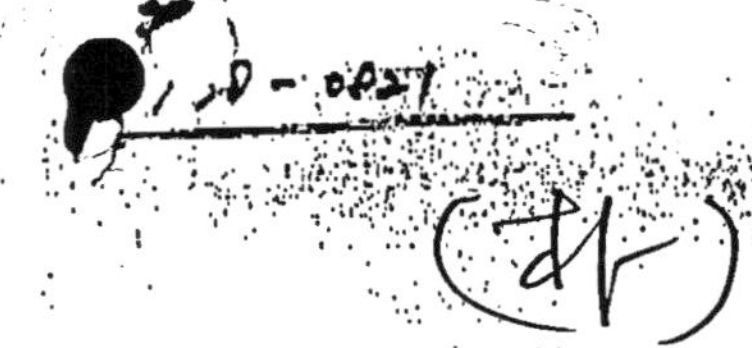

His Excellency
Dr. Javier Perez de Cuellar
Secretary General of the United States
United Nations, N.Y.

April 25, 1991

Excellency:

I have the honor of writing this letter to you in my capacity as President of the New Democratic Party (NDP) which is the only unified opposition party in Korea.

First of all, we wish to express our profound respect and appreciation to you for your great achievement in realizing a peaceful settlement of the Persian Gulf crisis. We are pleased that the United Nations has become a truly effective machinerary for keeping peace in the world.

The purpose of this letter is to bring to your personal attention the sincere views of the NDP in regard to Korea's membership in the United Nations and to seek your good offices in this regard.

At present, in the world, the Korean peninsula is a place where tension is still very acute. Peace in Korea is very important not only to East Asia but to the world. In my view, the admission of Korea to the United Nations should be based on two principles: First, the will of 70 million people of Korea must be reflected through simultaneous admission of ROK and DPRK to the United Nations; and second, our admission to the United Nations must contribute to the peace in the Korean peninsula. In this sense, the admission of ROK alone to the United Nations is an incomplete expression of the will of the Korean nation and will exercise a negative influence over the peace in the Korean peninsula by heightening the tension between South and North of Korea. Therefore, we desire that both ROK and DPRK should be admitted to the United Nations by all means simultaneously.

On the other hand, the North Korean argument that the simultaneous admission of ROK and DPRK will perpetuate the division of Korea is without foundation. East and West Germany, as well as North and South Yemen were the

0039

MAY 04 '91 10:54

P.1

Member States of the United Nations at the same time but were eventually unified. The Soviet Union, along with Uklaine and Byelorussia, holds three seats in the United Nations but is not considered a divided state.

Therefore, the North Korean argument can receive neither the international support nor is consistent with reason. I have asked our NDP delegation, who was going to Pyongyang, North Korea to attend the conference of the Inter-Parliamentary Union (IPU), to convey my message of urging North Korea to agree to the simultaneous admission of Korea to the United Nations.

In the name of the NDP which represents the preponderant majority of the Korean people who long for realization of genuine democracy, guarantee of human rights and unification of Korea, I have the honor to request one favor from you. That is for Your Excellency to persuade the Security Council of the United Ntions -- particularly, the five permanent members of the Security Council to invite the Governments of ROK and DPRK to apply for simultaneous admission to the United Nations.

In this way, the United Nations will once again propagate its principle of universality of membership and noble ideal of world peace. Above all, it will provide an opportunity for DPRK to enter the United Nations without losing its self-respect. Despite such opportunity being offered, if DPRK still does not render its decision to enter the United Nations, then the United Nations will have no choice but admit ROK to the United Nations.

We are looking forward to your sagacious judgment on this matter.

Accept, Excellency, the renewed assurances of my highest consideration.

Kim Dae-jung

Kim Dae-Jung, M.P.
President
New Democratic Party

0040

MAY 04 '91 10:56 P.1

관리 번호	91-417

	분류번호	보존기간

발 신 전 보

번 호 : WUN-1182 910503 1533 CO 종별 :

수 신 : 주 유엔 대사. 총영사

발 신 : 장 관 (국연)

제 목 : 김총재 서한

~~연 : WUN-1184~~

~~연호관련~~, ~~금일~~ 언론보도에 의하면 신민당측은 동 김총재 서한을 인편 또는 우송으로 사무총장에게 전달할 예정이라 하니, 추후 사무국을 적의 접촉 동 서한 전달여부에 관하여 ████ 보고바람. 끝.

(국제기구조약국장 문동석)

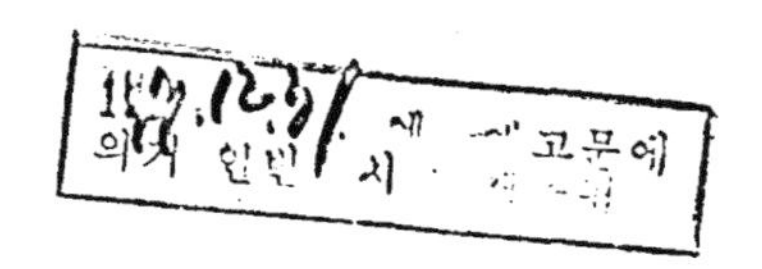

앙고재	91년 5월 3일	유엔과	기안자		과 장		국 장		차 관	장 관
			(서명)		(서명)					(서명)

보안통제	외신과통제
(서명)	

0041

관리 번호	91 - 418

	분류번호	보존기간

발 신 전 보

번　　호 : WAK-0076　　910503 1728　ED　종별 :

수　　신 : 주 장　관 (친전) 대사.총영사　　WUN -1185　WUS -1875 (주알라스카 총영사 경유)

발　　신 : 장차 관　(국연)　　(사본 : 주유엔, 주미대사)

제　　목 : 유엔가입문제 김대중 총재 서한

~~연 : WAK-~~

1. 91.4.25.일자 김대중 총재의 유엔사무총장 앞 서한(별전 1)과 관련, 특히 조선일보의 기사제목 및 취급태도로 문제가 증폭되었으며, 이에 따라 청와대 내에서는 적극 대응방침을 정하고 민자당으로 하여금 "외교에 있어서 특히 대외적으로 한목소리를 내는 것이 좋겠다"는 취지의 논평(별전 2)을 발표토록 한 바 있습니다.

2. 소직은 금일 아침 외교안보보좌관의 전화연락을 받고, 야당총재가 유엔사무총장에게 우리의 대외문제에 대하여 정부측과 사전 협의없이 편지를 직접 보내는 것은 바람직하지 않은 것으로 보지만, 동 편지내용을 볼때, 북한의 단일의석 가입안을 지지해왔던 신민당측이 그동안 외무부의 대신민당소속 의원들에 대한 개별 접촉활동으로 북한의 단일의석 가입안에 대하여는 일체의 언급없이 북한의 분단영구화 논리를 배척한 것은 진일보한 것이며, 특히 안보리에 의한 남북한 동시가입에 북측이 호응치 않을 경우 "유엔은 당연히 대한민국의 가입을 승인할 수 밖에 없을 것"이라고 표명한 것은 북한이 동시가입에 응하지 않을 경우 선가입하겠다는 정부의 입장에 근접해 오고있는 것이라는 점을 설명한 바 있습니다.

/ 계속 /

앙고재	91년 5월 2일	유엔과	기안자		과 장		국 장	1차보	차 관	장 관
			[signature]		[signature]		[signature]	[signature]		

보안통제	외신과통제
[signature]	

0042

3. 혹시 귀국시 공항에서 기자질문이 있을 가능성도 있는 바, 동 경우 "신민당도 북한이 남북한 동시가입에 끝내 응하지 않으면 우리가 먼저 가입할 수 밖에 없다는 점을 이해하고 있는 것으로 알고 있다"고 대응하십이 좋겠습니다.

4. 참고로 그간 신민당측이 유엔가입문제에 보여온 입장은 별첨 3으로 보고드립니다. 끝.

(차 관)

0043

001-1-907-563-0313

TO : Mr. Chung Eui Yong

Rm 1508

Hotel Sheraton

FM : MOFA, Seoul, Korea

제목 : 김대중총재 서한

김대중 총재의 쿠에야르 사무총장 앞 서한관련, 동 서한(국문), 민자당 성명 및 그간 신민당측의 입장(개요)을 별첨 FAX 송부함.

첨부 : 1. 김대중총재 서한

2. 민자당 성명

3. 신민당 입장 (개요). 끝.

(국제기구조약국장 문동석)

0044

하비엘 페레즈 데 큐엘라 UN 事務總長 閣下

本人은 韓國의 唯一한 野黨인 新民黨을 代表하여 이 書翰을 드리는 榮光을 가지는 바입니다.

먼저 本人은 事務總長께서 걸프 戰爭의 平和的 解決을 위하여 세우신 偉大한 功勞에 높이 敬意드리는 바이며, 이제는 UN이 名實 共히 平和維持機構로서의 役割을 다하고 있음을 기쁘게 생각하는 바입니다.

本 書翰의 目的은 韓國의 UN 加入에 關한 新民黨의 黨公式 見解를 閣下에게 傳達드리고 이와 關聯하여 閣下의 協助를 要請하는 것입니다.

韓半島는 現在 世界에서도 가장 緊張이 높은 곳입니다. 韓半島의 平和는 동아시아 및 世界 平和에 극히 중요한 것입니다. 本人 見解로는 南北韓의 UN 加入은 두가지 原則에 기초하여 해결되어야 한다고 생각합니다.

즉 첫째로 南北韓이 함께 UN에 가입되어 7천만 韓民族의 의사가 반영되어야 한다는 것이며, 둘째로는 우리의 UN 加入은 韓半島 平和에 기여해야 한다는 것입니다. 이런 의미에서 大韓民國의 UN 單獨加入은 韓民族으로서는 不幸스런 分斷固定化이며 南北間의 緊張을 강화시켜 韓半島 平和에 否定的인 影響을 끼칠 것입니다. 그러므로 우리는 곧 南北韓의 UN 同時加入이 실현되기를 바라는 바입니다.

한편 南北韓의 UN 同時加入이 分斷固定化의 결과를 가져온다는 北韓의 주장은 근거가 없는 것입니다. 東西獨과 南北 예멘은 동시에 UN會員國으로 가입되어 있으므나 결국은 統一되었습니다. 蘇聯은 UKLAINE共和國 및 BYELORUSSIA共和國과 더불어 3개 UN會員國으로 구성되어 있으나 소련이 결코 分斷된 國家는 아닌 것입니다.

따라서 北韓의 주장은 國際的 支持도 받지 못할 뿐더러 理致에도 맞지 않는 것입니다. 本人은 최근 北韓 平壤에서 개최 중인 國際議會聯盟(IPU)에 참석하는 우리 黨 代表에게 北韓이 同時加入을 수락하도록 촉구하는 本人의 親書를 전하도록 하였습니다.

本人은 진정한 民主主義의 실현, 人權의 保障 및 統一을 갈망하는 韓國 國民의 絶對多數를 대표하는 新民黨을 대신하여 閣下께 한가지 要請이 있습니다. 그것은 閣下께서 UN安全保障理事會에 要請하셔서, 특히 5大 常任理事國들을 설득하시어 南北韓이 UN에 同時加入되도록 安保理事會의 명의로 南北韓 代表를 초청하여 주십사 하는 것입니다.

이렇게 함으로써 UN은 그의 普遍性 原則과 世界平和에의 숭고한 理念을 다시한번 펼치게 될 것입니다. 그리고 무엇보다도 北韓으로 하여금 面目을 잃지 않고 UN에 들어올 수 있는 계기를 만들어 줄 것입니다. 이렇게 해도 北韓이 UN 加入의 決定을 내리지 않을 때는 UN은 당연히 大韓民國만의 加入을 승인할 수 밖에 없을 것입니다.

閣下의 賢明한 判斷을 바라 마지않습니다.

閣下에게 本人의 최고의 敬意를 표하면서,

1991년 4월 25일

新民黨 總裁 金大中

0046

723-3505 (외무부 국제기구 조약국장)

논 평

□ 金大中 신민당 총재가 케야르 UN사무총장에게 서한을 보내 한국 단독 UN가입을 반대한다는 의사를 표명했다는 일부 언론 보도 내용에 대해 다음과 같이 우리당 입장을 밝힌다.

同 서한은 세 부분으로 구성되어 있음

▲ 남북한 동시 가입해야 하며 단독가입은 한반도 긴장을 초래할 우려가 있기에 반대함.

▲ 남북한 동시가입을 실현시키기 위하여 UN 안보이사회에서 남북한 당국을 동시 초청, 설득해 달라.

▲ 이렇게 해도 북한이 UN가입 결단을 내리지 않을 경우에는 남한(한국) 단독 가입이 불가피함.

이상 세 부분으로 나뉘져 있으나 전반적

①

0047

APL 03 '91 12:58 D.J.P.H.Q

흐름이 『한국 단독가입 반대』로 비쳐질 소지는 있음.

행여 金총재의 이같은 주장이 정부의 외교방침과 상치되지 않을까 우려스러움.

특히 남북 UN 가입문제를 UN 사무총장을 통하여 상임이사국에 호소하려는 것은 주권국가의 위신을 실추시킬 우려도 있음.

盧大統領이 外交를 잘 한다는 평가를 받고 있으니 金총재도 한번 해 보려는 마음에서 서한을 보낸것이 아닌가 싶음.

그러나 외교는 한 목소리를 내야하며 超黨外交가 세계적 관례이고,

国内에서라면 다른 목소리를 내어도 무방하나 国外에서라면 도리어 외교노선에 혼선을 초래함.

따라서 국가장래에 중요한 영향을 미칠 행동을 할 때는 사전에 정부와

②

P.1

0048

3 '91 13:00 D.J.P.H.Q P.2

年 月 日

협의해야 할 것임.

國家의 목소리가 아닌 政派의 목소리가 외교무대에 그대로 공식전달되는 것은 바람직스럽지 못함.

지금 노대통령이 外交를 잘하고 있으니 金총재는 직접 외교일선에 나서지 않아도 된다는 점을 유념해 주길 당부함.

1991. 5. 3.

민주자유당 대변인 박희태

③

0049

김대중총재의 유엔사무총장앞 서한 관련 민자당 성명

김대중 총재가 유엔사무총장 앞 서한을 통해 한국의 단독유엔가입이 한반도평화에 부정적 영향을 끼칠 것이라고 지적한 것은 우리 정부의 유엔가입 정책을 잘못이해한 결과이다.

우리 정부는 한국만의 단독가입을 추구한 바가 없으며, 다만 한국의 유엔 선가입을 통해 남북한 유엔동시가입을 촉진시키려 하는 것이다.

김총재가 정부 여당과 마찬가지로 남북한의 유엔 동시 가입을 바라면서도 남북한의 유엔 동시가입을 위한 한국의 유엔선가입에 반대하는 것은 이점을 충분히 인식하지 못했기 때문이다.

우리 정부는 남북한이 통일될때까지 함께 유엔에 가입할 것을 북한측에 설득해 왔다. 그것은 북한의 남북한 단일의석 유엔가입 주장이 유엔헌장에도 맞지 않고 선례도 없는 비현실적인 것이기 때문이다.

우리가 남북한의 유엔가입을 희망하는 것은 한반도의 평화와 안정을 위한 것이며, 이는 이미 절대다수의 유엔 회원국이 충분히 동감하고 있는 바이다. 이점에 있어서는 김대중 총재도 남북한 유엔가입이 한반도 분단을 영구화 한다는 북한의 주장과 의견을 달리하고 있다.

0050

그럼에도 불구하고 한국의 유엔 선가입이 남북한의 긴장을 악화시킨다고 주장한 것은 한국의 유엔선가입이 북한의 유엔가입을 유도할 것이고 따라서 궁극적으로 한반도의 안정에 도움이 된다는 점을 간과한 것이다.

우리의 유엔선가입 정책은 북한이 우리와 함께 유엔에 가입하지 않을 경우 우리가 먼저 가입하려는 것이며, 결코 북한의 가입을 막자는 것이 아니다. 이러한 뜻에서, 안보리 상임이사국들의 노력으로 남북한의 동시가입이 이루어질 수만 있다면 그보다 다행스러운 일은 없을 것이다.

그러나 만약 신민당이 바라는 바와 같이 유엔사무총장의 노력으로 안보리 상임이사국에 의한 남북한 동시초청이 이루어지지 않는다면 남북한의 유엔가입을 요원하게 하고 한반도의 불안정한 대치상태를 영구화시키는 결과가 된다. 이것은 바로 북한을 도우는 결과가 될 뿐이다.

남북한 유엔가입 문제는 남북한간의 문제이며, 국가주권의 문제이다. 현실적으로 유엔사무총장과 안보리 상임이사국의 역할에는 한계가 있음에도 불구, 유엔사무총장을 통하여 상임이사국에게 남북한간의 문제를 호소하는 것은 한국민의 위신을 실추시키고 한국민의 뜻에 반하는 행위인 것이다.

정치인으로서 우리 국민의 장래에 영향을 미칠 중요한 행동을 취함에 있어 김대중 총재는 응당 사전에 정부와 국민과 협의를 하는 절차를 취했어야 할 것이다.

우리는 김대중 총재가 케야르 사무총장에게 유엔문제 관련 서한을 보낸 것이 야당의 정치지도자로서 사려깊은 행위라고 볼 수 없다.

0051

분류번호	보존기간

발 신 전 보

번 호 : WUN-1190 910503 1844 ED 종별 :

수 신 : 주 장 관 : 대사. 총영사 (주알라스카 총영사 경유) WUS-1878 / 주유엔, 주미대사

발 신 : 장 관 대리 (국연)

제 목 : 김대중 총재 서한

연 : WUN-1184, WUS-1874

연호 김대중총재의 쿠에야르 사무총장 앞 서한관련, 동 서한(국문), 민자당 성명 및 그간 신민당측의 입장(개요)을 별첨 FAX 송부함.

첨 부 : 1. 김총재 서한

2. 민자당 성명

3. 신민당 입장(개요). 끝.

(국제기구조약국장 문동석)

WUN(F)-[illegible], WUS(F)-279

보안 통제	

앙고재	91년 5월 3일	유엔 과	기안자 성명		과 장		국 장		차 관	장 관

외신과통제

0052

WUN(F)-55, WUS(F)-278

하이엘 페레즈 데 큐엘라 유엔사무총장 각하

본인은 한국의 유일한 야당인 신민당을 대표하여 이 서한을 드리는 영광을 가지는 바입니다.

먼저 본인은 사무총장께서 걸프전쟁의 평화적 해결을 위하여 세우신 위대한 공로를 높이 치하드리는 바이며, 이제는 유엔이 명실공히 평화유지기구로서의 역할을 다 하고 있음을 기쁘게 생각하는 바입니다.

본 서한의 목적은 한국의 유엔가입에 관한 신민당의 성실한 견해를 각하에게 직접 말씀드리고 이와 관련하여 각하의 선처를 요청하는 것입니다.

한반도는 현재 세계에서도 가장 긴장이 심한 곳입니다. 한반도의 평화는 동아시아 및 세계 평화에 극히 중요한 것입니다. 본인 견해로는 남북한의 유엔 가입은 두가지 원칙에 기초하여 해결되어야 한다고 생각합니다.

즉 첫째로 남북한이 공히 유엔에 가입되어 7천만 한민족의 의사가 반영되어야 한다는 것이며, 둘째로는 우리의 유엔가입은 한반도 평화에 기여해야 한다는 것입니다. 이런 의미에서 대한민국의 유엔 단독가입은 한민족으로서는 불완전한 의사표시이며 남북간의 긴장을 강화시켜 한반도 평화에 부정적인 영향을 끼칠 것입니다. 그러므로 우리는 꼭 남북한의 유엔 동시가입이 실현되기를 바라는 바입니다.

한편, 남북한의 유엔 동시가입이 한반도의 영구분단을 가져온다는 북한의 주장은 근거가 없는 것입니다. 동.서독과 남북.예멘은 동시에 유엔회원국으로 가입되어 있었으나, 결국은 통일되었습니다. 소련은 UKLAINE공화국 및 BYELO-RUSSIA공화국과 더불어 3개 유엔회원국으로 구성되어 있으나 소련이 결코 분단된 국가는 아닌 것입니다.

0053

따라서 북한의 주장은 국제적 지지도 받지 못할 뿐더러 이치에도 맞지 않는 것입니다. 본인은 최근 북한 평양에서 개최중인 국제의원연맹(IPU)에 참석하는 우리당 대표에게 북한이 동시가입을 수락하도록 촉구하는 본인의 의사를 전하도록 하였습니다.

본인은 진정한 민주주의의 실현, 인권의 보장 및 통일을 갈망하는 한국국민의 절대다수를 대표하는 신민당을 대신하여 한가지 요청이 있습니다. 그 것은 각하께서 유엔안전보장이사회에 이사국들, 특히 5대 상임이사국들을 설득하시어 남북한이 유엔에 동시가입되도록 안보이사회의 명의로 남북한 정부를 초청하여 주십사하는 것입니다.

이렇게 함으로써 유엔은 그의 보편성원칙과 세계평화에의 숭고한 이념을 다시 한번 펼치게 될 것입니다. 그리고 무엇보다도 북한으로 하여금 체면을 잃지 않고 유엔에 들어올 수 있는 계기를 만들어 줄 것입니다. 이렇게 해도 북한이 유엔가입의 결단을 내리지 않을 때는 유엔은 당연히 대한민국만의 가입을 승인할 수 밖에 없을 것입니다.

각하의 현명한 판단을 바라마지 않습니다.

각하에게 본인의 최고의 경의를 표하면서

1991년 4월 25일

신민당총재 김대중

0054

논 평

「김대중 신민당 총재가 케야르 유엔사무총장에게 서한을 보내 한국 단독 유엔가입을 반대한다는 의사를 표명했다」는 일부 언론보도 내용에 대해 다음과 같이 우리당 입장을 밝힌다.

동 서한은 세 부분으로 구성되어 있음.

1. 남북한 동시가입해야 하며 단독가입은 한반도 긴장을 초래할 우려가 있기에 반대함.
2. 남북한 동시가입을 실현시키기 위하여 유엔안보이사회에서 남북한 당국을 동시초청, 설득해 달라.
3. 이렇게 해도 북한이 유엔가입 결단을 내리지 않을 경우에는 남한(한국) 단독가입이 불가피함.

이상 세 부분으로 나뉘져 있으나 전반적 흐름이「한국 단독가입 반대」로 비쳐질 소지는 있음.

행여 김총재의 이같은 주장이 정부의 외교방침과 상치되지 않을까 우려스러움. 특히 남북 유엔가입 문제를 유엔사무총장을 통하여 상임이사국에 호소하려는 것은 주권국가의 위신을 실추시킬 우려도 있음.

노대통령이 외교를 잘 한다는 평가를 받고 있으니 김총재도 한번 해보려는 마음에서 서한을 보낸것이 아닐까 싶음.

그러나 외교는 한 목소리를 내야하며 초당외교가 세계적 관례이고, 국내에서라면 다른 목소리를 내어도 무방하나 국외에서라면 도리어 외교노선에 혼선을 초래함. 따라서 국가장래에 중요한 영향을 미칠 행동을 할때는 사전에 정부와 협의해야 할 것임.

0055

국가의 목소리가 아닌 정파의 목소리가 외교무대에 그대로 공식 전달되는 것은 바람직스럽지 못함.

지금 노대통령이 외교를 잘하고 있으니 김총재는 직접 외교일선에 나서지 않아도 된다는 점을 유념해 주길 당부함.

1991. 5. 3.

민주자유당 대변인 박 희 태

0056

공 란

공 란

공 란

김대중 신민당총재의 유엔사무총장앞 서한에 관한 검토

91.5.3.
여권국

1. 외교권의 정의

o 국가목적의 적극적 실현을 위하여 국가가 대외적으로 활동을 수행하는 권한임.

o 동 권한은 대외적 접촉, 교섭, 합의의 형태로 대통령과 그 권한을 위임 받은 외무부 및 외교사절의 주도하에 또는 동 기관의 통제조정하에 이루어지는 일체의 활동에 대한 것임.

2. 외교권의 행사 및 견제

o 외교권은 대통령을 수반으로 하는 행정부에 속하며(헌법 제66조) 따라서 국회 또는 민간차원의 대외활동도 원칙적으로 정부와의 사전협의 조정 또는 통제를 거쳐 수행되어야 함.

o 국회는 삼권분립상 견제와 균형의 측면에서 행정부의 외교권 행사에 대한 견제권 내지 영향력만을 행사할 수 있음.

- 즉 국회는 조약체결에 대한 비준동의권, 군파견 및 외국군 주류에 대한 동의권과 예산심의권등을 통하여 외교정책 수행에 국회의 의사를 반영할 수 있음.
- 국회교섭단체인 신민당도 상기 권한의 범위내에서 행정부의 외교권 행사에 대하여 견제권 내지 영향력을 행사할 수 있음.

0060

3. 김총재 서한의 외교권 침해여부

가. 형식

o 김총재의 서한은 자연인 김대중으로서 자연인 케야르에 대한 사신이 아닌 국회법상 교섭단체인 신민당의 대표자격으로 유엔을 대표하는 사무총장에 대한 공한의 형태를 취하고 있음.

o 국회의 외교에 대한 권한은 어디까지나 정부에 대한 견제의 차원에서 국회를 통하여 행해져야 함에 비추어 김총재의 유엔사무총장에 대한 직접 서신발송 행위는 정상적인 대정부견제 방식을 일탈한 것임.

나. 내용

o 동 서한의 내용도 단순한 견해의 표명을 벗어나 정부의 대유엔 정책에 혼선을 초래할 수 있는 구체적인 조치를 유엔사무총장에게 요청하고 있다는 점에서 국회교섭단체가 가질 수 있는 외교에 대한 견제의 범주를 벗어남.

4. 대처방안

o 김총재의 서한은 그 형식이나 내용면에서 정부의 외교권에 대한 정상적인 견제방식을 일탈한 것은 사실이나 야당총재의 정치적인 행위로서 현행법상 이같은 행위를 방지할 수 있는 실효적인 장치가 마련되어 있지 않아 법적인 대응은 어렵다고 봄.

o 행정부의 외교권행사에 대한 침해 측면을 지나치게 강조할 경우에는 오히려 서한의 비중만 높이는 결과를 초래할 것으로 우려되므로 조용한 가운데 동 서한의 의미를 축소하는 방향으로 처리하는 것이 바람직할 것으로 봄.

0061

외교권에 관한 헌법상 조항

1. 대통령의 외교권 행사

제66조

① 대통령은 국가의 원수이며, 외국에 대하여 국가를 대표한다

② 대통령은 국가의 독립 · 영토의 보전 · 국가의 계속성과 헌법을 수호할 책무를 진다.

③ 대통령은 조국의 평화적 통일을 위하여 성실한 의무를 진다.

④ 행정권은 대통령을 수반으로 하는 정부에 속한다.

제72조

대통령은 필요하다고 인정할 때에는 외교 · 국방 · 통일 · 기타 국가안위에 관한 중요정책을 국민투표에 붙일 수 있다.

제73조

대통령은 조약을 체결 · 비준하고, 외교사절을 신임, 접수 또는 파견하며, 선전포고와 강화를 한다.

2. 국회의 행정부 외교권행사에 대한 견제권

제54조

① 국회는 국가의 예산안을 심의 · 확정한다.

제60조

① 국회는 상호원조 또는 안전보장에 관한 조약, 중요한 국제조직에 관한 조약, 우호통상항해조약, 주권의 제약에 관한 조약, 강화조약, 국가나 국민에게 중대한 재정적 부담을 지우는 조약 또는 입법사항에 관한 조약의 체결 · 비준에 대한 동의권을 가진다.

0062

제61조

① 국회는 국정을 감사하거나 특정한 국정사안에 대하여 조사할 수 있으며, 이에 필요한 서류의 제출 또는 증인의 출석과 증언이나 의견의 진술을 요구 할 수 있다.

0063

관리 번호	91 -421

원 본

외 무 부

종 별 :

번 호 : UNW-1134 일 시 : 91 0503 1830

수 신 : 장관(국연,기정)

발 신 : 주 유엔 대사

제 목 : 김대중총재 서한

대:WUN-1182

1. 유엔사무국에 확인한바, 금 3 일 오후 현재 대호 서한은 유엔에 전달되지 않았다함.

2. 사무국 관계관에 의하면 4.29 조승형 의원이 워싱톤에서 FAX 로 사무총장 면담을 신청하였으나, 사무총장실에서는 총장의 바쁜 일정으로 이를 DE SOTO 특별보좌관실로 이첩하였으며, 동 보좌관도 바쁜 일정으로 면담이곤란하여, 조 의원이 괜찮다면 동 보좌관실 산하 정보연구 수집실의 아프리카. 아시아 담당 KAPUNGU 과장 (CHIEF, AFRICA AND ASIA DATA UNIT) 으로 하여금 면담하도록 조처하였으나 조 의원으로 부터 아직 아무런 연락이 없는 상태라함.

3. 한편 당관이 알아본바에 의하면, 조 의원은 당초 명 5.4. 당지출발 예정을 바꾸어 5.6. 출발예정이라함. 끝

(대사 노창희-국장)

예고:91.12.31 까지

국기국 차관 1차보 2차보 청와대 안기부

PAGE 1

91.05.04 09:36

외신 2과 통제관 BW

0064

조 선 일 보

1991. 5. 3. 금, 1면

"韓国 유엔 단독加入 반대"

新民 金大中총재, 케야르總長에 서한

"南北긴장만 악화"

동시가입 노력을 당부

金大中신민당총재는 정부의 年內 유엔단독가입추진과 관련, 하비에르 페레스 데 케야르 유엔사무총장에게 서한을보내 한국의 단독가입에 사실상 반대한다는 입장을 밝히기로했다.

이에따라 신민당은 2일 金총재의 서한을 인편으로 미국에 보냈으며, 이 서한은 訪美중인 趙昇衡의원을 통해 금명간 케야르사무총장에게 전달될 예정이다.

金총재는 이서한에서『대한민국의 유엔단독가입은 한민족으로서는 불완전한 의사표시이며 南北간의 긴장을 강화시켜 한반도평화에 부정적인 영향을 끼칠 것』이라고 단독가입에 사실상 반대의사를 피력한뒤 『우리는 꼭 南北韓의 유엔 동시가입이 실현되기를 바란다』고 말했다.

金총재는 이를 위해 『閣下께서 유엔안전보장이사회 이사국들, 특히 5대상임이사국들을 설득해 南北韓이 유엔에 동시가입되도록 安保理事會의 명의로 남북한 정부를 공동초청해달라』고 케야르총장에게 요청했다.

金총재는『이런 방법만이 북한으로 하여금 체면을 잃지않고 유엔에 들어갈수있는 계기를 만들어줄 것』이라고 주장했다.

그는 이어 南北韓의 유엔가입은 양측이 함께 가입해 7천만 한민족의 의사가 반영되어야하고 한반도평화에 기여해야한다는 두가지 원칙아래에서 해결되어야만 한다는 견해를피력했다.

신민당은 남북한의 유엔가입에 대해 단일 國号로 가입하는 것을 원칙으로 하되 잠정적인 南北 동시가입은 가능하다는 입장을 밝혀왔다.

0065

경 향 신 문

1991. 5. 3.금, 1면

金大中총재 유엔단독가입 반대

케야르에 「同時가입」 협력요청

金大中新民黨총재는 2일 케야르유엔사무총장에게 南北韓의 유엔 동시가입을 위해 적극적노력을기울여달라는 내용의 서한을 발송했다.

金총재는 서한에서 「韓國의 유엔단독가입은 남북한의 긴장을 강화시켜 한반도평화에 부정적인 영향을 끼칠것」이라고 한국의 유엔단독가입에 반대하는 黨의입장을 밝혔다.

金총재는 이어 南北韓의 유엔동시가입의 필요성을 설명하고 「유엔사무총장이 안보리의 상임이사국들을 설득해 남북한의 동시가입을위해 안보리명의로 남북한 정부를 초청해달라」고 요청했다.

金총재는 「그렇게해도 북한이 유엔가입의결단을 내리지않을때는 유엔은 당연히 대한민국만의 가입을승인할수밖에 없을것」이라고 밝혔다.

한 국 일 보

1991. 5. 3.금, 2면

南北韓 유엔同時가입노력 요청

金大中총재, 케야르總長에 서한

金大中 新民黨총재는 2일 케야르 유엔사무총장에게 서한을 보내 남북한의 유엔동시가입을 위해 적극적인 노력을 기울여 줄것을 요청했다.

金총재는 서한에서 「유엔사무총장이 안보리의 상임이사국들을 설득해 남북한의 동시가입을 위해 안보리 명의로 남북한정부를 초청해달라」고 요청했다.

金총재는 이어 「그렇게해도 북한이 유엔의 가입결정을 내리지 않을때는 유엔은 당연히 대한민국만의가입을 승인할수밖에 없을것」이라고 밝혔다.

서 울 신 문

1991. 5. 3.금, 1면

유엔 동시加入 협조

케야르總長에 서한

金大中총재

新民黨 金大中총재는 2일 오후 케야르 유엔사무총장에게 南北韓 유엔동시가입을 위해 안보리 상임이사국들을 설득해달라는 내용의 서한을 발송했다.

세 계 일 보

1991. 5. 3.금, 2면

「同時가입」 협력 요청

金총재, 케야르에 서한

金大中신민당총재는 2일 오후 케야르 유엔사무총장에게 南北韓의 유엔동시가입을 위해 적극노력을 기울여 달라는 내용의 서한을 발송했다.

金총재는 서한에서 「한국의 단독 유엔가입이 한반도평화에 부정적 영향을 미치게 될 것이지만 北韓이 유엔가입결단을 내리지 않을 때는 유엔은 당연히 한국만의 가입을 승인할 수밖에 없을 것」이라고 강조했다.

0066

동 아 일 보

1991. 5. 3. 금, 1면

南北 유엔同時가입 협조를

金大中 新民총재, 케야르總長에 서한

新民黨의 金大中총재는 南北韓의 유엔가입문제와 관련, 케야르 유엔사무총장에게 『安保理의 이사국들 특히 5대상임이사국들을 설득해 南北韓이 유엔에 동시 가입되도록 安保理명의로 南北韓정부를 초청해달라』는 내용의 서한을 3일 발송했다.

金총재는 이같이 南北韓 동시가입에 대한 협조를 요청하면서 『大韓民國의 단독가입은 한민족으로서 不완전한 의사표시이며 남북간의 긴장을 강화시켜 한반도평화에 부정적인 영향을 미칠것』이라고 밝혔다.

그는 유엔의 「南北韓 정부 초청」방안이 『北韓으로 하여금 체면을 잃지 않고 유엔에 들어올수 있는 계기를 만들어줄 것』이라고 주장했다.

그러나 金총재는 『이같은 기회에도 불구하고 北韓이 유엔가입의 결단을 내리지 않는다면 유엔은 당연히 大韓民國만의 가입을 승인할수 밖에 없을것』이라고 말했다.

중 앙 일 보

1991. 5. 3. 금, 1면

南韓만 유엔가입 평화에 도움안돼

金총재 유엔에 서한

金大中 新民黨총재는 3일 케야르 유엔사무총장에게 5개상임이사국들을 설득해 南北韓이 유엔에 동시가입 신청을 할수있게 해달라는 영문서한을 우편으로 보냈다.

金총재는 서한에서 『南北韓의 유엔가입은 南北韓이 공히 유엔에 가입해 7천만 한민족의 의사가 반영되고, 한반도평화에 기여해야한다는 두가지 원칙에 기초해야 한다』고 전제, 『대한민국의 유엔단독가입은 한민족의 불완전한 의사표시이며 한반도 평화에 부정적인 영향을 끼칠 것』이라고 전했다.

그는 또 北韓의 「南北韓 유엔단일의석 가입론」에 대해 『유엔동시가입이 한반도의 영구분단을 가져온다는 北韓의 주장은 근거가 없으며 국제적 지지도 받지 못한다』고 반박했다.

0067

報告畢

長官報告事項

1991. 5. 4.

國際機構條約局
國際聯合課 (23)

題目 : 金大中總裁 書翰關聯 對策會議 結果

金大中 新民黨總裁의 유엔事務總長 앞 書翰發送과 관련 91.5.4(土) 青瓦臺 김학준 政策調査補佐官 主宰로 열린 關係部處 對策會議 結果를 아래 報告합니다.

1. 書翰內容上 問題点

- 書翰內容中 問題部分과 관련 政府次元(外務部)에서는 이를 浮刻시키지 않~~는 것이 바람직하므로,~~
- ~~詳細內容에 대한~~ 公開的이고 直接的인 對處는 止揚하고, 新民黨과의 非公式 接觸을 통해 ~~理解를 誘導하는 선에서~~ 對處토록 함.

2. 書翰發送 行態上 問題点

- 金總裁가 政府와 事前 協議없이 유엔事務總長에게 書翰을 보낸 行態에 대해서는 言論 또는 外廓團體를 통하여 批判 雰圍氣 造成
  - 自由總聯盟, 以北 5道民會等 活用

공람	담당	과장	국장	차관보	차관	장관
	[signature]	[signature]	[signature]			

0068

ㅇ 同 行態를 批判하는 學者 名義의 時論 또는 言論社說 揭載는 外務部가 推進

- 靑瓦臺側 要請事項

3. 國內弘報 強化

ㅇ 유엔加入問題에 관한 國內弘報를 段階的으로 계속 強化

- 民自黨 뉴스背景資料, 公報處 發刊 國政뉴스資料等을 통하여도 적절히 弘報

- 對政府 批判的 視覺을 公開的으로 表明하는 民自黨人士 (황병태, 이상회 의원)에 대해서는 靑瓦臺 政務首席室에서 적의 措置

ㅇ TV 討論會 開催는 오히려 否定的 側面이 실제보다 浮刻될 소지가 있으므로 推進하지 않기로 함.

* 會議槪要

- 日時 및 場所 : 91.5.4(土) 10:00-11:00, 靑瓦臺

- 參 席 者 : 김학준 靑瓦臺 政策調査補佐官(主宰)
  靑瓦臺 政務, 外交安保, 弘報祕書官,
  外務部 國際機構條約局長,
  ██████ 統一院 政策企劃官,
  公報處 弘報企劃官, 民自黨 代辯人室 部長

- 끝 -

0069

長 官 報 告 事 項

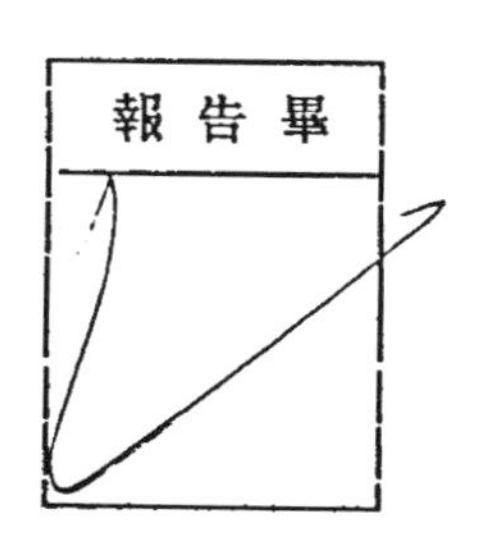

1991. 5. 4.

國際機構條約局
國際聯合課 (23)

題目 : 金大中總裁 書翰關聯 對策會議 結果

金大中 新民黨總裁의 유엔事務總長 앞 書翰發送과 관련 91.5.4(土) 青瓦臺 김학준 政策調査補佐官 主宰로 열린 關係部處 對策會議 結果를 아래 報告합니다.

1. 書翰內容上 問題点

- 書翰內容中 問題部分과 관련 政府次元(外務部)에서는 이를 浮刻시키지 않으며,
- 公開的이고 直接的인 對處는 止揚하고, 新民黨과의 非公式 接觸을 통해 政府立場에 대한 보다 깊은 理解를 誘導하는 선에서 對處토록 함.

2. 書翰發送 行態上 問題点

- 金總裁가 政府와 事前 協議없이 유엔事務總長에게 書翰을 보낸 行態에 대해서는 言論 또는 外廓團體를 통하여 批判 雰圍氣 造成
  - 關聯部處에서 自由總聯盟, 以北 5道民會等 活用
- 同 行態를 批判하는 學者 名義의 時論 또는 言論社說 揭載는 外務部가 推進
  - 青瓦臺側 要請事項

0070

3. 國內弘報 強化

ㅇ 유엔加入問題에 관한 國內弘報를 段階的으로 繼續 強化

- 民自黨 뉴스背景資料, 公報處 發刊 國政뉴스資料等을 통하여도 적절히 弘報
- 對政府 批判的 視覺을 公開的으로 表明하는 民自黨內 人士 (황병태, 이상회 의원)에 대해서는 靑瓦臺 政務首席室에서 적의 措置

ㅇ TV 討論會 開催는 오히려 否定的 側面이 실제보다 浮刻될 소지가 있으므로 推進하지 않기로 함.

* 會議槪要

- 日時 및 場所 : 91.5.4(土) 10:00-11:00, 靑瓦臺
- 參 席 者 : 김학준 靑瓦臺 政策調査補佐官(主宰)
  靑瓦臺 政務, 外交安保, 弘報祕書官,
  外務部 國際機構條約局長,
  ██████ 統一院 政策企劃官,
  公報處 弘報企劃官, 民自黨 代辯人室 部長

- 끝 -

0071

WUNA-56 10504 1435
WUSA-282

경 향 신 문
1991. 5. 4. 토, 3면

유엔단독가입 공감대

정부·新民의 정책視角

「동시加入」 집념엔 차이

新民도 신축성두고 국제적大勢 수용

南北문제에 있어 올가을은 중요한 시점으로 기록될 전망이다. 9월17일에 개막되는 제46차 유엔총회를 계기로 南韓정부가 최악의 경우 유엔단독가입을 실현시키기로 작정하고 있기 때문이다. 이를위한 국제적 분위기는 최고조로 성숙돼있는것도 사실이다.

이러한 시점에서 新民黨의 金大中총재가 3일 케야르 유엔사무총장에게 서한을보내 나름의 공식입장을 표명해 관심을 집중시키고 있다.

결론부터 말하자면 金총재의 서한내용은 정부의先 유엔가입정책을 사실상 지지한 것이라고 할수있으며 결국 南韓 단독가입의 불가피성을 인정한 것으로 해석된다.

따라서 金총재의 新民黨이 단순히 南韓의 단독가입을 반대해「외교노선에 혼선을 초래했다」는 집권民自黨의 비난성 논평은 편지내용의 가닥을 잘못잡은데서 비롯한것으로 여겨진다.

이는 新民黨의 당론변경 과정을 살펴보면 금세 드러난다.

지난해 5월24일 金日成 北韓주석이 최고인민회의 제9기 1차회의 시정연설을 통해 南北단일의석에의한 유엔가입방안을 제시했을때 당시 平民黨은 「긍정적으로 검토해볼만하다」는 입장의 당론을 표명했었다.

북한이 단일의석안을 제시하면서 내세운 논리는 南北동시가입이 분단을 고착시킨다는 것이었다. 平民黨은 그러한 논리에 부분적인 이해를 나타냈던것이라고 할수있다.

그러나 金大中총재는 이날 유엔에 보낸 편지에서 「남북한의 유엔동시가입이 한반도의 영구분단을 가져온다는 북한의주장은 근거가 없다」고 단일의석가입안에 반대의사를 분명히 했다.

金총재는 그러면서도 南北韓의 단독가입은 南北간의 긴장을 강화시켜 韓半島평화에 부정적인 영향을 끼친다는 기존의 입장을 고수했다.

즉 南北의 유엔동시가입이 실현돼야 한다는 주장이다.

金총재가 논리구성상 다소의 차이점에도 불구하고 결과적으로 정부의 유엔가입정책을 사실상 인정했다는것은 바로 이러한 논리적 귀결때문이다.

정부의 정책은 아직도 南北韓 동시유엔가입인 것이

그러면 정부정책과 新民黨의 차이점은 무엇인가. 대차는 없는것 같다.

다만 북한으로하여금 어떻게하면 국제사회의 현실을 인식시켜 함께 유엔에 들어가느냐하는 문제가 남게된다.

이점에 있어 정부가 현실을 더욱 강조하고 있는 입장이라면 新民黨은 다소 운명적이라고 할수있다.

정부의 한 고위당국자는 「정부로서는 앞으로도 북한과함께 유엔에 가입하기 위한 노력을 계속할것」이라면서 「그러나 북한이 끝내 호응해오지 않으면 금년 유엔총회개막전에 우리의 先가입을위한조치를 취할것」이라고 말했다.

이미 지난 8일 유엔 安保理에 공식문서로써 금년중가입 신청의지를 천명한 정부는 「[illegible]」는 분위기이다.

북한 남북동시가입을 위한 노력은 할만큼 다했다는것이 보다 솔직한 정부의 생각인듯하다.

정부는 또 우리의 유엔가입이 기본적으로 韓國과 유엔간의 문제이지 南北韓문제가 아니라는 논리로준비해놓고 있다.

유엔가입을 위한 충분한 조건을갖춘 상태에서 북한에게 사실상의 비토권을부여하고있는 현상황은 매우 불합리하다는 얘기다.

이점에서 新民黨 金총재의 편지내용이 정부생각과 조금 다른것으로 보인다. 북한을 끌어들이는 노력을 강화하자는것이 金총재 주장의 알맹이인 것으로 파악된다.

金총재는 그 방안의 하나로서 유엔安保理 상임이사국들이 南北韓을 유엔에 초청하는 형식을 케야르사무총장에게 제의한것이다.

그러나 이것도 전혀 새로운것이 아니다. 이 방안은 외무부가 동시가입실현을 위해 검토했던 복안의 하나에 불과하다. 정부는 이미 中國이 北韓의 동시에 추천하는 방식을 타

·南韓단독가입에 따른 부작용을 우려하는 지적에대해 외무부의 한 당국자는 「우리의 先가입이 이루어지면 北韓도 결국 뒤따라 들어와 南北동시가입의 결과가 나타날것」이라고 전망했다. 그러니까 동시가입의 전단계로서의 단독가입인만큼 정부의 전체구도는 동시가입 정책에서 이해돼야한다는 설명이다.

한편 정부가 유엔가입을 위해 총력을 기울이고있는 시점에서 野黨이 「단독가입 반대로 비쳐질수있는」 공개서한을 발송한것을두고 외교적 혼선야기를 우려한는데 대해 新民黨측은 「오히려 정부를 지원하려는 것」이라고 반박했다.

新民黨측의 이러한 반응은 金총재가 왜 이 시점에서 유엔사무총장에게 편지를 보냈느냐하는 「의도」를 시사하는 대목이다.

金총재는 北韓의 해석이 가능한 입장을 표명함으로써 사실은 당론을 수정하고 국제적 대세를 수용한 것으로 분석된다.

〈宋永...기자〉

0072

4-1

조 선 일 보

1991. 5. 4. 토, 3면

「金총재 유엔서한」 공방

민감반응 民自党

民自党은 金大中신민당 총재가 케야르 유엔사무총장에게 서한을 보낸 데 대해 「사려깊지 못한 행동」이라며 따가운 시선을 보내고 있다.

民自党은 朴熺太대변인의 논평을 통해 「南韓의 유엔단독가입 반대로 받아들여지는 金총재의 주장은 정부의 외교방침과 상치되는 것」이라고 지적하고 「국가의 목소리가 아닌 政派의 목소리가 외교무대에 그대로 전달되는 것은 바람직하지 않을 뿐아니라 외교적 혼선을 초래할 우려가 크다」고 밝혔다.

논평은 또 「南北유엔가입문제를 유엔사무총장을 통해 상임이사국에 호소하려는 것은 주권국가의 위신을 실추시킬 우려가 있다」며 「국가장래에 중요한 영향을 끼칠 행동을 할 때는 사전에 정부와 협의해야할것」이라고주문했다.

"事大발상" 설득…「숨은意図」 촉각

"国家아닌 政派목소리 전달로 外交혼선 초래"

金宗鎬원내총무는 「국가외교에 與野가 따로있는게아니냐만큼, 야당도정부·여당의 외교노력을 측면에서 도와야하는 게아니냐」는말로 金총재의 「편지」에 못마땅해하는 표정.

국회외무통일위 위원장 직무대리인 李珍雨의원(民自·浦項)은 「南北韓의 유엔동시가입을위해 최대한의노력을 기울이되, 불가피할경우 南韓만이라도 우선 유엔가입을 成事시켜 北韓의 유엔가입을 유도하자는게 우리 정부의 対유엔 정책」이라며 「이같은 정부 방침에 異見이 있을 수는 있지만, 이를 국내정치권에서 조정치 않고 국제기구에 호소하려는 자세가 문제」라고 지적.

외무통일위원인 李相回의원(民自·전국구)은 「유엔가입문제는국내문제이고 반대의견이 있으면 국내에서 정부를견제하고 비판할 일이지, 국제기구에 공개적으로 서한을보내는것은 주체성을 상실한 事大主義的 발상에 다름 아니다」라고 흥분. 그러나 그는 「외무부가 올해 외교목표 1호로 유엔단독가입을 年内에 달성하겠다고 서두르는 것에는나도반대입장」이라고피력.

같은 상임위 위원인 黃秉泰의원(民自·서울江南甲)도 「우리가 유엔에 단독가입할경우 北韓의 고립화를 자초, 한반도정세를 악화시킨다는 金총재의 주장에 견해를 같이 하지만 공개서한을 보낸것은 외교관례에없는 점잖지 못한일」이라는 반응을 보였다.

한편 金鍾三民自党 대표최고위원은 이날오전 국회를방문한 미셸 로카르 프랑스 총리를 만난자리에서 「南北韓 유엔동시가입을 위해 최선을다하되 北韓이 年内 가입을 거부한다면 한국만이라도 먼저 유엔에 가입한다는게 우리정부의 기본입장」임을 분명히했다.

어쨌든 정가관측통들은 金총재의 이번 서한발송이 우리측 IPU(국제의회연맹) 대표단이 平壤총회에 참석하고 있는 시점에서 이루어진다는 점에 특히 촉각을 곤두세우고 있다.

이번 IPU平壤총회에서 유엔가입등 南北韓문제가 첨예한 관심사로 등장하고 있는 판에 결과적으로 北韓의 입장에 가까이 서는 유엔가입방안을 유엔사무총장에게 호소하는 金총재의 「의도」에 관심이 모아지고 있는 것이다.

그러나 여권은 이번 金총재의 편지문제를 크게 쟁점화할 생각은 아닌듯하다. 정국의 순항을 위해 지금 신민당과 함께 해야 할 일이 너무 많기 때문이다.

〈[illegible]기자〉

波紋우려 新民党

신민당은 訪美중인 趙昇衡의원을 통해 케야르유엔사무총장에게 4일중 전달할 金大中총재의 서한이 사전에 언론에 유출되자 「유엔단독가입반대」의사가 부각돼 파문이 일 조짐이 있자 金총재가 3일 오전 직접 기자실로 찾아와 서한발송배경을 설명하는 등 조기진화에 부심하는 모습.

朴相千대변인도 북한의 주장과 유사한 「단일의석下의 南北유엔동시가입」의 기존 党論이 자칫 불필요한 오해를 촉발시킬 소지가 있음을 의식한듯 「이를 포기했다」고 거듭 강조했다.

党주변에서는 지난 89년 盧泰愚대통령 訪美때 한국의 人権문제를 거론해달라고 요청하는 서한을 美의원들에게 보냈다가 정가에 一波萬波의 파장을 일으킨 前例를 상기하기도.

金총재는 이날 기자와 만나 「정부가 좀더 인내심을 갖고 노력하면 북한도 유엔에 가입하지않을수 없는데 왜 북한을 고립시키는 쪽으로 가느냐」며 「외교문제라고 野党이 꼭 정부与党을 따라갈 필요는 없다」고 말했다.

金총재는 또 「유엔회원국 90%이상이 동시가입을 지지한다」고 상기시키면서 자신의 주장을 超党的 차원에서 정부측이 수용해줄 것을 당부했다.

"北韓자극 無益" 강조…真意부심

"安保理서 南北초청땐 同時가입 成事 가능성"

—이번 서한을 보내게된 동기는.

「북한이 일본과 수교교섭을 서두르는 점을 감안할때, 북한이 유엔에 가입안한다는 것은 이치에 맞지않는다. 유엔安保理가 남북한을 초청하면 북한의 체면을 세워주게되고 결국 동시가입이 성사될것이란 판단에서이다」

—한국이 단독가입하면 한반도의 긴장이 고조된다고 한 주장의 근거는.

「남한만의 단독가입은 필연적으로 북한의 위기감을 조성할 것이며 따라서 상당기간 남북관계가 악화될수밖에 없다.

때문에 남북관계를 해쳐가면서까지 유엔가입을 서두를 필요도 없고, 유엔가입여부가 우리国益과 직접관계도 없지않은가」

—「단일国号下의 南北동시가입」이란 종래 党論을 포기했다고 대변인이 발표했는데.

「아직도 단일회원국 동시가입이 이상적이라는 소신엔 변함이 없다. 그러나 현실적 難関들이 워낙 많아 남북동시가입을 차선책으로주장하고있는것이다」

—한국의 단독가입이 북한의 유엔가입을 결국 견인, 오히려 북한의 개방을 촉진할 수 있을 것이란 견해에 대해서는.

「그런 측면도 있을 수 있다. 하지만 남한만의 단독가입은 일시적이나마 남북관계를 악화시킬 것이다. 구태여 북한을 자극시키면서 国益과 직결되지도않는 유엔단독가입을 무리하게 추진할 필요성은 없다고 본다」

—북한은 종래 단일国号下의 南北동시가입입장을 고수하고있는데 케야르 사무총장 앞 서한으로 그들의 방침이 바뀔것으로기대하는지.

「최근 북한은 南北회담이 잘 안되면 유엔가입문제도 순조롭게 해결될 것이란 발언을 자주한데서 읽을수 있듯, 북한도 동시가입의 현실적 당위성을 절감하고 있다. 또한 소련의 영향력도 무시할 수 없는 상황이기 때문에 成事가능성은충분하다는 생각이다」

〈金光秀기자〉

◇私信배경 설명 金大中신민당총재가 3일 오전 기자간담회에서 자신이 케야르 유엔사무총장에게 보낸 私信배경등을 설명하고 있다.

0073

4-2

한국일보

1991. 5. 4. 토, 2면

金大中총재 對유엔서한 파문

유엔同時가입·南北조정 요청

金大中新民黨총재가 南北對UN동시가입을위해 UN안보리가 南北을 함께 초청해달라는 내용의 서한을 케야르UN사무총장에 보낸것과 관련, 여야간에 조그만 논란이 일고있다.

民自黨은 UN가입과같은 중요한 외교문제에 정파의 목소리가 그대로 전달되는 것은 바람직하지않으며 정부와 충분한 사전협의가 있었어야 한다고 지적하고 있다.

그러나 新民黨은 UN동시가입을 위한 하나의 방안을 제시한것으로 초당외교의 일환이라고맞서고 있다.

서한 全文

먼저 본인은 사무총장께서 걸프전쟁의 평화적 해결을 위하여 세우신 위대한 공로를 높이 치하드리는 바이며, 이제는 UN이 명실공히 평화유지기구로서의 역할을 다하고 있음을 기쁘게 생각하는 바입니다.

본 서한의 목적은 한국의 UN가입에 관한 新民黨의 입장을 각하에게 직접 말씀드리고 이와 관련하여 각하의 선처를 요청하는 것입니다.

한반도는 현재, 세계에서도 가장 긴장이 심한곳입니다. 한반도의 평화는 동아시아및 세계평화에 극히 중요한것입니다. 본인 견해로는 남북한의 UN가입문제 두가지 원칙에 기초하여 해결되어야한다고 생각합니다. 첫째로 남북한이 동시 UN에 가입되어 7천만 한민족의 의사가 반영되어야 한다는 것이며 둘째로는 우리의 UN가입이 한반도의 평화에 기여해야 한다는 것입니다.

이런의미에서 대한민국의 UN단독가입은 한민족으로서는 불완전한 의사표시이며 남북간의 긴장을 격화시켜 한반도 평화에 부정적인 영향을 끼칠 것입니다. 그러므로 우리는 두 남북한의 UN동시가입이 실현되기를 바라는 바입니다.

한편 남북한의 UN동시 [illegible]

다. 본인은 최근 평양에서 개최중인 국제의회연맹(IPU) 회의에 참석하는 우리측 대표에게 북한이 동시가입을 수락하도록 촉구하는 본인의 의사를 전하도록 하였습니다.

본인은 진정한 민족주의의 실현, 인류의 보편적 [illegible]

[illegible] 3개UN회원국으로 구성되어있으나 소련이 결코 분단된 국가는 아닙니다.

따라서 북한의 주장은 국제적으로 받아들여지기 어려 [illegible]

[illegible] 대안을 갖고 있습니다. [illegible]

民自 "정부와 事前협의 있어야" 新民 "超黨的외교" 맞서

[illegible]

한국일보

1991. 5. 4. 토, 사설

對UN外交 混線없을까

—新民黨의 서한發送 異例的이다

新民黨의 金大中총재가 南北韓의 유엔동시가입을 요청하는 내용의 서한을 케야르유엔사무총장에게 보낸 것은 전례없는 일이어서 그 동기와 내용·목적등 여러가지 측면에서 관심을 끈다. 먼저 [illegible] 야당의 독자외교방식이다. 야당의 당수가 특정외교문제에 대해 정부의 공식입장과 어긋나는 일방적인 독자적인 견해를 밝히는 것은 어느나라에서나 흔할수있는 자연스런일이다. 그러나 그것을 표명하는데 그치지 않고 그견해를 외교당사자나 국제기구에 직접 전달하는 일은 드문 경우이다. 국내 人權문제로 국제사회에 고발하기 위해 야당이 직접 나서서 호소하는 경우같은것은 흔히 볼수있는 일이었지만 특정외교현안문제를 두고 독자적으로 행동에 까지 옮기는것은 異例的인 일임에 틀림없다.

특히 정부측과 사전협의를 했다면 또 모르겠으나 아무런 사전협의 절차도없이 독자 서한을 보냈다면 일반국민들은 혼란을 느끼지않을수없다. 외무부가있고 유엔대표부라는 정부의공식외교채널이 엄연히있는데 이같은시 [illegible] 한고 야당이독자적으로 외교활동을 [illegible] 인다면 당사자인 유엔사무총장도 어리둥절 할수밖에 없을것이다. 우방과 친선을 도모하기위한 정당외교라면몰라도 특정현안·超黨的으로 다루어야 할 유엔가입문제를 그런식으로 [illegible] 개인명의로 [illegible] 이 아닐수없다. [illegible]

이런 [illegible] 아니다. [illegible] 를 보면 南北韓의 동시가입 [illegible] 고 있는데 남한만의 단 [illegible] 반대한다는 대목이 있어 [illegible] 가 어렵다. 정부는 공식정책 [illegible] 시 가입을 추진하되 북한이 [illegible] 부할 경우 남한만이라도 먼 [illegible] 입을 하겠다는 확고한 태도 [illegible] 있기 때문이다.

金총재는 이서한에서 「대 [illegible] 단독가입은 한민족으로서 [illegible] 의사표시이며 남북간의 긴 [illegible] 화시켜 한반도 평화에 부정 [illegible] 을 미칠것」이라고 말하고 있 [illegible] 대목을 보면 동시가입과 단 [illegible] 대해 어느쪽에 더 비중을 두 [illegible] 지 분간하기 어렵다. [illegible] 가입을 위한 이같은 기회에도 [illegible]

고 북한 유엔가입의 결단을 내리지 않는다면 유엔은 당분간 대한민국만의 가입을 승인할 수밖에 없을것이라는 대목을 보면 정부의 공식입장과 궤를 같이하려는 흔적도 보이고있어 [illegible] 수있다. [illegible] 하나의 [illegible] 재가 무슨 목적에서 이서한을 이시점에서 보냈느냐는 점이다.

우선 南北동시가입의 [illegible]

[illegible]

0074

The Korea Times

1991. 5. 4. Sat., page 2

Kim DJ Asks UN Leader To Help Seoul, P'yang Get Simultaneous Entry

Opposition leder Kim Dae-jung has requested the United Nations secretary general to invite both South and North Korean governments to apply for simultaneous entry into the world body. Kim also asked the chief UN official to check Seoul from bidding for the UN seat single-handedly.

In a letter mailed to Javier Perez de Cuellar yesterday, he warned that South Korea's admission alone to the United Nations would have "negative influence" on the peace of the Korean peninsula and heighten tension, a theory quite similar to that held by the North.

Yet he supported Seoul's old, and now discarded proposal for simultaneous entry by the South and the North and retorted as "without foundation" Pyongyang's argument that the simultaneous admission would perpetuate the division of the peninsula.

The South, which had long called on the North to join the U.N. separately but simultaneously, has recently declared it would apply for the UN membership this fall to press the still rival North follow suit. The North has come up with a compromising idea for the sharing of one UN seat for alternate representation as the economically-stronger South has turned deaf to its demand for the delay of getting UN membership till reunification.

"... I have the honor to request one favor from you. That is for Your Excellency to persuade the Security Council of the United Nations — particularly the five permanent members of the Security Council to invite the governments of ROK and DPRK to apply for simultaneous admission to the United Nations," he said.

"Above all, it will provide an opportunity for the DPRK (Democratic People's Republic of Korea, or North Korea) to enter the United Nations without losing its self-respect," said Kim, president of the New Democratic Union.

"Despite such opportunity being offered, if the DPRK still does not decide to enter the United Nations, then the United Nations will have no choice but admit ROK (Republic of Korea) to the United Nations."

The contents of the letter, dated April 25, are in line with his long-standing policy.

"The admission of ROK alone to the United Nations is an incomplete expression of the will of the Korean nation and will exercise a negative influence over peace on the Korean peninsula by heightening the tension between South and North Korea," the letter said.

"On the other hand, the North Korean argument that the simultaneous admission of ROK and DPRK will perpetuate the division of Korea is without foundation," Kim said, citing East and West Germany and North and South Yemen cases, popular examples for government theorists.

The Korea Herald

1991. 5. 4. Sat., page 2

Kim D.J.'s letter to U.N. triggers political dispute

Opposes Seoul's unilateral membership bid

Rival parties are at loggerheads over Seoul's U.N. membership.

The different positions of the ruling Democratic Liberal Party and the opposition New Democratic Union were highlighted with NDU leader Kim Dae-jung's letter to the world body which indirectly criticizes Seoul's position.

The DLP simply urged Kim to stay out of the government's conduct of diplomacy yesterday.

The government party accused Kim of creating "confusion" by sending a personal letter to U.N. Secretary-General Perez de Cuellar.

In the letter, Kim said that South and North Korea should be admitted to the United Nations "by all means simultaneously."

He called on Perez de Cuellar to persuade the five permanent members of the U.N. Security Council to invite the governments of the two Koreas to apply for simultaneous admission to the international organization.

Ruling party spokesman Park Hee-tae expressed concern that Kim's letter would hurt the government's foreign policy.

Since non-partisan diplomacy is the norm in international politics, one nation's foreign policy must be voiced unanimously, he said. "At home it is alright to express dissent but abroad it causes confusion in our foreign policy."

Park asked the NDU leader to stay out of diplomacy as President Roh has been doing a good job.

However Kim told reporters he doesn't think that his party should blindly follow the government's foreign policy.

Kim's letter said, "The admission of ROK (South Korea) alone to the United Nations is an incomplete expression of the will of the Korean nation and will exercise a negative influence over the peace in the Korean Peninsula by heightening the tension between South and North Korea.

"Therefore, we desire that both ROK and DPRK (North Korea) should be admitted to the United Nations by all means simultaneously.

"Above all, it will provide an opportunity for DPRK to enter the United Nations without losing its self-respect. Despite such opportunity being offered, if DPRK still does not render its decision to enter the United Nations, then the United Nations will have no choice but admit ROK to the United Nations."

0075

세 계 일 보

1991. 5. 5. 일, 2면

「曲解」된 金총재 유엔서한

崔秉默〈정치부기자〉

金大中 新民黨총재가 케야르 유엔사무총장에게 서한을 보낸데 대해 그 형식과 내용을 둘러싸고 정치권에서 말들이 많다.

民自黨의 朴熺太대변인은 「事大主義」라며 비난하고 나섰고 당직자들도 국론분열우려등을 이유로 「경솔」함을 지적하고 있다.

與측의 이같은 문제제기는 기본적으로 金총재가 우리의 단독유엔가입을 반대하고 나섰다는 「曲解」를 바탕에 깔고 있다.

金총재 서한내용을 처음부터 끝까지 살펴본 사람이라면 이같은 시비가 전혀 무의미한 것이라는 점을 바로 깨닫게 된다.

金총재서한은 韓國의 단독유엔가입을 반대하는 내용이 아니다. 그는 서한에서 南北韓유엔가입은 7천만한민족의 意思를 반영하고 한반도 평화에 기여한다는 원칙위에서 다뤄져야 한다는 점을 우선 강조하고 있다. 그리고 이같은 기조위에서 한국의 단독가입은 한민족의 「불완전한」의사표시이며 남북긴장을 강화시켜 한반도평화에 부정적 영향을 미친다는 「우려」를 표시하고 가능하다면 동시가입이 가장 바람직하다는 점을 지적했다.

金총재는 이어 동시가입을 「분단영구화」로 비난하는 北韓주장의 허구성을 지적하며 케야르총장에게 남북동시가입을 위해 유엔安保理상임이사국들을 설득해주도록 요청하고 「그래도 北韓이 결단을 내리지 않을 때는 유엔이 남한의 단독가입을 승인해야 한다고 못박고 있다.

이것이 金총재서한의 전후 맥락이다. 전체 문맥을 볼때 어느 곳에서도 단독가입을 반대한다는 의사표시를 읽을 수 없다. 오히려 우리 정부의 유엔정책을 잘 설명해주고 있다. 정부는 유엔동시가입을 기본정책으로 하고 있기 때문이다.

다만 北韓이 끝내 동시가입을 거부한다면 남한만의 단독가입도 불사한다는 입장이며 이에따른 실천계획으로 올해 가입신청을 한다는 것이다.

따라서 굳이 정부측과 金총재 서한내용의 차이를 따진다면 정부가 금년중 단독가입에 비중을 두고 있는 반면 金총재는 동시가입노력을 좀더 촉구한 점이라 할 수 있다.

金총재서한의 「眞意」와 의미는 오히려 新民黨의 유엔정책변화에서 찾아야 한다. 新民黨은 지금까지 北韓측이 지난해 제의한 「단일국호에 의한 동시유엔가입」제안을 검토해봐야 한다는 입장이었다. 그런데 이번에 金총재가 정부의 유엔정책을 사실상 「지지」하고 나선 셈이니 비난을 할 일이 아니라 그가 이 시점에서 왜 유엔문제를 들고나왔는지 속뜻을 헤아려 보아야 할 상황인 것이다.

또한 케야르총장에 대한 「요청」을 두고 事大主義라며 비난하는 것도 온당치 못한 일로 보인다. 국제기구의 공직자에 대해서는 야당총재 아니라 국민 누구든 지지·협조요청의 의사표시를 할 수 있는 일이다. 외교창구의 단일화에 지나치게 집착할 필요가 없는 것이 작금의 국제기류가 아닌가. 더구나 정부입장을 뒷받침해 주는 내용이고 보면 두말할 필요가 없다.

與圈이 일부 보도만 보고 金총재 서한내용을 오해하여 비난하고 나선 것이라면 그 경솔함이 지적돼야 할 것이고, 야당의 행동에 대해선 무조건 반대하고 보는 生理를 비판받아 마땅할 것이다.

0076

원 본

관리번호	91-429

외 무 부

종 별 :

번 호 : UNW-1156 일 시 : 91 0506 1900

수 신 : 장관(국연,기정)

발 신 : 주 유엔 대사

제 목 : 김대중총재 서한

연:UNW-1134

당관이 금 5.6. 유엔 사무국에 재확인한바, 정보연구 수집실의 FEISSEL 국장이 5.8.(수) 10:30 조 의원을 면담하기로 하였다함. 끝

(대사 노창희-국장)

예고:91.12.31 일반

국기국	장관	차관	1차보	2차보	미주국	청와대	안기부

PAGE 1

91.05.07 08:08

외신 2과 통제관 BS

0077

원 본

외 무 부

종 별 :

번 호 : NPW-0161　　　　일 시 : 91 0507 1330

수 신 : 장관(국연,아서)

발 신 : 주네팔대사

제 목 : 한국 유엔가입 관련기사보고(김대중신민당총재의 유엔사무총장앞서한)

1.주재국유력 영문일간지인 THE RISING NEPAL은91.5.6(월)표제관련,다음 요지의 사설(제명:SEOUL'SSETBACK)을 게재 하였음.

가.소련의 고르바쵸프대통령의 아국 유엔가입 지지의사 시사,MICHEL ROCARD불란서 수상의 명시적인 지지 입장표명등으로 한국의 유엔가입(북한과 동시가입 또는불가능시 한국만의 단독가입)노력은 최근 크게 고무되고 있었음.

나.소련및 불란서의 아국지지 시사및 표명으로,한국은 유엔안보리 상임이사국 5국중 중국을 제외한 미국,영국,불란서,소련으로 부터의 지지를 확보한것으로 보임.최근의 여러 소식통에 의하면,중국도 북한측의 'SINGLE KOREANSEAT'안을 긍정적으로 보지않고 있으며,남북한 유엔가입 문제를 보다 개방적인 차원에서 보고 있는것으로 알려짐.

다.그런데 막상 한국의 단독 유엔가입에 대한 장애는 오히려 한국내부에 있는것으로보임.김대중총재가 유엔사무총장앞 서한에서 한국만의 단독가입은 지역긴장을가중 시킬뿐이라고 함으로써,단독가입 반대의사를 시사한것이 그것임.김대중총재의이러한 주장은 유엔가입 문제에 대한 한국지도층 내부의 의견이 일치되고있지않음을 보여주고 있는 듯함.

라.김총재의 서한은 정당차원의 입장을 밝힌것에 불과하기때문에 외교계에는 큰 영향을 미치지 않을것이라고 한국정부가 밝히고있고,신민당측이 상기서한 내용은 북한이 동시가입에 응하도록 압력을 가하기 위한 것이라고 밝히고있음.

마.동 서한은 여러가지 의미로 해석가능하나,결코 한국의 단독 유엔가입에 유리하게 작용하지는 않을것으로 보임.즉 경우에 따라서는 김총재의 서한은 한국의단독 유엔가입을 반대하는 유력한 근거로 사용될수도 있을뿐만 아니라 한국유엔가입 문제 자체를 지연시키는 효과를 가져올수도 있을것임.

국기국　1차보　아주국　정문국　청와대　안기부　공보처

PAGE 1

91.05.08　07:39 CV

외신 1과　통제관

0078

2.상기신문은 5.5(일)에 김대중총재의 유엔사무총장앞 서한 관련기사를 서울발AFP를 인용,상세 보도 하였음을 첨언함.끝.

(대사 김일건-국장)

PAGE 2

0079

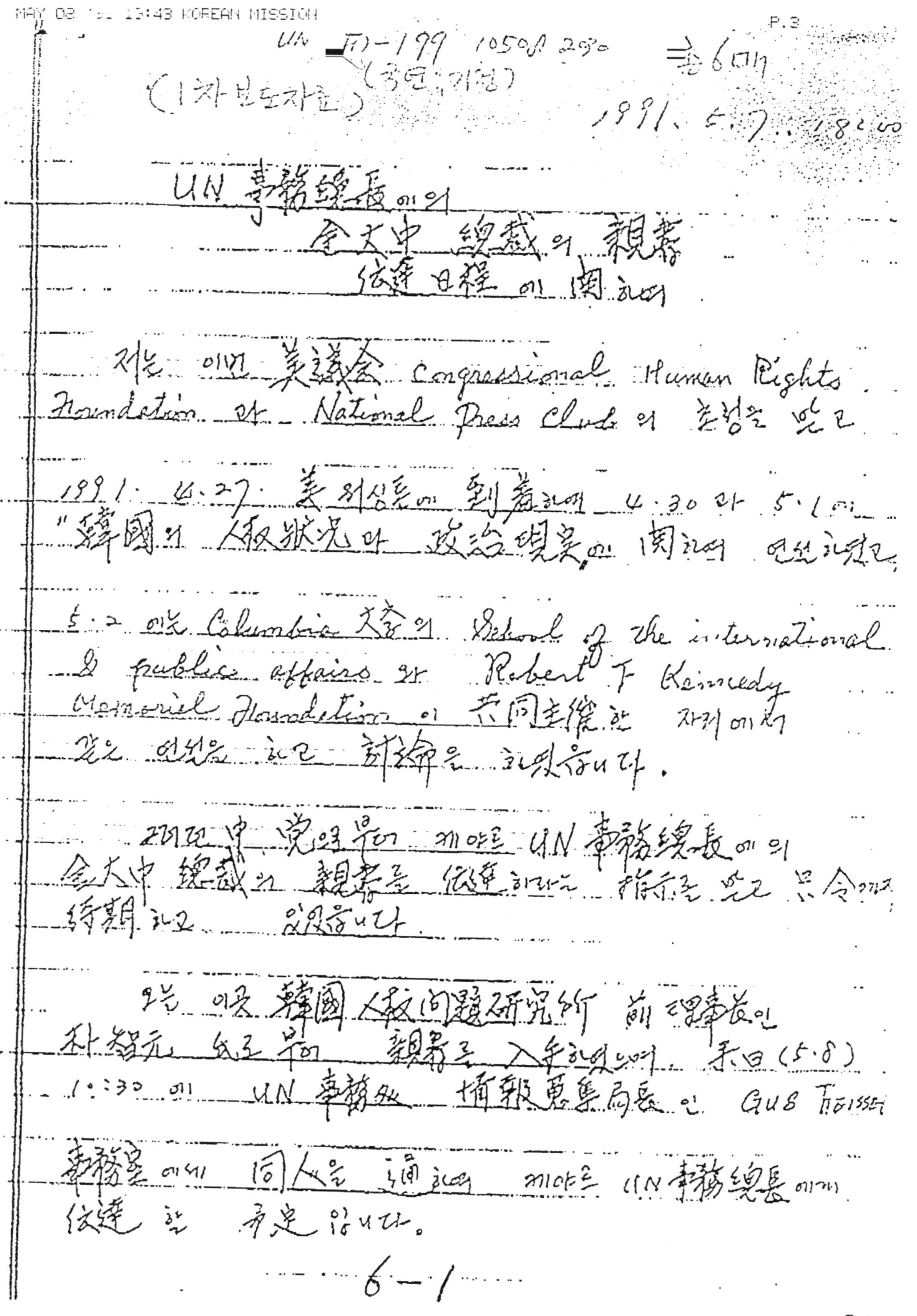
MAY 08 '91 13:43 KOREAN MISSION P.3

UN 주미-199 1050시 2º0 총 6매
(공연, 기정)
(1차 보도자료)
1991. 5. 7. 18:00

UN 事務總長에의
金大中 總裁의 親書
依達日程에 關하여

저는 이번 美議会 Congressional Human Rights Foundation 와 National Press Club 의 초청을 받고

1991. 4. 27. 美 워싱톤에 到着하여 4.30 과 5.1에 "韓國의 人權狀況과 政治現実"에 關하여 연설하였고,

5.2 에는 Columbia 大学의 School of the international & public affairs 와 Robert F Kennedy Memorial Foundation 이 共同主催한 자리에서 같은 연설을 하고 討論을 하였읍니다.

그리던 中 党으로부터 제야르 UN 事務總長에의 金大中 總裁의 親書를 依達하라는 指示를 받고 只今까지 待期하고 있었읍니다.

오는 어제 韓國人權問題研究所 前 理事長인 朴智元 氏로부터 親書를 入手하였으며, 來日(5.8) 10:30 에 UN 事務处 情報恩集局長 인 GUS TEISSEI 事務室에서 同人을 通하여 제야르 UN 事務總長에게 依達할 予定입니다.

6-1

0080

5月末에 任期가 滿了되는 케야르 事務總長의 분주한 日程과 本人의 限定된 日程 때문에, 不得已 直接 伝達하지 못하고 그의 代理人인 FLEISSEL 局長을 通하여 伝할수 밖에 없는 事情은 극히 유감스러운 일입니다.

面談要請은 10余日前부터 위 연구소 이영작박사를 通하여 하였으나, 現地에 臨한 当事者들의 伝言에 따르면 面談不成事의 한 原因이 우리 UN 代表部의 妨害에도 있었다는 바, 그것이 事実이라면 극히 한심스러운 일이 아닐수 없읍니다

新民党 所属 國会議員

趙昇衡 弁護士.

6-2

0081

(고위보도자료) ①

新民党 金大中總裁의 U.N 케야르 事務總長에게 보내는 親書를 趙昇衡議員께서 5月 8日 오전 10時 30分 UN事務局 정보수집국장 Gus Feissel을 通하여 UN事務局 S-3770호실에서 케야르 총장에게 전달하였기에 그 보도자료를 송부하오니 보도에 參照하여 주시기 바랍니다.

1) 概要

5月 8日 오전 10시 30분 조승형의원은 김병규변호사(한국인권문제연구소소장) 박지원(신민당 통일추진위원회 부위원장)을 수행하여 Feissel 局長에게 UN事務局 S-3770호실에서 45分間 金大中총재의 한국의 UN加入에 관한 親書를 전달하면서 우호적인 분위기에서 한국의 통일과 UN加入問題에 관하여서 또한 人權問題에 대하여 진지한 논의를 交換하였음.
그 대화내용은 下記와 같으며 U.N 事務總長은 UN헌장과 관례밖의 일이지만 Feissel국장은 총장에게 설명, 건의하여서 5개 상임이사국에게 非公式으로 설명, 전달하도록 노력하겠다고 하였으며 특히 김총재의 친서 내용에 全体的으로 수긍하였음.
또한 인권문제는 제네바 UN 인권국과 추진, 협의하도록 하였으며 協助關係를 긍정적으로 검토하겠다고 하였음.
Feissel 局長은 조의원의 의견을 검토하고 최대의 성의, 존경심을 표하였으며 美議會와 NATIONAL PRESS CLUB의 초청 연설에 대해서 축하의 말씀을 표하였음

2) 대화내용. (조는 조의원, 下는 Feissel 局長을 表記)

조: 人權事務所와 人權위원들 위해서 수고하는 UN職員 기구에 감사표시.

下: 事務總長의 面會를 요청받고 계획을 고려하였으나 복잡한 세계 현안문제로 케야르총장께서 今日 오후 外國출장을 나가게 되어서 자기가 대신 만나게 되었음을 6-3

0082

설명하고 이해를 바람.

조: 방문의 目的은 신민당 김대중총재의 UN가입에 対한 意見書를 총장에게 전달하려고 하였다고 밝히면서 조의원의 소개서와 함께 친서를 전달.

F: 꼭 총장에게 전달하겠다고 약속

조: 총장의 面談이 [illegible] 유감표명

F: 처음 사무와 설명대로 거듭 총장의 출장으로 만나지 못함을 미안하다고 설명.

조: 본인의 面談에 관해서 한국정부나 UN한국대표부와 상의가 있었는가?

F: 자기는 없었다고 대답하며 배석한 보좌관에게 문의. 보좌관은 꼭 그렇지는 않다고 대답.

조: 친서를 보신 총장의 반응, 한국의 인권문제에 관한 UN의 역할에 대해서 꼭 총장께서 보고해주라고 거듭 요청.

F: 두가지 문제를 총장에게 보고하겠다고 약속

조: 총장에게 묻고 싶은 한국의 UN가입 문제를 국장과 논의해도 좋겠는가?

F: 한국의 UN 가입문제는 관심을 갖고 듣겠다. 그러나 UN헌장상 안보이사회나 총회의 결정사항에 있어서 총장의 역할은 제한되어 있다는 점을 이해해주길 바람.

조: 북한에서는 동시가입을 영구분단이라고 주장하지만 동서독, 남북 예멘의 경우를

6-4

0083

③

보도라도 북한의 주장은 수용할수가 없다.

한국정부는 동시가입을 주장하면서도 단독가입을 준비중이다. 그러나 단독가입의 승인보다는 북한을 설득해서 동시가입을 하는 것이 전쟁방지와 통일 촉진의 길이다.
따라서 신민당은 진일사의 자세이다.
U.N 안보이사국을 동원, 설득해서 拒否權가 行使 하겠는가?
그래도 不可能이면 UN은 한국의 단독가입을 승인해야 할것이다.

下: (웃으면서) U.N헌장과 역사적으로 총장이 주관하거나 시작할수는 없고 안보이사국의 어떤 국가가 거론해서 시작하는것이 관례이다.

다시한번 강조하는데 총장께 꼭 전달하고 충분히 설명하겠다.

主: 감사표시
한국의 인권상황은 5共和時節보다도 개선되지 못했다고 지적
강경대군의 경찰에 의한 폭행치사는 현 정권의 누적된 비민주적인 상황들이 폭발된것이다. 이 사건으로 현 정국은 긴장 상태이며 수습을 위해서는 민주와 개혁이 있어야 한다
UN은 세계 평화는 물론 이러한 인권문제도 관심을 가져야 한다고 믿는바 UN은 친구로서 충고를 줄수가 있겠는가?

下: 인권에 관해서는 총장의 제일 큰 관심사이다. 꼭 이러한 인권문제를 총장께 전달하겠으며 제네바에 있는 인권위가 추진하는게 바람직한 방법이다.

主: 북한의 인권침해 상황에 대한 UN의 역할은?

6-5

下: 인권은 UN의 가장 큰 관심사이다. 인권위은 U.N의 규칙에 따라서 각국의

0084

④

인권상황에 대해서 보고. 접수. 조사하여 적절한 조치와 행동을 취한다.
인권국에서는 국가를 상대로도 하지만 정부가 아닌 단체나 개인의 문제도 취급하므로 광범한 권한이 있다.
따라서 인권국이 협조 추진하기 바라며 귀 뜻을 총장에게 보고할 것을 약속한다.

金: 감사합니다.

나는 지난 미국회와 NATIONAL PRESS CLUB에서 초청하여 "한국의 인권상황과 정치현실"이라는 주제로 연설을 하였고 COLUMBIA 대학교에서도 로버트 케네디 인권재단과 同大學校의 SCHOOL OF INTERNATIONAL AFFAIRS의 공동주최로 연설하였다. 이것은 나의 연설원고인데 시간이 있으면 읽어보시기 바랍니다.
(연설원고 사본 1부 전달)

下: 미국 국회와 NATIONAL PRESS CLUB의 초청이라면 더욱 축하한다.

꼭 읽고 참조하겠다. 면담 신청시 조의원의 이력을 검토하고 존경심이 우러나왔다.

거듭 감사와 경의를 표하고 43분간의 면담을 끝냈음.

6-6

0085

관리 번호	91 -444

원 본

외 무 부

종 별 : 지 급

번 호 : UNW-1188 일 시 : 91 0508 2030

수 신 : 장 관(국연,기정)

발 신 : 주 유엔 대사

제 목 : 김대중총재 서한

연:UNW-1156

1. 조승형 의원은 예정대로 금 5.8. 10:30 유엔사무국 정보연구수집실 FEISSEL 국장을 면담, 김대중총재 서한을 전달하였음.

2. 당관이 탐문한바로는 면담시 조 의원은 김총재서한 내용을 구두로 상세히 설명하고 워싱톤 NATIONAL PRESS CLUB 에서의 연설문도 수교하면서 최근 한국내 사정을 설명, 유엔이 한국의 인권상황에 관심을 가져주도록 요청한바, 동국장은 유엔가입문제는 안보리 및 총회 소관사항이며, 인권문제는 제네바소재 인권위소관사항이나 일단 사무총장에게 상기서한 및 한국 인권관련 설명을 전달하겠다고 하였다함.

3. 동 면담에는 당지 거주 임병규 변호사 (통역), 박지원(한국인권문제 연구소 전 이사장)이 동행함. 관련자료 별첨 FAX 송부함.(보도자료 출처는 보안을 요함.)

첨부:UNW(F)-199

끝

(대사 노창희-국장)

예고:91.12.31. 까지

국기국 장관 차관 1차보 2차보 미주국 안기부

PAGE 1

91.05.09 10:19

외신 2과 통제관 BS

0086

연합 H1-054 S06 외신(8HJ)

金신민총재, 南北韓 동시가입 노력호소

유엔총장에 南北韓 동시초청토록 요구

(뉴욕=聯合) 盧政善특파원 = 金大中신민당총재는 8일 하비에르 페레스 데 케야르 유엔사무총장에게 서한을 보내 유엔안전보장이사회 이사국들 특히 상임이사국들을 설득하여 南北韓이 유엔에 동시가입되도록 안보리 명의로 南北韓 정부를 초청해 달라고 호소했다.

金총재는 이날 상오 美國을 방문중인 趙昇衡의원을 통해 이 서한을 유엔사무국 정보조사·수집실의 구스타브 파이셀 계획담당국장에게 맡겼는데 그는 이 서한에서 南韓만의 유엔단독가입은 한민족으로서는 불완전한 의사표시이며 南北간의 긴장을 강화시켜 韓半島평화에 부정적인영향을 끼칠 것이라고 주장하면서 南北韓의 동시가입이 꼭 실현돼야 한다고 강조했다.

金총재는 또 "南北韓의 유엔 동시가입이 영구분단을 가져온다는 北韓의 주장은 근거가 없는 것"이라고 전제, 東西獨, 南北예멘의 경우를 예로 든 뒤 다만 北韓이 체면을 잃지 않고 유엔에 들어올 수 있는 계기를 만들기 위해 사무총장이 5대 상임이사국들을 설득하여 南北韓이 유엔에 동시가입되도록 安保理명의로 南北韓정부를 초청토록 해 달라고 말했다.

金총재는 "유엔의 그같은 노력을 함에도 불구하고 北韓이 유엔가입의 결단을 내리지 않을 땐 유엔은 당연히 대한민국만의 가입을 승인할 수 밖에 없을 것"이라고 밝혔다.

金총재의 이같은 서한에 대해 올 가을 유엔총회 개막이전에 회원국가입을 신청, 정회원국이 돼야겠다는 방침아래 활발한 외교활동을 전개해온 유엔대표부측은 상당히 곤혹스럽고 불쾌한 표정이다.

대표부의 한 책임자는 "정부가 총력을 기울여 올해 유엔회원국이 되고자 최선을 다하고 있는 이 싯점에 도와주지는 못할망정 찬물을 끼얹는듯한 야당총재의 이번 서한은 매우 유감스럽고 불쾌한 일"이라고 분개했다.

그는 "나라안에서 與野가 서로의 이견을 다투는 일은 당연하고 있을 수 있는 일이나 밖에 나와서까지 이견이 있음을 드러내고 자신의 의견을 고집하는 것은 온당치 못한 처사"라고 비난했다.(끝)

0087

(YONHAP) 910509 0727 KST

발 신 전 보

분류번호	보존기간

번 호 : WUN-1268 910509 1640 FO 종별 :

수 신 : 주 유엔 대사. 총영사 WUN(F)-64

발 신 : 장 관 (국연)

제 목 : 기사 송부

김대중 신민당총재의 유엔사무총장 앞 서한발송 관련 게재 연합통신(5.9) 보도를 FAX 송부하니 업무에 참고바람.

첨 부 : 상기기사 1부 (1매). 끝.

(국제기구조약국장 문동석)

보 안 통 제	

앙 고 재	년 5월 9일	유엔 과	기안자 성 명		과 장		국 장		차 관	장 관
							전결			

외신과통제

0088

中央日報

1991. 5. 9. 木, 2면

金大中총재 서한 유엔총장에 전달

동시가입 협조 당부

【유엔본부=朴畯瑩특파원】金大中新民黨총재는 韓國의 單獨유엔가입이 韓半島평화에 부정적 영향을 미칠것이라고 지적, 유엔安保이사회가 南北韓의 동시유엔가입을 위해 노력해줄것을 요청하는 서한을 8일 趙昇衡신민당의원을 통해 페레스 데 케야르유엔사무총장에게 전달했다.

金총재는 이 서한에서 유엔안보리 이사국들, 특히 5대상임이사국들을 설득, 南北韓이 유엔에 동시가입되도록 안보리명의로 南北韓정부를 초청해줄것을 요청하고 이것이 北韓으로 하여금 체면을 잃지않고 유엔에 들어갈수있는 계기를 만들어줄 것이라고 말했다.

金총재는 南北韓의 유엔가입이 7천만韓民族의 의사반영과 韓半島평화기여라는 2개원칙에 기초해야 한다는 점에서 韓國의 단독가입이 한민족으로서는 불완전한 의사표시라고 말하고 이는 또 南北韓긴장을 강화시켜韓半島평화에부정적역할을할것이라고 지적했다.

0083

京鄕新聞

1991. 5. 10. 금, 2면

"安保理서 南北韓 동시초청"
金大中총재 서한 케야르에

趙昇衡의원이 전달

【뉴욕=聯合】 金大中신민당 총재는 8일 하비에르 페레스 데 케야르유엔사무총장에게 서한을 보내 유엔 안전보장이사회 이사국들 특히 상임이사국들을 설득하여 남북한이 유엔에 동시가입되도록 안보리 명의로 남북한정부를 초청해달라고 호소했다.

金총재는 이날상오 미국을 방문중인 趙昇衡의원을 통해 이서한을 유엔사무국 정보조사·수집실의 구스타프 파이셀 계획담당국장에게 맡겼는데 그는 이 서한에서 남한만의 유엔단독가입은 한민족으로서는 불완전한 의사표시이며 남북간의 긴장을 강화시켜 한반도평화에 부정적인 영향을 끼칠 것이라고 주장하면서 남북한의 동시가입이 꼭 실현돼야 한다고 강조했다.

金총재는 또『남북한의유엔 동시가입이 영구분단을 가져온다는 북한의 주장은 근거가 없는것』이라고 전제, 동서독·남북예멘의 경우를 예로든뒤 다만 북한이 체면을 잃지않고 유엔에 들어올수있는 계기를 만들기 위해 사무총장이 5대 상임이사국들을 설득하여 남북한이 유엔에 동시가입되도록 安保理명의로 남북한정부를 초청토록해달라고 말했다.

0090

연합 H1-404 S01 정치(340)

金大中총재 고르비에 서한 전달
"南北韓유엔동시가입 지지 요청"

(서울=聯合) 金大中신민당총재는 南北韓 유엔동시가입 지지를 요청하는 내용의 서한을 최근 페레스 데 케야르 유엔사무총장과 함께 고르바초프 蘇聯대통령에게도 보낸것으로 13일 확인됐다.

金총재는 지난 5일 연세大 초청으로 訪韓한 아나톨리 로구노프 모스크바大 총장을 동교동자택에서 접견한 자리에서 서한을 전달했다고 金총재측근이 이날 밝혔다.

金총재는 또한 조만간 유엔安保理 5개 상임이사국의 정부수반에게도 유사한 내용의 서한을 보낼 예정인 것으로 알려졌다.

金총재는 케야르사무총장에게 전달한 서한에서 "유엔 安保理이사국들이 남북한 정부를 공동 초청, 남북한이 동시에 유엔에 가입되도록 협조해달라"고 요청하면서 정부의 연내 유엔단독가입 추진에 사실상 반대한다는 입장을 피력했다.(끝)

(YONHAP) 910513 2026 KST

7

0091

	분류번호	보존기간

발 신 전 보

번 호 : WUS-2050 910514 1427 FL 종별 :

수 신 : 주 수신처 참조 대사.총영사

발 신 : 장 관 (국연)

제 목 : 외무부 당국자 논평 송부

WJA -2227 WUK -0901
WFR -1000 WSV -1452
WUN -1333

본부는 5.14. 김대중 신민당 총재가 유엔가입문제와 관련 고르바쵸프 대통령앞 서한을 발송한 것으로 보도된데 대해, 금 5.14. 외무부 당국자 논평을 발표하였는 바, 동 논평 별첨 FAX 송부하니 참고바람.

첨 부 : 상기 논평 1부. 끝.

(국제기구조약국장 문동석)

수신처 : 주미, 일, 영, 불, 소, 유엔대사

WUS(F)-311 WSV(F)-26 WFR(F)-21
WUK(F)-35 WJA(F)-37 WUN(F)-68.

보안통제	

앙고재	91년 5월 14일	유엔과	기안자 성명		과 장		국 장		차 관	장 관
							전결			

외신과통제

0092

	분류번호	보존기간

발 신 전 보

번 호 : WSV-1444 910514 1137 CT 종별 :

수 신 : 주 수신처 참조 대사.총영사 WUS -2046 WUK -0897 WUN -1329

발 신 : 장 관 (국연)

제 목 : 기사송부

~~연~~ :

~~연호(3)항~~ 유엔가입관계 대한 김대중총재 고르바쵸프 대통령앞 서한 발송관련 국내 일간지 보도내용(5.14자)을 별첨 FAX 송부하니 참고바람. 끝.

첨 부 : 상기기사 1부(1매). 끝.

수신처 : 주소, 미, 영, 불, 유엔,

WSVF-25
WUSF-310
WUKF-34
WUNF-67
WFRF-20

(국제기구조약국장 문동석)

보안 통제	

앙 고 재	91년 5월 15일	유엔과	기안자 성명		과 장		국 장		차 관	장 관
			김성재				전결			

외신과통제

0093

경 향 신 문

1991. 5. 14. 화, 2면

南北韓 유엔同時가입 협력

고르비에도 서한

신민 金大中총재

金大中新民黨총재는 지난8일 케야르 유엔사무총장에게 남북한 유엔동시가입을 위해 노력해달라는내용의 서한을 전달한데이어 고르바초프蘇聯대통령에게도 최근 같은 취지의 서한을 전달한것으로 13일 밝혀졌다.

金총재가 지난5일 방한한 아나톨리 로구노프 모스크바大총장을 통해 전달한 이 서한은 蘇聯등 유엔안전보장이사회의 상임이사국들이 안보리명의로 南北韓정부를 공동초청, 남북한이 동시가입되도록 해달라고 요청하면서 특히 고르바초프대통령의적극지지를 호소한것으로알려졌다.

金총재는 이같은 서한을 유엔안보리의 다른 상임이사국 정부수반에게도 전달할 예정이다.

조 선 일 보

1991. 5. 14. 화, 2면

유엔 동시加入 요청 서한

고르바초프에도 전달

金총재

金大中신민당총재는 정부의 年內 유엔단독가입추진과 관련, 케야르유엔사무총장에게 지난 8일 한국의 단독가입에 사실상 반대한다는 내용의 서한을 전달한 데 이어, 고르바초프蘇聯대통령에게도 이와 유사한 입장을 밝히는 서한을 보낸 것으로 13일 밝혀졌다.

金총재는 최근 연세大초청으로 訪韓한 아나톨리 로구노프 모스크바大총장을 만나 이 서한을 전했으며 이서한은 금명간 로구노프총장을 통해 고르바초프대통령에게 전달될 예정이다.

金총재는 이서한에서 유엔안전보장이사회 이사국들, 특히 소련등 5大상임 이사국들이 직접 나서 安保理事会 명의로 南北韓정부를 공동초청, 남북한이 유엔에 동시 가입되도록 해달라고 요청하면서 이같은 자신의 제안을 고르바초프 대통령이 지지해 줄 것도 아울러 호소했다.

金총재는 이어 「대한민국의 유엔단독가입은 한민족으로서는 불완전한 의사표시이며 南北간의 긴장을 강화시켜 한반도평화에 부정적영향을 끼칠것」이라고 피력한뒤 북한의 「고립화는 남북화해뿐 아니라 통일에도 부정적 영향을 끼칠것」이라고 주장했다.

金총재는 이같은 내용의 서한과함께 케야르 사무총장에게 전달한 서한의 사본도 동봉했다.

서 울 신 문

1991. 5. 14. 화.1면

유엔單獨 가입 反對

고르비에도 書翰

金大中 新民총재

金大中 新民黨총재는 최근 고르바초프 蘇聯대통령에게 韓國의 유엔 단독가입에 원칙적으로 반대한다는 뜻과 함께 南北韓의 유엔 동시가입 실현을 위해 적극 협조해달라는 내용의 서한을 보낸 것으로 13일 밝혀졌다.

金총재는 이와함께 蘇聯외에 美國·英國·프랑스·中國등 유엔안보리 4개 상임이사국 수반에게도 같은 내용의 서한을 발송할 예정인 것으로 알려졌다.

0094

관리 번호	91-474

	분류번호	보존기간

발 신 전 보

번 호 : WCP-0569 910514 1554 FO 종별 :

수 신 : 주 북경 대사. 총영사

발 신 : 장 관 (국연)

제 목 : 김대중총재 고르바쵸프 대통령 앞 서한발송

1. 김대중 신민당총재는 지난 5.8. 꾸에에르 유엔사무총장에게 남북한의 유엔동시가입 실현을 위하여 동 사무총장이 유엔 안보리 5대 상임이사국을 설득, 남북한을 동시 초청해 주도록 요청하고, 북한이 끝내 유엔가입의 결단을 내리지 않을 경우에는 유엔이 한국가입을 당연히 승인해야 한다는 요지의 서한을 전달한데 이어, 5.13. 고르바쵸프 소련 대통령에게도 여사한 내용의 서한을 발송한 것으로 ~~알려짐.~~ 보도됨.

2. 이와관련, 김총재는 앞으로 여타 상임이사국들에 대해서도 유엔가입 문제관련 서한을 발송할 것으로 ~~보이는 바, 금후 김총재의 귀주재국에 대한 서한 발송이 있을 경우, 이에 대한 주재국의 반응등 관련사항을 지득 되어 보고바람.~~ 보도되었기 참고바람.

끝.

(국제기구조약국장 문동석)

1991.12.31. 에 예고문에 의거 일반문서로 재분류됨

앙고재	91년 5월 14일	유엔과	기안자		과 장		국 장		차 관	장 관
			김성진		[서명]		전결			[서명]

보안통제	외신과통제
[서명]	

0095

관리 번호	91-413

분류번호	보존기간

발 신 전 보

번 호 : WSV-1454 910514 1555. FL 종별 :

수 신 : 주 수신처 참조 대사. ~~/총영사~~ WUS -2054 WUK -0904 WFR -1004 WUN -1336

발 신 : 장 관 (국연)

제 목 : 김대중총재 고르바쵸프 대통령 앞 서한발송

연 : 수신처 참조

김대중 신민당총재는 연호 고르바쵸프 대통령 앞 서한을 발송한데 이어 여타 상임이사국들에 대해서도 여사한 내용의 서한을 발송할 것으로 ~~보이는~~ 보도되고 바, 앞으로 ~~귀주재국에 대한 김총재 서한발송~~ 관련사항을 ~~지속 파악~~ 이 파악 전시 보고바람. 끝.

(국제기구조약국장 문동석)

수신처 : 주 소련(WSVF-25), 미국(WUSF-310), 영국(WUKF-34),
불란서(WFRF-20)
(사본 : 주유엔대사(WUNF-67))

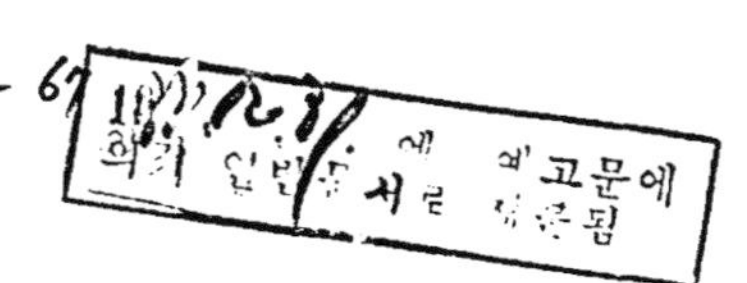

보안 통제	

앙 고 재	91년 5월 14일	유엔 과	기안자 성명		과 장	국 장		차 관	장 관
			김성진			전결			

외신과통제

0096

대 한 민 국
외 무 부

외무부 91- 1991. 5. 14

아래 문건을 수신자에게 전달하여 주시기 바랍니다.

제목 : 외무부 논평 송부

수신 : 청와대 (정책조사보좌관실, 민병훈 비서관 / 강종필 氏)
(수신처 FAX NO : 770-0213)

발신 : 외무부 유엔과

표지포함 총 1 매

0097

W1103
r 1BX TXA695 14-0? 00304
01 87
^South Korea-Diplomatic Controversy
^Opposition Leader Criticized for Letters to Foreign Leaders<

SEOUL, South Korea (AP) - A senior Foreign Ministry official on Tuesday denounced opposition leader Kim Dae-jung for sending letters to foreign leaders dissenting from South Korean government policy on entering the United Nations.

Kim, head of the No. 1 opposition group, the New Democratic Party, recently sent letters to Soviet President Mikhail S. Gorbachev and U.N. Secretary-General Javier Perez de Cuellar.

In the letters, he opposed the government's plan to apply for U.N. membership alone this year if North Korea refuses to join the world body separately and simultaneously.

Kim asked the two leaders to support simultaneous entry into the United Nations by both Koreas. He suggested that the five U.N. Security Council members with veto power -- the United States, the Soviet Union, China, France and England -- invite both Koreas to become separate U.N. members.

''Such letters have no international precedents and may cause confusion in the conduct of national diplomacy,'' said the official, who asked not to be identified in keeping with customary practice.

North Korea says separate entry would tend to perpetuate the Korean peninsula's division. It has proposed that the two Koreas share a single revolving seat. South Korea has rejected that plan as unworkable.

South Korean officials believe their nation has a better chance of joining the United Nations this year after establishing formal diplomatic relations with Moscow and improving ties with China.

The Soviet Union and China are close allies of Seoul's rival, North Korea.

The Korean peninsula was divided into the Communist North and the capitalist South in 1945. They are still technically at war since no peace treaty was signed at the end of the 1950-53 Korean War.

^END<

AP-TK-14-05-91 0800GMT<

0098

김대중 12
file
✓

蘇, 南北韓 유엔 동시가입 희망

소콜로프대사 金총재와 요담

(서울=聯合) 소콜로프 駐韓소련대사는 14일하오 여의도 신민당사로 金大中총재를 예방한 자리에서 "소련은 南北韓양측이 유엔에 동시에 가입하기를 희망하고 있다"고 말했다고 배석한 朴相千대변인이 전했다.

소콜로프대사는 "금년가을 유엔총회때까지 南北양측이 대화를 통해 유엔가입문제를 타결짓기를 바란다"면서 "그 결과는 낙관할수는 없으며 그럴 경우 소련은 유엔의 보편성원칙을 존중할것"이라고 말해 남북한 동시가입이 불가능하게 되면 한국만의 단독가입을 지지할수 밖에 없다는 입장을 밝혔다.

소콜로프대사는 이어 金총재가 지난1월 KAL기 격추사건 진상규명을 요청하는 서한을 고르바초프소련대통령에게 보낸것과 관련, "소련당국은 KAL기 격추사건이 사전에 계획된 영공침해였기 때문에 소련의 안보침해행위로 보고 격추시켰다"고 주장한 것으로 알려졌다.

그는 "이날 현재까지 새로 밝혀진 진상은 없다"면서 "다만 유족에게는 유감스럽게 생각하고 있으며 새로운 사실이 나타나면 즉시 알리겠다"고 말했다.

소콜로프대사는 "유족들의 소련방문 행사는 허용할 것이며 레벨스크市에 추모비를 세울 예정"이라고 말했다.(끝)

(YONHAP) 910514 1643 KST

0099

연합 H1-140 S01 정치

<정가낙수> "주요 정책수행에 혼선 야기"

(서울=聯合) O...올해의 최우선 외교과제인 유엔가입을 위해 총력을 기울이고 있는 외무부는 15일 新民黨의 金大中총재가 케야르 유엔사무총장에 이어 고르바초프 蘇聯대통령에게도 유엔 단독가입이 바람직하지 않다는 서한을 보낸 사실이 밝혀지자 이를 공개적으로 반박하고 나서 유엔가입문제가 정치쟁점화될 조짐.

외무부 관계자들은 金총재가 케야르 총장에게 유엔가입에 관한 의견서를 보냈을 때만해도 "사무총장이 매일 받는 수천통의 편지중 하나에 불과한 것"이라며 애써 무시하려 했으나 고르바초프대통령에게 같은 편지를 보낸 사실이 보도되자 <국가의 주요 정책수행에 혼선을 야기할 수 있는 처사>라고 비난.

한 당국자는 "美國이나 日本 어느나라 야당지도자가 외국 대통령에게 자기대통령과 의견이 다르다고 편지를 보내느냐"고 지적하면서 金총재의 서신이 국익에도 보탬이 되지 않는다고 주장.

다른 당국자는 "설사 정부입장과 다른 의견이 있어도 국회에서 따지거나 외무장관을 불러 얘기하면 될텐데 외교의 기본상식이나 제1야당 총재로서의 체면도 없이 외국 국가원수에게 편지를 보낸 것은 이해할 수 없는 일"이라고 흥분.

외무부측은 金총재가 "지난 5월 북한이 제의한 단일의석 가입안에 대해 신중한 검토없이 긍정적으로 평가했었다"고 상기하면서 "유엔가입이 기정사실화되자 <서신>을 통해 자신의 입장을 합리화하려는 의도가 담겨있는 것이 아니냐"고 해석하는 분위기.(끝)

(YONHAP) 910514 1100 KST

0100

연합 H1-161 S01 정치(004)

<정가낙수> 金총재 서신 언론보도에 당황

(서울=聯合) 0... 金大中신민당총재는 14일상오 명지대운동장에서 거행된 姜慶大군 영결식에 참석, 조사를 통해 "姜군사건은 공안통치의 필연적인 결과"라며"그러나 姜군의 죽음에 대해서는 정치권의 책임도 크며 부끄럽다고 고백하지 않을 수없다"고 강조.

金총재는 이날 여론을 의식, 조사를 취소할 예정이었으나 영결식에 같이 참석한 李基澤민주당총재가 조사를 하겠다는 의사를 강력히 주장하자 장례식을 주최한 범국민대책위측이 "金총재가 조사를 하지 않겠다면 野3黨대표 모두에게 조사연설을 취소시키겠다"고 말해 입장을 번복.

한편 신민당은 이날 金총재가 남북한유엔동시가입 협조를 요청하는 서한을 최근 케야르 유엔사무총장에게 보낸데 이어 방한중인 로그노프 모스크바대총장을 통해 고르바초프 소련대통령에게도 전달했다는 사실이 뒤늦게 언론에 보도되자 이를 확인하면서도 마치 비밀사항이 외부로 새어나간 듯 당황해하는 모습.

朴相千대변인은 고르바초프대통령에게 서한을 보낸 배경에 대해 "남북한유엔동시가입 추진을 위해 남북한을 금년가을 유엔안보리에 동시초청해줄 것을 케야르사무총장에게 요청했으나 동시초청문제는 사무총장권한이 아니라 안보리이사국의 제안이 있어야 한다는 대답이어서 고르바초프대통령에게 서한을 보내게된 것"이라고 해명.

朴대변인은 "고르바초프에게 서한을 보낸 사실이 외부로 새나간데 대해 金총재가 매우 불쾌감을 표시하면서 누출자를 찾아내 주의를 주라는 지시를 했다"고 전언.(끝)

(YONHAP) 910514 1116 KST

0101

김대중 ...

연합 H1-110 S01 정치(275)

정보1과
10:50

외무부 金총재 서한발송 자제 촉구

(서울=聯合) 외무부의 한당국자는 14일 논평을 발표, "우리의 유엔가입문제와 관련, 新民黨의 金大中총재가 지난 8일 페레즈 데 케야르 유엔사무총장에게 서한을 보낸데 이어 이번에는 고르바초프 蘇聯대통령에게 서한을 보낸 것은 국제관례에도 없을뿐 아니라 국가의 주요 정책수행에 혼선을 야기할수 있는 처사라고 본다"고 말했다.

이 당국자는 "국가의 주요 외교정책에 대한 구체적 추진방안에 관하여 정당차원에서 의견이 있더라도 이는 국내 의견 수렴과정에서 제시되어야 하며 대외기관에 대하여 직접 의사를 전달하는 것은 국익에 보탬이 되지 않는다고 본다"고 말했다.(끝)

(YONHAP) 910514 1026 KST

0102

한 국 일 보

1991. 5. 14. 화. 2면

"한국 유엔單獨가입 반대"

金大中총재 고르바초프에도 서한

金大中新民黨총재는 유엔 안보리의 南北동시초청방식에 의한 南北유엔동시가입 주장을 골자로 한 서한을 케야르 유엔사무총장에 이어 고르바초프 소련대통령에게도 보낸것으로 13일 뒤늦게 밝혀졌다.

金총재는 이 서한을 지난 5일 東橋洞자택을 방문한 로구노프 蘇모스크바大총장을 통해 전달한 것으로 알려졌다.

金총재는 이 서한에서『남한만의 유엔단독가입은 한반도의 평화보장등의 측면에서 바람직하지않다』고 전제, 『유엔안전보장이사회이사국들, 특히 소련등 5대 상임이사국들이 직접 나서 안보리명의로 남북한을 동시초청, 유엔에 南北이 동시가입할수 있도록 해달라』고 요청했다.

세 계 일 보

1991. 5. 14. 화、1면

南北 유엔동시加入 고르비에게도 書翰

金大中총재

新民黨의 金大中총재는 지난 8일 케야르 유엔사무총장에 이어 고르바초프 蘇聯대통령에게도 한국의 유엔가입에 협조해 줄 것을 요청하는 서한을 발송한 것으로 13일 알려졌다.

金총재의 서한은 지난 5일 연세대 초청으로 방한했던 아나톨리 로구노프 모스크바大총장을 통해 고르바초프대통령에게 전달될 예정이다.

金총재는 이 서한에서 『유엔 安保理이사국들이 남북한 정부를 공동 초청, 남북한이 동시에 유엔에 가입할 수 있도록 협조해달라』고 요청했다.

金총재는 조만간 유엔 안보리 5개상임이사국의 정부수반에게도 유사한 내용의 서한을 발송할 예정이다.

한 겨 레 신 문

1991. 5. 14. 화、2면

유엔 동시가입지지 요청

김총재, 고르비에도 서한

김대중 신민당 총재는 남북한의 유엔 동시가입 지지를 요청하는 내용의 서한을 최근 케야르 유엔 사무총장과 함께 고르바초프 소련 대통령에게도 보낸 것으로 13일 알려졌다.

김 총재는 조만간 유엔 안보리 5개 상임이사국의 정부 수반들에게도 비슷한 내용의 서한을 보낼 예정인 것으로 알려졌다.

2-2

0103

韓國日報

1991. 5. 15. 수, 5면

局來政往

외무부 DJ비난논평

외무부는 14일 金大中 新民黨총재가 최근 한국 유엔가입에 대한 자신의 입장을 담은 편지를 케야르 유엔사무총장에게 보낸데 이어 고르바초프 소련대통령앞으로도 서한을 보낸사실이 밝혀지자 『외교상식에 벗어나는 일』이라며 강도높은 비난。

외무부 관계자들은 『도대체 어느나라 야당이 외교상대국에 정부와 다른 입장을 공식 전달하느냐』고 흥분하면서 『우리 내부적으로는 정부의 외교정책에 다른 의견을 제시할 수도 있겠지만 이를 개별적으로 교섭상대국에 전달한다면 외교는 엉망이 되고 말것』이라고 분개하는 모습。

외무부측은 金총재의 편지내용이 북한의 단일의석 공동가입주장에 긍정적이던 종래입장보다는 다소 누그러진 것이라고 평가하면서도 단독가입에는 반대하는듯한 인상을 풍겨 우리정부 방침과는 다른 입장을 보이고있다고 분석。

지난 8일 金총재의 첫번째 편지에는 공식적인 입장표명을 하지 않았던 외무부는 이날 공식논평을 발표하면서 『사실 외무부가 무슨 힘이 있느냐』며 『여론의 동향을 보고 힘을 얻었다』고 말해 新民黨에 항의하지 못했던 속사정을 토로。

京鄕新聞

1991. 5. 15. 수, 2면

金총재 對고르비서한
외무부、외교혼선우려

외무부당국자는 14일 金大中新民黨총재가 韓國의 유엔가입과 관련한 서한을 고르바초프蘇聯대통령에게 보낸데 대해『이는 국제관례에도 없을뿐 아니라 국가의 주요정책수행에 혼선을 야기할수 있는 처사라고 본다』고 논평했다。

당국자는『金총재가 서한에서 북한이 끝내 유엔동시가입의 결단을 내리지않을때는 한국만의 유엔가입이 불가피하다고 했지만 이는 국내 의견수렴과정에서 제시돼야한다』면서『대외기관에 대해 직접 의사를 전달하는 것은 국익에 보탬이되지않는다고 본다』고 말했다。

0104

서울신문

1991. 5. 15. 수, 2면

書翰발송 自制촉구

외무부, 金총재에

외무부의 한 당국자는 14일 논평을 발표,『우리의 유엔가입 문제와 관련, 新民黨의 金大中총재가 지난 8일 페레스 데 케야르 유엔사무총장에게 서한을 보낸데 이어 이번에는 고르바초프 蘇聯대통령에게 서한을 보낸것은 국제관례에도 없을 뿐 아니라 국가의 주요 정책수행에 혼선을 야기할 수 있는 처사라고 본다』고 말했다.

이 당국자는『국가의 주요 외교정책에 대한 구체적 추진방안에 관하여 정당차원에서 의견이 있더라도 이는 국내 의견수렴 과정에서 제시되어야 하며 대외기관에 대하여 직접의사를 전달하는 것은 국익에 보탬이 되지 않는다고 본다』고 말했다.

世界日報

1991. 5. 15. 수, 2면

더이상 못참겠다, 분통

○…외무부는 14일 金大中신민당총재가 케야르 유엔사무총장에 이어 고르바초프 蘇聯대통령에게도 유엔가입관련 친서를 보낸 사실이 뒤늦게 밝혀지자 「더이상 못참겠다」는 듯 반박논평을 내는 등 발끈。

한 당국자는 『金총재 서한의 내용자체는 큰 문제가 없지만 정부와 사전협의 없이 교섭상대국에 서한을 보내 마치 국내에 큰 이견이라도 있는 듯한 인상을 주는 것은 결코 국익에 도움이 되지 않는다』면서 『단일의석가입안을 지지한다던 金총재가 이제 우리의 연내유엔가입이 실현될 가능성이 커진 시점에 자꾸 나서는 이유를 모르겠다』며 갸우뚱。

야당총재를 상대로 논평을 내는 등 외무부의 이례적 반발은 특히 지난달 25일 金총재가 케야르 유엔사무총장에게 서한을 보냈을 때 침묵을 지킨 것과 대조적이란는 지적。

韓國日報

1991. 5. 15. 수, 2면

"金총재「고」에 서한 국가정책 혼선야기"

・外務部 비난논평

외무부 당국자는 14일 金大中 新民黨총재가 유엔가입에 대한 자신의 입장을 밝힌 서한을 케야르유엔사무총장에 이어 고르바초프 소련대통령에게 보낸 사실과 관련한 논평을 발표, 『이는 국제관례에도 없을뿐 아니라 국가의 중요정책 수행에 혼선을 야기할 수 있는 처사』라며 강력 비난했다.

0105

서울신문

1991. 5. 15. 수, 3면

野黨총재의「뒷문外交」

金大中 新民黨총재가 南北韓유엔가입에 대한 입장을 밝히는 서한을 페레스 데 케야르 유엔사무총장에게 보낸데 이어 고르바초프 蘇聯대통령에게도 보냈다.

누구든지 南北韓유엔가입문제에 대한 나름대로의 견해를 가진다는 것은 당연하며 하물며 제1野黨총재 입장에서 그것을 공개한다는 것은 조금도 이상할게 없을 것이다.

그러나 金총재가 보낸 서한의 내용과 그 형식 및 절차 등을 지켜보면 과연 金총재가 서한을 보낸 진의가 무엇인지 의구심을 갖지 않을 수 없다.

우선 金총재는 지난해 5월 北韓이 단일의석 유엔가입을 제의하자 긍정적으로 평가한데 이어 지난해 7월에는 日本언론과의 인터뷰에서 유엔수석대표는 南北이 서로 교대로 맡고 특정 사안에 대해 합의가 이뤄지지 않으면 기권한다는 등 구체방안까지 제시했던 바 있다.

이러한 金총재는 유엔 安保理이사국들이 南北韓을 동시초청하여 동시가입이 이뤄지도록 해줄 것을 요청하는 이 서한에서 北韓이 끝내 유엔가입 결정을 내리지 않을 때는 韓國만의 유엔가입이 불가피하다고 밝혀 단일의석 가입방안 지지의사를 슬그머니 철회했다.

金총재가 국회 등에서 유엔가입 방안에 대해 의견을 제시하고 충분히 토의할 수 있음에도 이같이 대외적인 경로를 통해 입장변화를 밝힌 것은 올가을 우리의 유엔가입이 실현될 경우에 대비한 「면피용」카드라는 느낌이다.

또 金총재는 서한발송 사실이 알려지자 측근들에게 발설자를 색출할 것을 지시함으로써 서한발송을 은밀히 추진했다는 점이 밝혀져 公黨의 총재로서 떳떳하지 못한 면을 드러냈다.

『韓國의 단독가입은 한반도의 평화에 부정적인 영향을 끼칠 것』이라고 서한에서 상반된 주장을 편 것은 유엔가입이 좌절될 경우에 대비할 양다리걸치기란는 지적도 있다. 정부가 연내 유엔가입을 실현시키기 위해 외교교섭을 벌이고 있는 상황에서 야당대표가 교섭상대국에 서한을 보낸다는 것은 외교상의 혼란을 야기할 수밖에 없을 것이다.

제1野黨의 총재로서 외교문제에 대한 의견이 있다면 국내에서 분명히 밝히는 것이 책임있는 행동이 아닐까 한다.

0106

The Korea Daily
1991. 5. 15. 수, 2면

Foreign Ministry Criticizes the Move

Kim Dae-jung Sends Message To Gorbachev on U.N. Entry

Opposition leader Kim Dae-jung has sent a personal message to Soviet President Mikhail Gorbachev asking him to support simultaneous entry of both South and North Korea into the United Nations.

An aide to Kim, head of the New Democratic Party, said yesterday the message was sent through Anatolli Logunov, president of Moscow University, who visited Korea recently.

In the message, Kim asked Gorbachev to see to it that the United Nations invites both Koreas so that they can join the world organization together.

Kim sent a similar message to U.N. Secretary-General Javier Perez de Cuellar earlier in the month, in which he said South Korea's entry into the U.N. would irritate North Korea and, therefore, would have a negative effect on peace on the Korean Peninsula.

The government has long called for the two Koreas' simultaneous entry into the world organization and has made it clear lately that if Pyongyang opposes the idea to the end, it would seek its own entry this year.

North Korea, rejecting the idea of simultaneous entry as an attempt to "perpetuate national division," is demanding South and North Korea join it under a single seat.

Kim's aide said the party head plans to send similar messages to the heads of other permanent member nations of the U.N. Security Council.

NDP spokesman Park Sang-chon said Kim is sending the messages to realize South and North Korea's simultaneous entry as U.N. Secretary-General de Cuellar, in a reply to Kim's message, said the right to invite the two Koreas to the U.N. rests with the permanent member countries of the Security Council.

Meanwhile, the Foreign Ministry yesterday criticized Kim for sending the messages, saying "such an act is against international practices and prone to cause confusion in the execution of government policies."

A ministry official said, "If a political party has an objection to a state policy, it should be expressed in the course of policy formulation. We believe the conveying of such a view directly to foreign organizations does not serve national interests."

0107

The Korea Times
1991. 5. 15. 수, 2면

Ministry Denounces Kim DJ's Appeal to G'chev on UN Entry

The Foreign Ministry yesterday angrily reacted to opposition leader Kim Dae-jung's appeal to Soviet President Mikhail Gorbachev to support the simultaneous entry of South and North Korea into the United Nations.

A ranking Foreign Ministry official yesterday issued a strongly-worded statement denouncing the opposition leader for "harming national interests."

Kim Dae-jung, president of the New Democratic Party, aroused the government's ire by sending a personal letter to President Gorbachev through Anatoly Rogunov, Moscow University prexy, who visited Seoul recently.

In his letter, the NDP leader reiterated his party's opposition to the unilateral admission of South Korea into the world body. Last week, Kim Dae-jung sent a similar letter to U.N. Secretary General Javier Peres de Cuellar.

Kim called for the Soviet Union to support the simultaneous entry by both Koreas into the U.N. of which it must be voted on by the five permanent members of the U.N. Security Council.

The practice of an opposition leader such as Kim Dae-jung sending a letter to a foreign head of state is rare in international diplomatic circles and could cause confusion about that government's stand on major diplomatic issues, the official said.

Seoul is pushing hard for entry into U.N. this fall as North Korea refuses to enter the international organization along with South Korea as separate entities. North Korea has insisted on a single-seat membership by both the South and North to be alternately held by the two.

Another Foreign Ministry official recalled that the opposition leader had given a positive response, without careful consideration, to North Korea's assertion for a single-state membership in May last year.

"Even if he has a different view than the government over a certain diplomatic issue, he should keep the opinions at home and try to reflect them in government policy," said the official.

"It is irresponsible for an opposition leader to issue a statement containing a different position from the governments about a major diplomatic issue," said the ministry official.

Considering the fact that both the ruling and opposition camps are on a collision course, some observers suspect that the strong response by the Foreign Ministry has some sort of political implications.

0108

서울신문

1991. 5. 15. 수, 2면

"政策수행 혼란초래"

民自, 金총재서한논평

民自黨의 朴熺太대변인은 14일 新民黨 金大中총재가 고르바초프 蘇聯대통령에게 유엔가입문제와 관련한 서한을 보낸데 대해 논평을 발표, 『이는 국제관례에도 없을 뿐 아니라 국가의 중요 정책수행에 혼선을 야기할 수 있는 처사』라고 말하고 『국가의 주요 외교정책에 대한 구체적 추진방안이 있더라도 그것은 국내의견 수렴과정에서 제시되어야 하며 대외기관에 직접 의사를 전달하는 것은 국익에 보탬이 되지 않는다』고 밝혔다.

朝鮮日報

1991. 5. 15. 수, 2면

金총재 対고르비 서한 국가정책에 혼선 우려

民自, 비난논평

民自党 朴熺太 대변인은 14일 신민당 金大中총재가 蘇聯 고르바초프 대통령에게 남북한 UN동시가입에 대한 협조서한을 발송한 사실과 관련, 논평을 내고 『이는 국가의 주요한 정책수행에 혼선을 야기할 수 있는 처사』라고 말했다.

朴대변인은 또 『金총재는 북한이 제의한 단일의석하 유엔가입방안에 대해서도 긍정적으로 평가했다』고 지적, 『국가 주요 외교정책에 대한 구체적 추진방안에 관하여 정당차원의 의견이 있더라도 국내에서 제시돼야하며, 대외기관에 직접 의사를 전달하는 것은 국익에 보탬이 되지않는다고 본다』고 밝혔다.

0109

서울신문
1991. 5. 15. 수, 2면

상호關心事 논의

◇…新民黨은 金大中총재가 최근 南北韓유엔동시가입 협조를 요청하는 서한을 케야르유엔사무총장에게 보낸데 이어 방한중인 로그노프 모스크바大 총장을 통해 고르바초프 蘇聯대통령에게도 서한을 전달했다는 사실이 뒤늦게 언론에 보도되면서 「南北동시가입」촉구 보다는 「南韓단독가입」반대쪽이 크게 부각될까 고심。

朴相千대변인은 14일 고르바초프대통령에게 서한을 보낸 배경에 대해 『남북한 유엔동시가입 추진을 위해 남북한을 금년 가을 유엔안보리에 동시초청해줄 것을 케야르사무총장에게 요청했으나 동시초청문제는 사무총장 권한이 아니라 안보리 이사국의 제안이 있어야 한다는 대답이어서 고르바초프대통령에게 서한을 보내게 된 것』이라고 설명。

한편 金총재는 이날 하오 당사로 찾아온 소콜로프 駐韓 蘇聯대사와 KAL機격추문제, 南北韓 유엔동시가입문제 등 상호관심사를 논의。소콜로프대사는 新民黨측이 지난 1월 고르바초프 蘇聯대통령에게 KAL機 격추의 진상규명을 요구하는 서한을 보낸 것과 관련, 『蘇聯당국은 KAL機 격추사건이 사전계획된 영공침해사건으로 보는 입장에 변화를 줄 새로운 진상을 발견치 못했다』면서 다만 유족들의 蘇聯방문행사 및 레벨스크市에 추모비건립 허용 등을 거듭 약속하며 유감을 표시했다고 朴대변인이 전언。

서울신문
1991. 5. 15. 수, 1면

北측 동시加入 끝내 不應땐 韓國의 유엔單獨가입 支持

蘇대사, 新民총재 방문

소콜로프 駐韓 蘇聯대사는 14일 하오 金大中 新民黨총재를 방문한 자리에서 南北韓 유엔동시가입 문제와 관련, 『蘇聯은 南北동시가입을 바라며 가을 유엔총회때까지 南北韓 당국이 대화를 통해 좋은 소식이 있기를 바란다』면서 『그러나 양측의 대화의 전도에 좋은 소식만 있을 것으로 낙관할 수 없고 이 경우 蘇聯은 유엔의 보편성 원칙을 중시할 것이다』라고 밝혔다고 배석한 朴相千 新民黨대변인이 전했다.

소콜로프 蘇聯대사의 이같은 발언은 北韓이 南北동시가입에 끝내 불응할 경우 韓國만의 단독가입을 지지하겠다는 입장을 시사한 것으로 보인다。

韓國日報
1991. 5. 15. 수, 2면

유엔加入문제등 논의

金총재, 蘇대사 만나

金大中新民黨총재는 14일 하오 汝矣島당사에서 소콜로프駐韓소련대사의 예방을 받고 우리의 유엔가입문제와 KAL機격추사건에대한 소련측의 조치등에 대해 의견을 교환했다。

소콜로프대사는 이자리에서 우리의 유엔가입 문제에 대해 『소련은 南北동시가입을 바라며 올가을 유엔총회때까지 남북한당국의 대화를통해 좋은 소식이 있기를바란다』고 전제, 『그러나 양측대화에서 좋은 소식이 없을 경우 소련은 유엔의 보편성 원칙을 중시할 것』이라고 말했다고 朴相千新民黨대변인이 전했다.

世界日報
1991. 5. 15. 수, 2면

南北초청 거듭 요청

○…新民黨의 金大中총재가 남북한유엔동시가입 협조를 요청하는 서한을 고르바초프 蘇聯대통령에게 발송한데 대해 외무부가 비난논평을 발표하는등 미묘한 파장이 일고 있는 가운데 金총재가 14일 소콜로프 소련대사를 만나 유엔가입문제 등을 장시간 논의해 눈길。

金총재는 이자리에서 유엔안보리 이사국인 소련이 남북한정부를 함께 초청, 동시유엔가입이 될수 있도록 협조해 달라고 거듭 요청했다。

소콜로프대사는 『소련은 양측의 동시가입을 바란다』면서 『남북대화를 통해 좋은 소식이 있기를 바라는데 낙관만할 수 없어 소련은 유엔의 보편성 원칙을 중시

누락 check 할 것

0110

中央日報
1991. 5. 15. 수, 1면

南北韓 합의 안되면
韓國 단독가입 지지
駐韓 蘇대사 시사

소콜로프 駐韓蘇聯대사는 14일오후 金大中新民黨총재를 예방한 자리에서 『蘇聯은 南北韓 양측의 유엔동시가입을 바라며 올가을 유총회때까지 양측의 대화에 의해 좋은 결실이 있기 바란다』고 말했다고 배석한 朴相千대변인이 전했다。

소콜로프대사는 『그때까지 이 문제가 결론나지 않을 경우 蘇聯은 유엔의 보편성원칙을 존중할것』이라고만 말해 南北韓 동시가입이 불가능하게 되면 한국만의 단독가입을 지지할수 밖에 없다는 입장을 시사했다。

0111

朝鮮日報

1991. 5. 15. 수, 2면

수첩

野총재의 「密書」

『국제관례에도 없을 뿐 아니라 주요 외교정책수행에 혼선을 야기할 수 있는 처사로 본다』

金大中신민당총재가 케야르유엔사무총장에 이어 모스크바대학 총장을 통해 고르바초프 蘇聯대통령에게까지 유엔가입관련 서한을 발송한데 대해 14일 외무부가 밝힌 공식논평 내용이다.

외무부의 「직접논평」을 부른 金총재의 서한은 남한 단독유엔가입의 위험성 (남북간의 긴장 고조) 을 강조하고 동시가입실현을 위해 노력해달라는 내용이다. 이를 위해 유엔안보리상임이사국들이 남북한동시가입을 초청해달라는 요청과 함께, 『끝까지 북한이 반대할 경우 유엔도 남한만의 가입을 승인할 수 밖에 없을것』이란 내용을 말미에 덧붙이고 있다.

물론 야당총재로서 対外정책에 대해 정부와 다른 의견을 가질 수 있다. 그러나 문제는 우선 그런 의견을 직접 대학 총장에게 위탁하여 외국원수들에게 보내는 것이 합당하냐는데 있다.

미국 일본등 선진국에서는 대외정책에 대해 야당이 이견을 표시, 내부적으로 진통을 겪어도, 야당이 직접 외국에 대한 의사표시에 나서는 예가 없다. 의사당 안에서는 치열한 논쟁을 벌이다가도, 対外교섭에서는 한목소리가 유지되도록 입장을 취하는 것이 상례다. 対外교섭 에서의 혼선은 곧 국익에 해가 됨을 인식하고 있기 때문이다.

권위주의체제아래 탄압받는 야당지도자들이 탄원서를 발송하는 예는 있지만, 유엔가입문제는 사안의 성격이 다른 것이다.

둘째로는 金총재가 유엔가입문제에 대해 취한 입장을 바꾼 과정을 지적할수 있다.

金총재는 작년 5월30일 기자회견에서 『북한의 단일의석공동가입안을 긍정검토할 필요가 있다』고 말했고, 7월6일 日本 아사히 (朝日) 신문과의 인터뷰에서 북한의 제의에 찬성한다는 입장을 분명히 밝혔다. 당시 金총재는 南北韓수석대표 매년 교체, 투표권행사방식등에 대해서도 북한의 제의와 같은 입장을 밝히면서 『유엔헌장이 단일의석가입에 장애가되면, 헌장을 고치면 된다』고 말했다.

그후 유엔가입문제에 대한 그의 입장변화가 공식 발표된 것은 한번도 없었다. 지난 5월 8일 케야르총장앞으로 발송한 서한에서 처음으로 입장변화를 밝힌 것이다.

물론 한국의 유엔가입을 지지하는 국제사회의 여론을 인식한 야당총재로서 기존입장을 바꾸는데는 계기가 필요했음을 이해할수 있다.

그러나 수권정당을 자임하는 제1야당 총재라면 공식채널도 아닌 교수를 통해 외국원수에게 서한을 보내기보다는, 의정단상에서의 토론이나 국내언론과의 대화에 더 관심을 기울여야 하지 않을까.

<金昇泳·행정부기자>

0112

The Korea Herald
1991. 5. 15. 수, 사설

Bipartisan diplomacy

Rep. Kim Dae-jung of the New Democratic Party is reported to have delivered a message to Soviet President Mikhail Gorbachev asking for the latter's support in realizing the simultaneous entry of South and North Korea into the United Nations. It was preceded by a similar letter sent to the U.N. Secretary-General Javier Perez de Cuellar.

The main opposition leader is supposed to address messages to the same effect to the heads of state of the five permanent members of the U.N. Security Council. His irregular actions vis-a-vis the leaders of these countries raise questions as to the proper role of opposition political parties in the field of foreign policy.

It is an established precept of modern diplomacy that political parties should yield to the authority and competence of the administration in conducting foreign relations once a national consensus on its official policy has been achieved after a process of debate.

Bipartisanship is the name of the game in contemporary foreign relations. A politician, like a scholar or a journalist, may express his views on foreign policy, but this airing had better be confined within the national boundaries. Taking exception to a foreign policy in effect outside the country is likely to do disservice to the national cause in the international community.

The position taken by Rep. Kim is open to dispute in that it contradicts the stand of the Seoul government in favor of seeking U.N. membership for South Korea first as long as North Korea balks at the separate admission of the two parts of the Korean Peninsula.

It is inappropriate for the opposition head to appeal for the help of the chief U.N. official and foreign governments in inducing North Korea to join the world organization, since North Korea has steadfastly been opposed to the separate U.N. entry of South and North Korea.

Pyongyang's insistence on a single U.N. seat for South and North Korea has been proven to be illogical and impracticable, in addition to having no precedent. Seoul has already exhausted its energy and patience in the effort to persuade Pyongyang to come along. Given the present situation, there is no room for talking to the North Koreans on this score.

A tradition of bipartisan diplomacy will be a desirable asset to a nation in dealing with other governments and world affairs.

0113

The Korea Times
1991. 5. 15. 수, 4면

Two Koreas' UN Entry

Since the government made it clear that it intends to go ahead with application for admission to the United Nations, the nations concerned have clarified their positions or adjusted their policies on the Korean question at the world body.

Before taking the unilateral action, however, the government may well continue its effort to persuade the Pyongyang regime to enter the U.N. as a separate member until national reunification, as North Korea's proposal to share one U.N. seat is unworkable. In any case, Seoul's resolute maneuvers have provided momentum for the major powers to seriously think about the so-far hypothetical question.

Seoul's attempts to reach an agreement with Pyongyang have disappointingly failed due to the latter's obstinate objections to U.N. entry by the two Koreas on the grounds that the step would perpetuate national division. And the North's revised one-seat overture has been rejected by the South, on the other hand.

To break the uncompromising positions of the two Koreas, it may be necessary for the members of the U.N. Security Council to intervene in the inter-Korean discord and urge their mutual reconciliation as well as a negotiated settlement of the international dispute.

Conspicuous diplomatic contacts are now taking place especially between China and North Korea, as represented by the recent visit to Pyongyang by Chinese Prime Minister Li Peng and reported visit to Beijing of Kim Jong-il, son of and heir-apparent to North Korean leader Kim Il-sung. Pyongyang is now engaged in a last-minute endeavor to block Seoul's bid to enter the world forum.

However, it appears that China has so far maintained an equivocal stand, expressing a clear commitment to neither Seoul nor Pyongyang. Though China still remains a staunch ally of the North, it is presumed not to be in a position to exercise its power of veto against the Seoul overture unilaterally, in view of the growing economic cooperation with Seoul since the establishment of trade offices in each other's capital cities.

It may also feel that if it goes along with the unpopular North Korea, the world community may question China's dignity as a permanent Security Council member and its ability to fulfill its international rights and obligations.

Obviously put into an awkward situation, the Chinese leaders have repeatedly stressed a basic stance calling for dialogue and compromise to settle the issue, with the apparent aim of not getting involved in the Korean tangle. Nevertheless, China apparently has come to realize that its uncommitted attitude would reach its limit, when and if the Republic of Korea actually submits an application for a U.N. seat.

The forthcoming summit between Soviet President Mikhail Gorbachev and Jiang Zemin, Chinese Communist Party general secretary, to be held in Moscow tomorrow is expected to see an exchange of views on the Korean question at the U.N. and explore joint steps on the prospective ROK application for U.N. membership.

Since the Soviet Union has indicated its backing of the Seoul bid, China this time may be obliged to decide on a policy hopefully on the basis of the consultations with Moscow, capitalizing on the current mood of detente between the two Communist superpowers.

Their discussion of the Korean question is likely to center around the working out of mutually acceptable terms for both South and North Korea. In other words, the U.N. Security Council is in the position to take the initiative in solving the question particularly without hurting the pride of the North Koreans.

As a face-saving step in this connection, the Security Council could promote a plan to invite the two Koreas to join the world body as separate members, while Seoul withholds its application, as the U.N. does not necessarily require candidate countries' applications. If Pyongyang rejects this plan, the U.N. would be obliged to go along with the Seoul bid. Either way, Seoul appears set to enter the U.N.

0114

世界日報

1991. 5. 16. 木, 사설

金大中총재의 外交서한

南北韓의 유엔가입문제와 관련하여 金大中 신민당총재가 케야르 유엔사무총장과 고르바초프 소련 대통령에게 서한을 보낸 행위가 정부당국의 불만을 사고 있다. 金총재는 이 서한에서 남북한의 유엔동시가입을 강조하면서 韓國만의 단독가입은 우리 민족의 완전한 의사표시가 될 수 없으며 한반도 평화에도 부정적인 영향을 끼칠 것이라고 주장했다. 그러나 남북한 유엔가입을 위한 정부의 외교교섭이 한창 진행되고 있는 시기에 野黨지도자가 정부입장과 반드시 일치한다고 볼수 없는 독자적 견해를 밖을 향해 표명한다는 것은 국가이익을 전제로 한 超黨외교의 견지에서 결코 바람직한 일이라고 말할 수는 없다.

정부의 통일정책의 맥락에서 본다면 유엔가입은 南北韓에 의해 동시에 이루어지는 것이 바람직한 일이다. 南北韓은 統一을 이루기까지의 과도적 조치로서 서로의 實體를 존중하면서 협력과 교류를 쌓아갈 수 있는 기반을 구축하기 위해 유엔에 함께 가입할 필요가 있는 것이다. 그러나 북한이 끝내 유엔에 가입하기를 거부할 경우 한국만이라도 먼저 가입한다면 북한으로서도 국제적 고립에서 벗어나고 한국과 대등한 지위를 확보하기 위해 그 태도를 바꾸지 않을 수 없게될 것이다. 정부도 지금까지 그러한 방향으로 유엔정책을 추진해온 것으로 알고있다.

정부는 그와같은 외교적 노력이 그동안 국제사회에서 광범한 동조를 받는데 자신을 얻어 올가을 유엔총회에서 이 문제를 정식으로 제기하기로 결정한 것이다. 정부의 외교노력이 한창 무르익어가고 있는 시기에 金총재가 그와같은 서한을 보낸 것은 마치 국내에 큰 異論이 있는것 같은 인상을 줄 염려가 있기 때문에 당국자들을 당혹하게 만든 것이다.

유엔가입과 같은 중요외교정책에 일단 정부의 기본방침이 결정되면 어느 정치세력이든 이에 대해 對外的으로 이의를 제기하지 않는 것이 국제적으로 확립된 외교상식이 되고 있다. 야당지도자로서 異見이 있다면 국회에서의 토론 또는 정부와의 협의를 통해서 그 견해를 반영시키도록 노력했어야 옳았다.

金총재의 경우는 특히 유엔가입문제에 대해 지금까지 일관성없는 태도를 취해왔기 때문에 이번 서한은 오해를 낳기가 쉽다. 작년 5월 북한이 처음으로 「단일의석 공동가입」을 제안했을 때 金총재는 이를 긍정적으로 검토해 볼만하다는 반응을 보였다. 이윽고 日本기자와의 회견에서 北韓제안에 찬성한다고 하면서 『단일의석 공동가입이 유엔憲章에 저촉된다면 헌장을 고치거나 南北대표기구를 만들면 된다」고까지 주장했었다. 그런 주장은 東西獨이 개별적으로 유엔에 가입했으면서도 統一에 아무런 지장이 없었다는 사실로 의미가 없다는 것이 실증되었다.

金총재는 앞으로 유엔안전보장이사회의 다른 이사국수뇌들에게도 같은 서한을 보낼 것이라고한다. 그러나 그와같은 행위는 정부의 외교활동에 더욱 혼선을 초래할 염려가 있을 것이므로 自制할 것을 당부한다. 異見이 있으면 국회토론이나 정부와의 협의에서 그의 주장을 얼마든지 피력할 수 있을 것이다.

0115

Ou 개
√

관리 번호	91 -83ㅇㅇ

외 무 부

종 별 :

번 호 : SVW-1681 일 시 : 91 0515 1200

수 신 : 장관(동구일,국연)

발 신 : 주 쏘 대사

제 목 : 김대중 총재 서한

대:WSV-1454

1. 본직이 5.14 로가쵸프 차관에게 김대중 총재의 고르바쵸프 대통령앞서한에 관하여 문의한바, 동인은 이에 대하여 아직 모르고 있다고 답하였음.

2. 이에 대하여 본직은 보도된 동서한 요지를 설명하고 우리 정부가 의도하는 것은 남북한 동시가입이며, 북한이 이에 불응할경우 우선 우리만이라도 단독가입 하겠다는 점을 강조했음. 끝

(대사-국장)

19 . . 91.12.31 일반

구주국 차관 1차보 2차보 국기국 청와대 안기부

PAGE 1 91.05.15 23:13

외신 2과 통제관 FM

0116

공보관실

91.5.15.

장관님 정례 기자간담회 자료

(5.17. (금) 09:30)

I. 장관님 언급사항

II. 주요 예상 질의

1. 한.미 관계

가. 전시 접수국 지원협정 교섭 현황

나. 한.미간의 방위비 분담 협상 현황

다. 대통령 방미 시기 및 방미전 현안 조기 타결 부담

라. 남.북한 쌀 직교역에 대한 미국의 입장

2. 한.일 관계

가. 재난구호 목적의 일본 자위대 해외 파견 추진 문제

나. 일.북한 수교교섭 현황

3. 한.중 관계

가. 한.중간 경제협정 체결 추진 현황 (비보도조건)

4. 한.소 관계

가. 한.소 선린 협력조약 체결 추진 현황

5. 유엔 가입 문제

가. 김대중 총재의 대외 서한 발송

6. 기 타

가. 한.이집트 수교 전망

나. 이집트 군사사절단 방한 사실 여부 (비보도조건)

※ A4 용지에 고려명필로 별첨예 (국한문 혼용. 확대체)에 따라 작성
5.16(목) 11:00까지 디스켓과 함께 제출

첨 부 : 자료작성 예. 끝.

0117

3. 日.北韓關係 (背景 說明)

o 3.11-12間 東京에서 開催된 第2次 日.北韓 修交本會談에서 兩側은 主要爭點인 北韓의 核安全協定 締結問題, 補償問題等에 있어서 旣存의 立場을 되풀이함에 따라, 實質的인 交涉의 進展이 없었던 것으로 分析됨. 그간의 1,2차 會談은 兩側이 自身의 立場을 開陣하고 相對方의 立場을 確認하는 探索戰의 性格이었으며, 北京 開催 豫定인 3次 會談以後부터 交涉이 本格化될 것으로 展望됨.

o 3.13字 일부 言論(東亞日報)에 日外務省 當局者가 核安全協定 締結이 日.北韓修交의 前提條件이 아니라고 말한 것으로 보도 되었으나, 일본 外務省側에 確認해 본 結果, 同 報道內容은 事實과 다르다는 것임. 實際로 日本은 한국 및 미국과 함께 核安全協定 締結없이 日.北韓 修交는 있을 수 없다고 認識하고 北韓에 대해 동 協定締結을 계속 促求 하고 있음.

o 兩側은 第3次 本會談을 5月中에 開催키로 합의를 보았는 바, 이는 北韓側의 早期 開催 主張에도 不拘, 日側이 南.北高位級會談이 中斷된 現狀況을 配慮한 것으로 보임.

0118

5. 유엔加入問題 : 金大中 總裁의 對外書翰 發送

o 이 問題에 관하여는 지난 5.14字 外務部 當局者 論評에서 밝힌바와 같이, 野黨總裁가 유엔加入問題와 관련하여 유엔事務總長이나, 다른 나라 國家元首(代表機關)들에게 書翰을 보내는 것은 國際慣例에도 없을 뿐 아니라, 國家의 主要政策 遂行에 混線을 惹起할 수 있는 處事로서 國益에 보탬이 되지 않는다고 보는것이 外務部의 立場임을 다시한번 말씀드림.

앙고재	91년 5월 16일	담당	과장	국장

김대중 file
file.

5.16.

5. 유엔加入問題 : 金大中 總裁의 對外書輸 發送

ㅇ 이 問題에 관하여는 지난 5.14字 外務部 當局者 論評에서 밝힌바와 같이, 野黨總裁가 유엔加入問題와 관련하여 유엔事務總長이나, 다른 나라 國家代表 機關들에게 書輸을 보내는 것은 國際慣例에도 없을 뿐 아니라, 國家의 主要政策 遂行에 混線을 惹起할 수 있는 處事로서 國益에 보템이 되지 않는다고 보는것이 外務部의 立場임을 다시한번 말씀드림.

ㅇ 國家의 主要 外交政策의 具體的 推進方案에 관하여 意見이 있는 경우, 이는 超黨 外交次元에서 國內 意見收斂 過程에서 提示되는 것이 바람직하다고 생각함.

0120

보 도 자 료

외 무 부

제 91-128 호 문의전화 : 720－2408～10 보도일시 : 91 . 5 .14 . 10 : 00 시

제 목 : 외무부 당국자 논평 (91.5.14자 기사관련)

1. 우리의 유엔가입문제와 관련, 김대중 신민당 총재가 지난 5.8. 페레즈드 꾸에야르 유엔사무총장에게 서한을 보낸데 이어, 이번에는 고르바쵸프 소련대통령에게 서한을 보낸 것은 국제관례에도 없을 뿐 아니라 국가의 주요정책 수행에 혼선을 야기할 수 있는 처사라고 본다.

2. 작년 5월 북한이 제의한 단일의석하 남북한의 유엔가입 방안에 대해서도 신중한 검토없이 긍정적으로 평가했던 김대중 총재가 이번에는 남북한의 유엔동시가입 실현을 위한 국제적인 노력에도 불구하고 북한이 끝내 유엔가입의 결단을 내리지 않을때에는 한국만의 유엔가입이 불가피하다고 하였지만, 국가의 주요 외교정책에 대한 구체적 추진방안에 관하여 정당 차원에서 의견이 있더라도 이는 국내 의견 수렴과정에서 제시되어야 하며 대외기관에 대하여 직접 의사를 전달하는 것은 국익에 보탬이 되지 않는다고 본다. 끝

0121

a2337ALL r
u i BC-KOREA-JAPAN 05-16 0081
BC-KOREA-JAPAN =2 SEOUL (REOPENS)

In Tokyo, a spokesman at the Japanese Foreign Ministry confirmed on Thursday that its delegates would raise the question of the abduction at the third round of normalisation talks in Beijing starting next Monday.

"It is not directly related to the agenda of the negotiations, but we will take the opportunity of enquiring of the North Koreans in Beijing about the destiny of the Japanese woman," the spokesman said.

"The story is of interest to people here."

REUTER LYS DT AR
Reut08:33 05-16

연합 H1-404 S01 정치(334)

金大中총재 美英蘇佛정부에 서한

南北韓유엔동시가입 지지 요청

(서울=聯合) 金大中신민당총재는 남북한 유엔동시가입을 지지해 줄 것을 요청하는 서한을 금주초 유엔安保理 상임이사국인 美國 英國 蘇聯 프랑스정부에게 서울주재 대사관들을 통해 보낸것으로 16일 알려졌다.

金총재는 이 서한에서 "한국만의 유엔 단독가입은 한민족으로서는 불완전한 의사표시이며 남북간의 긴장을 강화시켜 한반도 평화에 부정적인 영향을 끼칠것"이라면서 남북한 유엔동시가입 필요성을 강조했다.

金총재는 또한 "남북한이 유엔에 동시 가입되도록 유엔安保理 상임이사국의 명의로 남북한 당국을 금년가을 安保理에 초청해달라"고 요청했다.

金총재는 중국정부에 대해서도 금명간 서울주재 무역대표부를 통해 같은 내용의 서한을 보낼 예정이라고 총재비서실관계자가 전했다.(끝)

(YONHAP) 910516 2006 KST

5

0122

(11가 18철)

기시

연합 H1-188 S01 정치(391)

정보1과
5.17.(금) 11:20

李외무 金총재 서한발송 비난
"정부 외교추진에 혼란 야기"

(서울=聯合) 李相玉외무부장관은 17일 우리의 유엔가입추진과 관련, 신민당의 金大中총재가 지난번 케야르 유엔사무총장에 이어 서울주재공관등을 통해 미국등安保理상임이사국에 남북한 동시가입에 관한 서한을 보낸 데 대해 "국익에 도움이 안 된다"고 논평했다.

李장관은 이날 기자회견에서 "정부가 추진하고 있는 외교사안에 대해 야당이 국제기구나 외국의 국가대표기관에 대해 그런 내용의 서한을 보내는 것은 외교추진에 혼선을 야기할 수 있다는 것이 정부의 입장"이라고 밝혔다.

李장관은 "물론 정부가 추진하는 외교의 구체방안에 관해 야당이 의견이 있으면 국내의 협의과정에서 개진, 반영토록 하는 게 온당하며 서한 형식의 문서를 외국대표기관에 보내는 것은 국익에 도움이 안된다고 본다"고 金총재를 비난하고 "외교수행에 있어서는 정부, 국회, 정당이 국익을 염두에 두고 대처해 나가야 한다"고 덧붙였다.(끝)

(YONHAP) 910517 1107 KST

0123

관리 번호	91-487

원 본

외 무 부

종 별 :

번 호 : FRW-1271 일 시 : 91 0517 0930

수 신 : 장관(국연)

발 신 : 주 불 대사

제 목 : 김대중 총재 서한

대: WFR-1004

주재국 외무성 관계관에게 확인한바, 현재까지는 외무성으로서는 김대중 총재의 서한의 접수에 대하여 아는바 없다함. 끝

(대사 노영찬-국장)

예고 : 91.12.31 까지

국기국

PAGE 1

91.05.17 17:17

외신 2과 통제관 BN

0124

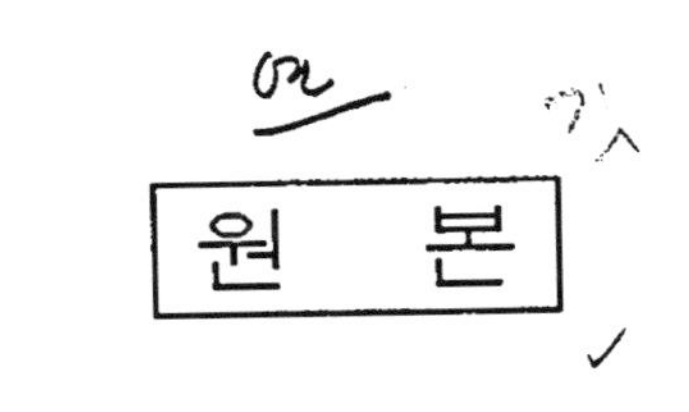

관리 번호	91 -498

외 무 부

종 별 :

번 호 : UNW-1297　　　　일 시 : 91 0520 1930

수 신 : 장관(국연,기정)

발 신 : 주 유엔 대사

제 목 : 김대중 총재서한

대:WUN-1336

1. 사무총장실 KAVANAGH 보좌관에 의하면 김총재 서한에대한 사무총장 답신을 금주중 사무총장의 재가를 득하는대로 발송예정이라고함.

2. 동답신은 김총재 서한에 대해 ACKNOWLEDGE 를 하고, 현재 추진중인 아국정부의 가입노력에 전연 지장을 주지않도록 한다는 점을 고려, 한국 유엔가입 실현을 희망한다는 내용만을 간단히 언급하였다고함

3. 동서한은 내주초 유엔파우치 편으로 UNDP 서울 사무소 앞 발송 예정임.끝

(대사 노창희-국장)

예고:91.12.31 일반

국기국　장관　차관　1차보　2차보　청와대　안기부

PAGE 1

91.05.21　09:37

외신 2과　통제관 BW

0125

長官報告事項

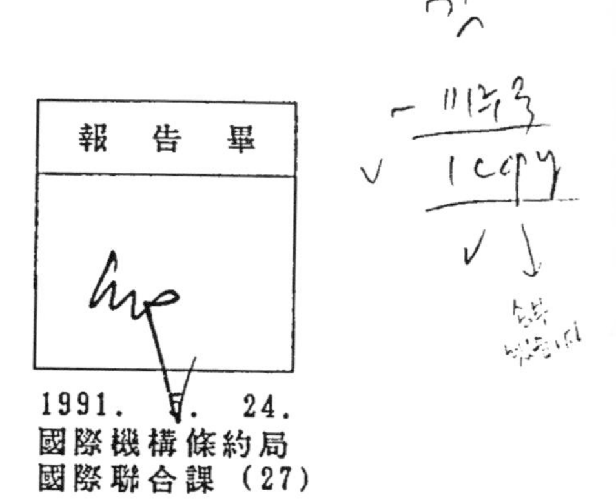

題 目 : 김대중 總裁 書翰 美側에 傳達

駐韓 美大使館은 5.24. 17:10 유엔 加入問題에 관한 김대중 新民黨總裁 書翰을 接受하였음을 알려왔는 바, 關聯事項을 다음 報告합니다.

1. 書翰傳達 方式

- 今 5.24. 오후, 조순승 議員과 김대성 總裁秘書가 駐韓美大使館 Hendrickson 政務參事官을 訪問, 傳達

2. 美側 言及事項

- 美側은 韓國의 유엔加入 實現을 위하여 韓國政府와 緊密히 協調하고 있으며, 앞으로도 그렇게 할 것임을 밝히고, (continue to work out)
- 이러한 時點에서 김대중 總裁의 편지로 困境에 처해지고 싶지 않으며 (don't want to be upset), 특히 편지내용이 잘못 이해될(mislead) 소지가 있음을 指摘
- 다만, 동 편지를 워싱톤 國務部에 傳達(convey) 하겠다고 言及

- 끝 -

0126

하이엘 페레즈 데 큐엘라 유엔사무총장 각하

본인은 한국의 유일한 야당인 신민당을 대표하여 이 서한을 드리는 영광을 가지는 바입니다.

먼저 본인은 사무총장께서 걸프전쟁의 평화적 해결을 위하여 세우신 위대한 공로를 높이 치하드리는 바이며, 이제는 유엔이 명실공히 평화유지기구로서의 역할을 다 하고 있음을 기쁘게 생각하는 바입니다.

본 서한의 목적은 한국의 유엔가입에 관한 신민당의 성실한 견해를 각하에게 직접 말씀드리고 이와 관련하여 각하의 선처를 요청하는 것입니다.

한반도는 현재 세계에서도 가장 긴장이 심한 곳입니다. 한반도의 평화는 동아시아 및 세계 평화에 극히 중요한 것입니다. 본인 견해로는 남북한의 유엔 가입은 두가지 원칙에 기초하여 해결되어야 한다고 생각합니다.

즉 첫째로 남북한이 공히 유엔에 가입되어 7천만 한민족의 의사가 반영되어야 한다는 것이며, 둘째로는 우리의 유엔가입은 한반도 평화에 기여해야 한다는 것입니다. 이런 의미에서 대한민국의 유엔 단독가입은 한민족으로서는 불완전한 의사표시이며 남북간의 긴장을 강화시켜 한반도 평화에 부정적인 영향을 끼칠 것입니다. 그러므로 우리는 꼭 남북한의 유엔 동시가입이 실현되기를 바라는 바입니다.

한편, 남북한의 유엔 동시가입이 한반도의 영구분단을 가져온다는 북한의 주장은 근거가 없는 것입니다. 동.서독과 남북.예멘은 동시에 유엔회원국으로 가입되어 있었으나, 결국은 통일되었습니다. 소련은 UKLAINE공화국 및 BYELO-RUSSIA공화국과 더불어 3개 유엔회원국으로 구성되어 있으나 소련이 결코 분단된 국가는 아닌 것입니다.

0127

따라서 북한의 주장은 국제적 지지도 받지 못할 뿐더러 이치에도 맞지 않는 것입니다. 본인은 최근 북한 평양에서 개최중인 국제의원연맹(IPU)에 참석하는 우리당 대표에게 북한이 동시가입을 수락하도록 촉구하는 본인의 의사를 전하도록 하였습니다.

본인은 진정한 민주주의의 실현, 인권의 보장 및 통일을 갈망하는 한국국민의 절대다수를 대표하는 신민당을 대신하여 한가지 요청이 있습니다. 그 것은 각하께서 유엔안전보장이사회에 이사국들, 특히 5대 상임이사국들을 설득하시어 남북한이 유엔에 동시가입되도록 안보이사회의 명의로 남북한 정부를 초청하여 주십사하는 것입니다.

이렇게 함으로써 유엔은 그의 보편성원칙과 세계평화에의 숭고한 이념을 다시 한번 펼치게 될 것입니다. 그리고 무엇보다도 북한으로 하여금 체면을 잃지 않고 유엔에 들어올 수 있는 계기를 만들어 줄 것입니다. 이렇게 해도 북한이 유엔가입의 결단을 내리지 않을 때는 유엔은 당연히 대한민국만의 가입을 승인할 수 밖에 없을 것입니다.

각하의 현명한 판단을 바라마지 않습니다.

각하에게 본인의 최고의 경의를 표하면서

1991년 4월 25일

신민당총재 김대중

0128

외교문서 비밀해제: 남북한 유엔 가입 16

남북한 유엔 가입 홍보 및 언론 보도 3 및 기타

초판인쇄 2024년 03월 15일
초판발행 2024년 03월 15일

지은이 한국학술정보(주)
펴낸이 채종준
펴낸곳 한국학술정보(주)
주 소 경기도 파주시 회동길 230(문발동)
전 화 031-908-3181(대표)
팩 스 031-908-3189
홈페이지 http://ebook.kstudy.com
E-mail 출판사업부 publish@kstudy.com
등 록 제일산-115호(2000. 6. 19)

ISBN 979-11-6983-959-4 94340
979-11-6983-945-7 94340 (set)

책에 대한 더 나은 생각, 끊임없는 고민, 독자를 생각하는 마음으로 보다 좋은 책을 만들어갑니다.